KB035554

우루과이라운드

시장 접근 분야 양허 협상

우루과이라운드

시장 접근 분야 양허
협상

_____

한국학술정보

| 머리말

    우루과이라운드는 국제적 교역 질서를 수립하려는 다각적 무역 교섭으로서, 각국의 보호무역 추세를 보다 완화하고 다자무역체제를 강화하기 위해 출범되었다. 1986년 9월 개시가 선언되었으며, 15개 분야의 교섭을 1990년 말까지 진행하기로 했다. 그러나 각 분야의 중간 교섭이 이루어진 1989년 이후에도 농산물, 지적소유권, 서비스무역, 섬유, 긴급수입제한 등 많은 분야에서 대립하며 1992년이 돼서야 타결에 이를 수 있었다. 한국은 특히 농산물 분야에서 기존 수입 제한 품목 대부분을 개방해야 했기에 큰 경쟁력 하락을 겪었고, 관세와 기술 장벽 완화, 보조금 및 수입 규제 정책의 변화로 제조업 수출입에도 많은 변화가 있었다.

    본 총서는 우루과이라운드 협상이 막바지에 다다랐던 1991~1992년 사이 외교부에서 작성한 관련 자료를 담고 있다. 관련 협상의 치열했던 후반기 동향과 관계부처회의, 무역협상위원회 회의, 실무대책회의, 규범 및 제도, 투자회의, 특히나 가장 많은 논란이 있었던 농산물과 서비스 분야 협상 등의 자료를 포함해 총 28권으로 구성되었다. 전체 분량은 약 1만 3천여 쪽에 이른다.

2024년 3월
한국학술정보(주)

| 일러두기

· 본 총서에 실린 자료는 2022년 4월과 2023년 4월에 각각 공개한 외교문서 4,827권, 76만여 쪽 가운데 일부를 발췌한 것이다.

· 각 권의 제목과 순서는 공개된 원본을 최대한 반영하였으나, 주제에 따라 일부는 적절히 변경하였다.

· 원본 자료는 A4 판형에 맞게 축소하거나 원본 비율을 유지한 채 A4 페이지 안에 삽입하였다. 또한 현재 시점에선 공개되지 않아 '공란'이란 표기만 있는 페이지 역시 그대로 실었다.

· 외교부가 공개한 문서 각 권의 첫 페이지에는 '정리 보존 문서 목록'이란 이름으로 기록물 종류, 일자, 명칭, 간단한 내용 등의 정보가 수록되어 있으며, 이를 기준으로 0001번부터 번호가 매겨져 있다. 이는 삭제하지 않고 총서에 그대로 수록하였다.

· 보고서 내용에 관한 더 자세한 정보가 필요하다면, 외교부가 온라인상에 제공하는 『대한민국 외교사료요약집』 1991년과 1992년 자료를 참조할 수 있다.

| 차례

정 리 보 존 문 서 목 록

기록물종류	일반공문서철	등록번호	2020030086	등록일자	2020-03-11
분류번호	764.51	국가코드		보존기간	영구
명 칭	UR(우루과이라운드) / 시장접근 분야 양허협상, 1992. 전2권				
생 산 과	통상기구과	생산년도	1992~1992	담당그룹	
권 차 명	V.1 1-5월				
내용목차	* 농산물 협상은 "UR(우루과이라운드) / 농산물 협상, 1992. 전4권 " 파일 참조				

0001

총칙 ; ○ 한 ·일 양자협의 → 잠정적 효력이 ~~~~ "미정부가 할수 있는것"
의문 ; ① 의정서 93. 6월까지 거듭개방.
　　　　- 라이 ; 1/5, 1/3, 1/3, 1/3 .
　　　② WTO 관련조항과 관련문제 .

시장접근분야 협상대책

'92. 1.

재　무　부

0002

-- 목 차 --

1

1. 시장접근분야 협정문 초안

- 시장접근분야 협정문 초안

> o 관세인하 이행기간 → 5년
>
>   · 관세인하 이행기간에 대한 예외허용
>
> o 비관세조치도 양허표 작성
>
>   · 수정철회시 GATT 28조 적용

- 시장접근분야 협정 초안은 위와같이 협상결과의 시행에 관한 사항을 규정하고 있어 특별히 우리입장을 제시할 것이 없음.

2. 향후 협상일정

'92. 2월말까지   양자 · 다자 협상(농산물 포함)

    1.28~2. 6 ⎤
             ⎬ 집중적인 협상
    2.20~2.28 ⎦

    3. 1   양허협상 완료

    3. 15   협상결과 평가

    3. 31   양허표 상호 확인 및 양허표 제출

2

0004

3. 협상전망 및 대응방안

가. 관   세

(1) 무세화 협상 ('94 부허 10년간)

- 협상전망

  o '90.12 브랏셀회의 이후 지난해 9월까지 다자간 협상이
    있었으나 미·EC의 의견대립으로 진전이 없는 상태임.

  o 향후 무세화 협상은 EC가 참여의사를 표명하고 있는
    의약품·철강등 일부분야에 타결 가능성이 있음.

- 대응방안

  o 일단 기존입장에 따라 대처
    · 철   강 → 전면 무세화 가능
    · 전자·건설장비 → 부분적인 무세화
    · 의약품등 여타분야 → 무세화 불가입장 견지

  o 향후 협상분위기에 따라서는 신축적인 대응방안도 강구

3

0005

(2) 관세조화 협상

(가) 3국 공동(미·EC·카나다) 화학제품 관세조화

- '91.10 제안되어 구체적인 협상이 없었음.

```
┌─ 제안내용 ─────────────────────────────┐
│                                          │
│  o  대상분야(HS 28~39류)                 │
│                                          │
│      · 무기화합물 → 5.5%                │
│      · 비료, 화장품, 비누, 필름, 플라스틱등 → 6.5%  │
│      · 의약품등 → 0%                     │
│                                          │
│      ※ '90 수입액의 12% (80억불)        │
│         '90 수출액의  5% (30억불)        │
│                                          │
│  o  이행기간 : 기준 관세율 수준에 따라 5, 10, 15년  │
│                                          │
└──────────────────────────────────────┘
```

- 대응방안

o 목표세율이 5.5~6.5%인 분야는 참여가능
o 목표세율이 무세인 분야는 참여불가

(나) 섬유 관세조화 제안

- '90.12 EC가 브랏셀회의에서 제안한 후 미국의 반대로 합의

되지 못하였고 '91.12 미국이 자국의 관세조화제안 제시

4

0006

- 제안내용 비교

(단위 : %)

분 야	미국제안 (현행세율보다높은)	EC 제안	
		선 진 국	개 도 국
인 조 사	7.5	4~5	10~12.5
천 연 사	15	4~5	10~12.5
직 물	32	8	15~20
의 류	32	12	30~35

※ '90 아국 수출액의 19% (122억불)
　'90 아국 수입액의 3% (22억불)

- 대응방안

　o 미국의 제안은 현행세율보다 높아 실효성이 없음.

　o 가급적 EC 제안이 채택되도록 협상노력 경주

(다) 기   타

- '91. 12월 카나다의 수산물, 일본의 비철금속·전자·화학
  제품 관세조화제안이 제시되었으나, 제안이후 다자간 협상
  기회가 없었음.

- 이러한 제안에 대하여 각국이 어느정도 호응할지 미지수
  이며 현재 관계부처와 대응방안 협의중임.

5

0007

(3) 양자협상

(가) 협상현황 및 전망

- 향후 상호 관심품목 위주로 집중적인 양허협상이 전망되나
  각국의 추가 양허는 많지 않을 것으로 전망됨.

- Request List 교환 현황
  o 대 아국 R/L 제시국가 : 미, 일, EC등 20개국
  o 아국의 R/L 제시국가 : 미, 일, EC등 11개국

(나) 대응방안

<다음의 기본입장 견지>

- 양허균형 여부
- 응능부담원칙의 견지
- 섬유등 고관세 유지 분야의 우선적인 관세인하

<양허의 균형여부에 따른 대응방안>

- 아국이 더많이 양허한 국가(예:미국, 카나다, 호주등)에
  대하여는 상대국의 추가인하요구는 수용불가입장을 견지
  하면서 아국의 주요교역품 위주로 추가양허 촉구

6

0008

- 상대국이 더많이 양허하거나 균형이 이루어진 국가(예 : 일본, EC, 스위스등)에 대하여도 <u>일단은 추가양허 불가</u> 입장 견지

    o 아국의 몬트리올 관세인하 목표달성 사실과 각국의 경제 발전 정도를 감안한 응능부담원칙등 강조

    o <u>일본에 대하여는</u> '92.1 일본 총리 방한시 아국이 제시한 관세인하 요청품목에 대하여 긍정적 고려 요청

<R/L상 주요 관심품목 선정>

- 우리가 상대국에 기 제시한 Request의 효과적인 반영을 위하여 우리의 주요 관심품목을 선정·제시

- 주요 관심품목

    o 수출액 상위 품목

    o 상대국의 고관세 유지품목 등

<추가 양허 가능품목 준비>

- 협상 진전에 따라 불가피해질 경우에 대비, 추가 양허 가능 품목 선정

- 추가 양허가능 품목

    o 원자재등 수입이 불가피한 품목으로서 국내산업에 미치는 영향이 적은 품목

    o 기준세율 대비 실행관세율이 이미 상당히 인하된 품목등

7

0009

나. 비관세

(1) 협상현황 및 전망

- R/O 방식에 의한 양자협상으로 진행되어 왔으나 상호관심
  분야의 비관세조치 철폐·완화에 대한 협상진전은 거의
  없는 상태

- Reqeust List 교환 현황

  o 대 아국 R/L 제시국가 : 미, 일, EC등 12개국
  o 아국의 R/L 제시국가 : 미, 일, EC등 13개국

- 관세와 마찬가지로 비관세조치도 UR 에서 양허표에 게기
  하도록 되어 있는 바 이에 대한 대응 필요

(2) 대응방안

- 상대국 비관세 R/L에 대한 대응방안

  o 상대국이 요청한 비관세조치에 대한 수용가능 여부 및
    양허표 게기가능 여부 선별

  o 우리가 수용불가능한 비관세조치에 대하여는 대응논리
    준비

  o 수용이 가능한 비관세조치에 대해서는 양허표에 게기 가능
    한지 여부를 판단하여 게기가 불가한 경우에는 상대국에
    대한 설명자료 준비

- 아국의 비관세 R/L 준비

  o 협상 상대국 별로 우리가 요청한 비관세조치의 철폐·
    완화에 대하여는 구체적인 관련품목을 제시하여야 함.

  o 효과적인 협상을 위해 상대국에 대하여 가급적 많은
    비관세조치의 철폐·완화대상 제시가 바람직.

8

0010

다. 농산물

- '92. 1. 13. TNC 회의에서 향후 농산물도 시장접근분야 협상에 포함하여 추진토록 되어 있는 바

- 농산물 협상그룹에서 관세인하 및 보조금 감축 계획이 완전히 합의 되지는 않았으나 양자협상이 구체화되는 경우에 대비한 준비가 필요

- 대응방안

  o 던켈 농산물 의정서에 따라 T·E 대상품목과 기히 자유화 되어 있는 품목을 구분하여 관세인하계획 준비

  o 농산물에 대한 양허요구시 대응논리 준비

    · 농산물 협상이 완전타결되지 않았다는 이유로 양허협상을 미루는 방안등

    · 우리의 농산물 R/L도 필요시 준비

  o 시장접근분야 협상시 본부 농산물 담당자의 참여여부 검토 필요

    · 미국 등에서 농산물 협상관계자의 참여가 예상되므로 본부대표 참여희망(제네바대표부)

9

0011

UR(우루과이라운드)-시장접근 분야 양허협상, 1992. 전2권(V.1 1-5월) 17

0012

이번안

수용 가능 품목

국 명	H S	품 명	요 청 사 항	소 관 부 처
미 국	84/85	전기기기	전기기기에 대한 강압 변압기 사용금지 철폐	공업진흥청
	2207. 20	변성주정	수입허가제 철폐	농림수산부, 국세청
	2208. 90. 10	기타 브랜디	"	"
	2208. 90. 20	리 큐 르	"	"
	2208. 90. 30	보 드 카	"	"
	2208. 90. 40	소 주	"	"
	2208. 90. 50	인 삼 주	"	"
	2208. 90. 60	고 량 주	"	"
	2208. 90. 70	오가피주	"	"
	2009. 30. 10	레몬쥬스	"	농 림 수 산 부
	2009. 30. 20	라임쥬스	"	"
		전 품 목	방위세 폐지	재 무 부
E C		전 품 목	1.1 순수 폐지	재 무 부
카 나 다	47	Wood pulp	국적선 이용 의무 철폐	교통부, 해운항만청
	4801	Newsprint	"	"
	4802	Writing paper and paper board-uncoated	"	"

국 명	H S	품 명	요 청 사 항	소 관 부 처
	4804	Uncoated Kraft paper and paper-board	국적선 이용 의무 철폐	교통부, 해운항만청
		전 품 목	수입담보금제 철폐	재 무 부
호 주	7607.11	Aluminum foil, not backed, rolled	수입허가제 철폐	상 공 부
	8413.92	Parts for liquid elevators	"	
스 웨 덴		전 품 목	국산부품 사용의무 철폐	재 무 부, 상 공 부
태 국	7103	루비, 사파이어	수입허가 철폐	상 공 부
	7113	보 석	"	
우루과이	7102	다이아몬드	수입허가 철폐	상 공 부

0014

국 명	H S	품 명	요 청 사 항	소 관 부 처
뉴질랜드	5106. 10, 5106. 20, 5107. 10, 5108. 10, 5108. 20, 5109. 10, 5111. 11, 5111. 20, 5112. 11, 5112. 20,		특별소비세 폐지 〃 〃 〃	재 무 부 〃 〃 〃
	5701. 10, 5703. 10		지방세 폐지	내 무 부
오스트리아		전 품 목	방위세 폐지	재 무 부

원 본

관리 번호	92-61

외 무 부

종   별 :

번   호 : GVW-0110   일   시 : 92 0116 2030

수   신 : 장관(봉기,경기원,재무부,농림수산부,상공부,경제수석)

발   신 : 주 제네바 대사

제   목 : UR/시장접근 협상일정

연: GVW-0073

본직은 1.16. 시장접근 협상그룹 DENIS 의장과 향후 UR 협상 방안중 TRACK 1에 의한 시장접근협상(농산물포함) 운영에 관하여 협의하였는바 요지 아래 보고함.

(갓트측 : BROADBRIDGE 사무차장보, CAMPEAS 관세국장, WOLTER 농업국장, OPELZ 비관세 국장, 아측: 엄재무관, 최농무관 배석)

1. 향후 협상일정

- DENIS 의장은 농산물분야 포함, 시장접근 협상을 3.1 까지 실질적으로 종료키로한 12.20 TNC 결정사항(MTN.TNC/W/93)을 상기시키면서 1.13.TNC 회의시 TRACK I 에서 협상키로한 농산물의 국경조치, 국내보조 및 수출보조를 포함한 HS.1-99 류에 걸친 모든 품목에 대한 양허 SCHEDULE 이 3.1. 까지 제시되어야만 부활절 휴무이전(4.16)까지 UR 협상의 종결이 가능함을 설명하고 앞으로의 구체적인 협상일정을 다음과 같이 제시함.

0 1.28-2.6 : 집중적인 양자간 복수국가간 협상진행

0 2.7 : 비공식 STOCK-TAKING 회의

0 2.22-2.28 : 미진한 분야에 대해 집중적인 협상(AUCTION EXERCISE)

2. 의견교환

- 아국은, 의장이 제시한 협상일정대로 협상이 진행되도록 하는데 최선을 다할것이나 다음과 같은 어려움이 예상됨을 지적함.

0 농산물협상은, 12.20 제시된 TEXT 에 의하면 3.1 까지 COUNTRY PLAN 을 제시토록하고 있는바 3.1 이전에는 양자협상의 협상기초가 없으므로 실질적인 협상을 진행하기에 어려움이 있을 것임.

0 아국으로서도 12.20 제시된 농산물 TEXT 중 특히 예외없는 관세화는 받아드릴수

통상국	장관	차관	1차보	2차보	외정실	분석관	정와대	안기부
경기원	재무부	농수부	상공부					

PAGE 1

UR(우루과이라운드)-시장접근 분야 양허협상, 1992. 전2권(V.1 1-5월)   21

없으므로 TRACK 4 에 의한 수정이 필요하다는 입장임. 따라서 전품목의 협상을 3.1 까지 종료 가능할지 의문시됨.

(동 TEXT 의 수정없는 수락을 전제로하는 협상 진행은 국내적으로 곤란함을 강조)

0 과거의 경험으로 보아 3.1 까지의 짧은 시간에 COUNTRY LIST 자체만의 제시도 용이하지 않을 것임.

- 이에 의장은 자신으로서는 협상 실체 부분에 대해서는 참가국간의 협상 결과에 의해 결정될 문제이고 협상시한등 기본적 문제는 TRACK 4 에서 협의될 사항으로 생각하며 TRACK I 의 협상에서는 종전 TNC 회의에서 결정한바와 같이 1-99류에 이르는 모든 품목에 대한 양허 SCHEDULE 이 3.1 까지 제시되어야 함을 재차 강조하면서 주요 협상 참가국(EC 포함)이 이러한 협상일정에 동의하였음을 부연함.

3. 관찰 및 평가

- 상기 협의는 DENIS 의장이 주요참가국(EC, 미국, 일본, 아국, 카나다는 개별적으로 여타 개도국은 그룹별로 협의)과 개별적으로 협의하는 과정의 일환으로서 특히 금일 협의에서는 GATT 의 주요 실무책임자들이 배석한 상태에서 DENIS 의장이 개별국가와의 협의 형태를 취하여 3.1 까지 농산물을 포함한 TRACK I 의 협상을 종료키로 언급하였는바 금일 협의에서 감지된 바로는 이는 의장 및 GATT 당국이 부활절 이전까지 모든 협상을 종료시키고자 하는 강한 결의의 표현으로 보여짐.

- 이러한 협상 일정은 내일(1.17) 개최될 시장접근 협상그룹 비공식회의에서 확정될 예정인바 실행 가능성에 다소 의문이 있다하더라도 부활절이전 까지 모든 협상을 종료하기위한 시장접근 협상 일정이므로 공개적인 반대의사 개진은 어려울 것으로 예상됨.

- 이러한 협상일정의 구체적인 진행방안, 주요국의 반응등은 내일 회의 종료후, 추보 예정이나 DENIS 의장 및 GATT 당국의 협상일정에 맞춰 아국으로서도 농산물을 포함한 시장접근 협상 전반에 관한 구체적인 준비를 하는 것이 좋을 것으로 사료됨. 끝

(대사 박수길-국장)
예고:92.6.30 까지

PAGE 2

關稅引下 要請品目(16個)

（單位 : 百萬￥）

H　　S	Description	'91 Rate	'90 輸入		'91(1-7) 輸入		希望
			全　體	對　韓	全　體	對　韓	稅率
3902 10 010	Polypropylene	25.6 Y/Kg	4,408	2,655 (60.2)	2,610	1,637 (62.7)	8.5
4202 92 010	Travelling bags, of plastic sheeting	10	43,562	15,822 (36.3)	25,585	8,952 (35.0)	5
4202 92 090	Travelling bags, of textile materials	10	24,076	11,237 (45.5)	18,927	8,705 (46.0)	5
4203 10 100	Articles of apparel, of leather or composition leather	20	8,917	5,035 (61.4)	1,988	1,166 (58.7)	10
4203 10 200	Articles of apparel, of others	12.5	103,017	60,392 (58.6)	29,699	17,626 (59.3)	6.25
5007 20 032	Woven fabrics of silk or of silk waste	10	1,476	1,476 (100.0)	529	529 (100.0)	4
6106 10 012	Women's or girl's blouses, shirts and shirt-blouses, knitted or crocheted, of cotton	14	6,828	3,992 (58.2)	4,863	2,657 (54.6)	7
6106 20 011	Women's or girl's blouses, shirts and shirt-blouses, knitted or crocheted, of cotton	16.8	5,179	2,931 (56.6)	2,971	1,719 (57.9)	8.4
6107 11 000	Men's or boy's underpants and briefs, of cotton	11.2	4,258	2,596 (61.0)	2,246	1,301 (57.9)	5.6
6110 20 029	Jerseys and similar articles, of cotton	14	11,503	5,136 (44.6)	8,001	3,836 (48.0)	7
6110 30 022	Jerseys and similar articles, acrylic	14	5,980	3,784 (63.3)	2,752	1,837 (66.8)	7
6202 13 200	Women's overcoat, of man-made fibres	11.2	8,031	3,437 (42.8)	3,379	1,641 (48.6)	5.6
6402 99 010	Shoes	10	36,278	12,015 (33.1)	23,834	8,102 (33.6)	5

2-1

0017

(單位 : 百萬¥)

H S	Description	'91 Rate	'90 輸入		'91(1-7) 輸入		希望 税率
			全 體	對 韓	全 體	對 韓	
6403 91 011	Footwear for gymnastics athletics or similar	27	7,360	4,349 (59.1)	5,679	3,327 (58.6)	13.5
6403 99 011	activities	27	28,667	18,439 (64.3)	17,839	11,159 (62.6)	13.5
6404 11 010	Tennis shoes, canvas shoes	10	6,678	3,048 (45.6)	4,241	2,043 (48.2)	5

* 註 : ( )は日本總輸入中の對韓輸入比重である

2 - 2

0018

Z

상 공 부

우)427-760 경기도 과천시 중앙동 1번지 / 전화(02)503 - 9423 /FAX : 503 - 9496, 3142

문서번호 국협 28143-52

시행일자 1992. 1. 23

수신 외무부 장관

참조 통상기구과장

선결			지시		
접수	일자시간	· · :	결재·공람		
	번호				
처리과					
담당자					

제목 : UR/시장접근분야 회의 참가

'92. 1. 27(월) ~ 31(금)간 스위스 제네바에서 개최되는 UR/시장접근분야 협상에 참가하기 위하여 다음과 같이 출장코자 하오니 정부대표 임명등 필요한 조치를 하여 주시기 바랍니다.

" 다   음 "

1. 출장 개요

직 위	성 명	출 장 기 간	비 고
행 정 사 무 관	김 기 용	1992. 1. 25(토) ~ 2. 2(일)	UR/시장접근분야 협상 참가

2. 소요 예산 : 상공부 예산. 끝.

상 공 부 장

차   관   전결

0019

경 제 기 획 원

우 427-760 / 경기도 과천시 중앙동1 정부제2청사 / 전화 503-9130 / 전송 503-9138

문서번호 봉조이10520-6

시행일자 1992. 1 .23.

선결			지시		
접수	일자시간	˙:˙˙	결재·공람		
	번호				
	처리과				
	담당자				

수신 외무부 장관

참조 봉상국장

제목 UR/시장접근분야 협상참가

　　　　스위스 제네바에서 개최되는 UR/시장접근분야 협상그룹회의에 참가할 당원대표를 다음과 같이 통보하오니 적의 조치하여 주시기 바랍니다.

- 다　　음 -

가. 출장자

소　　속	직　급	성　명
대외경제조정실 봉상조정2과 Int'l Policy Coordination Office	행정사무관 Assistant Direcotr	신 현 두 SHIN HYUN DOO

나. 출장기간: '92.1.26- 2.2

라. 출장목적: UR/시장접근분야 협상 그룹회의 참석.

다. 여행경비: 당원부담

끝.

경 제 기 획 원 장

0020

농 림 수 산 부

우 427-760 / 주소 경기 과천시 중앙동 1번지 / 전화 (02) 503-7227 / 전송 503-7249

문서번호 국협20644-15

시행일자 1992.1 .23(년)

(경유)

수신 외무부장관

참조 통상국장

선결			지시		
접수	일자시간	1992. .	결재공람		
	번호				
처리과					
담당자					

제목 우루과이라운드 시장접근분야 양허협상 참가

---

　　　　1. '92.1.28부터 개최예정인 UR시장접근분야 양허협상에 다음과 같이 당부대표를 파견코자 하오니 협조하여 주시기 바랍니다.

- 다　　음 -

　　가. 당부대표
　　　　ㅇ 국제협력담당관실 행정사무관　배 종 하
　　나. 출장일정 및 출장지 : '92.1.26-2.2(8일간), 스위스 제네바
　　다. 출장목적
　　　　ㅇ UR시장접근분야 양허협상 참가
　　　　ㅇ 국별이행계획 수립에 관한 기술적 문제 파악
　　　　ㅇ 각국의 협상동향 파악
　　라. 소요경비 : 농림수산부 부담

첨부 : 1. 출장일정 및 소요경비내역 1부.
　　　 2. 양허협상 참가대책 1부.　끝.

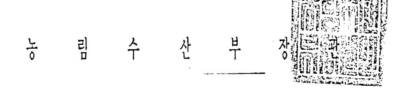

농 림 수 산 부 장

0021

출장일정 및 소요경비내역

가. 출장일정

'92.1. 26(일)   12:40   시 울 발(KE 901)
                18:10   파 리 착
                20:45   파 리 발(SR 729)
                21:45   제네바 착

'92.1.27-1.31   출장목적 수행

'92. 2. 1(토)   10:55   제네바 발(LH 1855)
                12:15   프랑크푸르트 착
                13:50   프랑크푸르트 발(KE 916)

'92. 2. 2(일)   10:20   시 울 착

나. 소요경비(국외여비)

0 항공료 : $2,109

0 채재비 : $850
   - 일   비 : $20 X 8일 = $160
   - 숙박비 : $66 X 6일 = $396
   - 식   비 : $42 X 7일 = $294

0 합   계 : $2,959(지빈과목 : 1113-213)

0022

1.28-2.6간 시장접근양자협상에 관한 당부입장

1. 농산물협상에 관한 아국의 기본입장

O 아국은 그동안 협상에 적극적인 자세로 임해 왔으며, 앞으로도 UR의 성공적 타결을 위해
  노력할 것임

O 농산물분야에 있어서 일부분야에서 수출과 수입국, 선진국과 개도국의 이해가 균형을 이루지
  못한 것은 유감이며, 보다 균형있는 합의의 도출을 위해서는 협정초안의 수정, 보완작업이
  우선되어야 한다고 봄

O 특히, 농산물 순수입국의 취약한 농업기반을 보호할 수 있는 장치가 전혀 고려되지 않은
  예외없는 관세화에는 반대하며, 쌀등 기초식량에 관해서는 관세화예외가 인정되어야 하며,
  쌀에 대해서는 최소시장접근도 허용할 수 없음

O 한국의 농업의 상대적 낙후성,규모의 영세성등을 감안할때 개도국우대의 원칙이 적용되어야 함

O 중간평가시 개도국에 대해서는 보조금 동결의무가 주어지지 않았으므로 '86-'88년을 기준
  년도로 하는 것은 실질적으로 큰 부담을 지우는 것으로 불합리하며, 개도국은 최근년도를
  기준년도로 적용함이 타당함

0023

2. 시장접근 양자협상(1.28-2.6) 대책

O 드니(Denis) 시장접근그룹의장은 1-2월중의 양허협상에 농산물을 포함시킬 것을 명백히 하고 있으나, 협정초안의 수정작업(Track 4)이 완료되지 않은 상태에서 국별이행계획을 작성하는 데는 어려움이 있음

O 국별이행계획서가 없는 상태에서 농산물 양자협상을 하는 것은 협상의 기초(basis)가 마련되지 않은 상태에서 협상을 하는 것이므로 사실상 무의미함

O 국별이행계획은 향후 이행에 관한 국제적 약속이므로 신중을 기해야 하고, 국내적으로도 의견수렴 및 합의절차가 필요하므로 상당한 시간이 소요됨

O 그러나 협상에 적극 참여한다는 방침에서 1.28부터 있을 시장접근양자협상에 참여하되 아국의 기존입장을 견지하는 범위내에서 상대국의 관심사항을 접수하는 선에서 대응토록 함

3. 상기 항에 포함되지 않은 중대한 사항에 대해서는 본부에 청훈하여 대처하도록 하고, 그밖의 경미한 사항에 대해서는 향후 협정초안 수정시 중점반영이 필요한 사항(별첨자료)를 참고하여 대표단 재량에 의해 적의 대처토록 함

0024

〈 향후 UR협상에서의 아국입장 중점반영 필요사항 〉

(참 고)
A : 아국입장이 반드시 반영되어야 할 분야
B : 향후 협상과정에서 중점대처해야 할 분야
C : 협상동향을 보아 탄력적으로 대응 가능한 분야

시장개방 분야

O 관세화예외 인정(식량안보 및 11조2C) (A)

O 쌀에 대한 최소시장접근 예외 (A)

O 전품목 관세 및 TE양허 (B)

O 최근년도를 기준년도로 사용 (A)

O 최소시장접근에 대한 개도국우대 (A)

O 관세 및 관세상당치 감축에 있어서 R/O (C)

O 특별긴급피해구제제도시 물량규제 허용 및 TE인상폭 확대 (C)

국 내 보 조

O 쌀에 대한 보조금은 감축대상에서 제외 (B)

O 최근년도를 기준년도로 사용 (A)

O AMS중 시장가격지지는 재정지출로 계산 (B)

O 생산조정효과 인정 (C)

0025

수 출 보 조

O 감축대상정책 확대 (B)

O 감축폭 확대 (B)

O 수출보조대상품목 확대 및 세분화 (C)

O 매년 균등한 비율로 감축 (C)

O Cease-Fire 조항 강화 (C)

O 우회수출보조의 엄밀한 규제 (C)

개도국 우대

O 개도국 차등분류 배제 (A)

O 개도국은 최근년도를 기준년도로 사용 (A)

O 이행기간, 감축폭의 완화 (B)

　　- 이행기간은 선진국의 2배

　　- 감축폭은 선진국의 1/2

O 품목특정적 투자보조 허용 (C)

0026

재 무 부

우 427-760 경기도 과천시 중앙동 1 / 전화 (02)503-9297 / 전송 503-9324

문서번호 국관 22710-23

시행일자 1992. 1. 24. ( )

수신 외무부장관

참조 통상국장

선결			지시		
접수	일자시간		결재·공람		
	번호				
처리과					
담당자					

제목 UR 시장접근분야 협상참석

　　'92.1.28~31중 스위스 제네바에서 개최예정인 UR 시장접근분야 협상에 참석할 당부 대표를 아래와 같이 추천하오니 필요한 초치를 취하여 주시기 바랍니다.

- 아　　　　래 -

직　　　책	성　　명	참 석 회 의	출 장 기 간
국제관세과장	강 정 영	- UR 시장접근분야 회의	'92.1.26~2.2
사무관	허 용 석	o 다자·양자협상	

첨부 : UR 시장접근분야 협상 참석대책.　끝.

재　무　부　장

0027

UR 시장접근분야 협상 참석대책

1. 협상개요

- 일시·장소 : '92. 1. 28~31, 제네바
- 아국 대표 : 제네바 재무관, 국제관세과장
  상공부, 농림수산부등 관계자

2. 금차협상의 중요성

- 금차회의를 포함, 두차례의 집중적인 협상으로 관세등 시장접근
  분야 양허협상(농산물 포함)을 마무리할 예정.
- 협상막바지에 우리 주요 수출품목이 상대국 관세양허안에 최대한
  반영되도록 적극적 노력 필요

3. 분야별 협상 대응방안

- 무세화 협상

  o 일단 기존입장에 따라 대처

    · 철 강 : 전면 무세화 가능
    · 전자·건설장비 : 부분적인 무세화
    · 의약품등 여타분야 : 무세화 불가입장 견지

- 관세조화 협상

  o 화학제품 : 목표세율이 5.5~6.5%인 분야는 참여가능

  o 섬 유 : 미국 제안은 현행세율보다 높아 실효성이 없으므로
    가급적 EC 제안으로 성사되도록 노력

0028

4. 양자협상

- 대응방안

  o 아국의 기본입장 제시

    · 양허균형 여부
    · 응능부담원칙 견지
    · 섬유등 고관세 유지 분야의 우선적인 관세인하

- 아국이 더많이 양허한 국가(미, 카나다, 호주등)

  o 양허균형을 위해 아국의 주요 교역품 위주로 추가양허 요구

  o 상대국 추가인하 요구에 대해서는 수용불가 입장 견지

- 상대국이 더많이 양허한 국가(일본, EC, 스위스등)

  o 국제수지 불균형 및 경제발전 수준에 따른 응능부담원칙을 들어 추가양허 불가입장 견지

5. 한·일 양자협상 대책

- 일본총리 방한시 우리의 16개 품목 관세인하 요청에 대하여 일측이 UR에서 논의하자고 하였는 바 금차회의에서 적극적인 협상 노력경주 필요

- 협상대책

  o 다음의 이유를 들어 일본측의 관세양허 적극 촉구

    · 대일 역조심화
    · 일본이 고관세(10~27%)를 유지하고 있는 품목
    · 일본 정부가 가시적인 협조를 할 수 있는 분야

0029

외 무 부

110-760 서울 종로구 세종로 77번지 / (02)720-2188 / (02)725-1737

문서번호 통기 20644-

시행일자 1992. 1.24.(   )

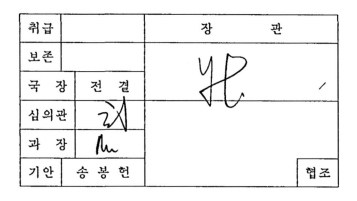

취급		장 관	
보존			
국 장	전 결		/
심의관			
과 장			
기안	송 봉 헌		협조

수신 내부결재

참조

제목 UR/시장접근 분야 협상 정부대표 임명

───────────────────────────────

　　　92.1.28-31중 스위스 제네바에서 개최되는 UR/시장접근 분야 협상 회의에
참가할 정부대표를 "정부대표 및 특별사절의 임명과 권한에 관한 법률"에 의거
아래와 같이 임명할 것을 건의하오니 재가하여 주시기 바랍니다.

　　　　　　　　　　- 아　　　　　　　　래 -

1.　회 의 명 : UR/시장접근 분야 협상

2.　회의기간 및 장소 : 92.1.28-31, 스위스 제네바

3.　정부대표 (본부)

　　　ㅇ 재무부 국제관세과장　　　　　　　강정용

　　　ㅇ 재무부 국제관세과 사무관　　　　　허용석

　　　ㅇ 경기원 통상조정2과 사무관　　　　신현두

　　　ㅇ 농림수산부 국제협력과 사무관　　　배종하

　　　ㅇ 상공부 국제협력과 사무관　　　　　김기용

0030

4. 출장기간 : 92.1.26-2.2

5. 소요예산 : 소속부처 소관예산

6. 훈령(안) : 별첨 자료 참조

첨 부 : 상기 자료 1부.   끝.

외 무 부 장 관

관리번호	92-93

분류번호	보존기간

발 신 전 보

WGV-0135　　920124 1645　ED

번　　　호 :　　　　　　　　　　　　　　　　종별 :

수　　　신 : 주　　　제네바　　대사. 총영사/

발　　　신 : 장　　관 (통 기)

제　　　목 : UR/시장접근 분야 협상

연 : WGV-122

1. 92.1.28-31중 귀지에서 개최되는 표제회의에 아래 본부대표를 파견하니 귀관 관계관과 함께 참석토록 조치바람.

　　ㅇ 재무부 국제관세과장　　　　　　　강정용

　　ㅇ 재무부 국제관세과 사무관　　　　허용석

　　ㅇ 경기원 통상조정2과 사무관　　　신현두

　　ㅇ 농림수산부 국제협력과 사무관　　배종하

'　ㅇ 상공부 국제협력과 사무관　　　　김기용

2. 금번 회의에는 아래 입장 및 본부대표가 지참하는 쟁점별 세부 자료에 따라 적의 대처바람.

　가. 공산품 분야

　　1) 무세화

체크문에 의거 재분류(1992.6.30.)
직위　　　성명

　　　ㅇ 기존 입장에 따라 대처

　　　- 철강 : 전면 무세화 가능

　　　- 전자, 건설장비 : 부분적 무세화 가능

　　　- 의약품등 여타분야 : 무세화 불가 입장 견지

보안통제	

앙고재	92년1월24일	통상국 과	기안자성명 송병현	과장	심의관	국장 전결	차관	장관	외신과통제

0032

2) 관세 조화 협상

　　o 화학제품 : 목표 세율이 5.5〜6.5%인 분야는 참여 가능

　　o 섬　　유 : 미국 제안은 미국의 현행세율보다 높아 실효성이 없으므로
　　　　　　　　　가급적 EC 제안이 채택되도록 노력

3) 비관세

　　o 기존 입장 및 본부대표가 지참하는 관심국 요청사항별 세부 입장에
　　　따라 대처

4) 양자협상

　　o 기본 대응 방향

　　　- 양허균형 여부, 응능부담 원칙, 섬유등 고관세 유지 분야의
　　　　우선적인 관세인하 입장 견지

　　o 아국이 더많이 양허한 국가 (미국, 카나다, 호주등)

　　　- 양허균형을 위해 아국의 주요 교역품 위주로 상대측이 추가 양허해
　　　　줄것을 요청

　　　- 상대국의 아국에 대한 추가인하 요구에 대해서는 수용 불가 입장 견지

　　o 상대국이 더 많이 양허한 국가 (일본, EC, 스위스등)

　　　- 국제수지 불균형 및 경제발전 수준에 따른 응능부담 원칙을
　　　　들어 추가 양허 불가 입장 견지

5) 한.일 양자협상 대책　　~~일측은 관세.비관세는 UR 에서 혀,의하고,~~

　　o 최근 일 총리 방한시 아국의 대일 16개 품목 관세인하 요청에 대해 ~~는~~
　　　~~일측은~~ UR에서 고려키로 하였는바, 별전 Talking Points를 참고하여
　　　적극 대처

나. 농 산 물

1) 기본 입장

　　o 수출.수입국간, 선진.개도국간 이해 균형을 위해 협정 초안의 수정,
　　　보완 필요

　　o 아국 입장 중점 반영 필요사항

　　　- 쌀에 대한 관세화 및 최소 시장접근 예외

　　　- 아국에 대한 개도국 우대 적용

0033

- 감축 기준년도는 최근년도를 적용
- 기타사항 : 본부대표 지참 자료 참고

2) 양자협상 대책

ㅇ UR 협상 성공을 위해 농산물을 포함한 시장접근 협상에 적극 참여할
방침이나 농산물 분야의 경우 향후 Track 4 협상을 통해 아국 관심사항
반영이 필요하다는 것이 아국의 기본입장

ㅇ 국별 이행 계획은 기본적으로 Dunkel paper를 기초로 연호 아국 기존
입장을 반영하여 작성, 3.1 이전 제출을 목표로 내부작업 진행중
- 동 이행계획 작성을 위한 국내의견 수렴등 내부절차등을 감안할때
2월하순에나 작성이 완료될 것임.

ㅇ 따라서, 금번 양자협상에는 상기 범위내에서 상대측의 관심사항을
접수하는 선에서 대응.   끝.

(통상국장   김 용 규)

0034

외   무   부

110-760 서울 종로구 세종로 77번지   / (02)720-2188   / (02)725-1737

문서번호 통기 20644

시행일자 1992. 2.25.(   )

수신   수신처 참조

참조

취급		장 관
보존		
국장	전결	
심의관		
과장		
기안	송봉헌	협조

제목   UR/시장접근 분야 협상 정부대표 임명 통보

　　　92.1.28-31중 스위스 제네바에서 개최되는 UR/시장접근 분야 협상 회의에
참가할 정부대표가 "정부대표 및 특별사절의 임명과 권한에 관한 법률"에 의거
아래와 같이 임명 되었음을 알려 드립니다.

- 아   래 -

1. 회 의 명 : UR/시장접근 분야 협상

2. 회의기간 및 장소 : 92.1.28-31, 스위스 제네바

3. 정부대표 (본부)

　　　o 재무부 국제관세과장　　　　　　강정용
　　　o 재무부 국제관세과 사무관　　　　허용석
　　　o 경기원 통상조정2과 사무관　　　신현두
　　　o 농림수산부 국제협력과 사무관　　배종하
　　　o 상공부 국제협력과 사무관　　　　김기용

0035

4. 출장기간 : 92.1.26-2.2

5. 소요예산 : 소속부처 소관예산

6. 출장 결과 보고 : 귀국후 20일이내.　　　　끝.

수신처 : 경제기획원장관, 재무부장관, 농림수산부장관, 상공부장관

외　무　부　장　관

0036

H S	Description	Base Rate	Offered Rate	Request Rate
0301 99 210	Yellow tail (of liveflsh)	10	-	5
0302 69 011	Yellow tail (Fresh or Chilled)	10	-	5
0303 41 000 0303.42.000	Tunas (of Frozen)	5 5		3
0303.43.000	Skipjack or stripe-bellied bonito (of Frozen)	5	-	3
0303.49.010 0303.49.020 0303.49.090	Other frozen fish	5 5 5	-	3 3 3
0303 89 020	Roes (of Frozen)	5	-	3
0307 91 200	Molluscs (Fresh or Chilled)	10	-	5
0307 91 420	Ark Shells	10	-	5
0307 91 430	Sea Urchins (Live, Fresh or Chilled)	10	-	Free
0307 99 110	Molluscs (of Frozen)	10	-	5
0307 99 131	Sea Urchins (of Frozen)	10	7	Free
0307 99 331	Sea Urchins (Salted or in brine)	10	7	Free
0712.30.010	Dried mushroom	15		7.5
0811.10.100	Frozen strawberries added sugar	16		10
0811.10.200	Frozen strawberries not containg added sugar	20	-	10
0812.90.430	Chestnuts	16		10
1212 20 131	Fusiforme	15		5
1212 20 132	Undaria Pinnatifida (dried & salted)	15		5
2008.19.193	Chestnuts can	25		10
2202.90.100	Non-alcoholic beverage (added sugar)	24		18

0037

HS	Description	Base Rate	Offered Rate	Request Rate
2922 42 100	Sodium glutamates	10	-	5.7
3901 10 010	Polyethylene having a specific gravity of less than 0.94 (LDPE)	22.4₩ /kg	18₩ /kg	5
3901 10 090		4.1	2.5	2.1
3901 20 010	Polyethylene having a specific gavity of 0.94 or more (HDPE)	22.4₩ /kg	18₩ /kg	5
3901 20 090		22.4₩ /kg	18₩ /kg	5
3902 10 010	Polypropylene	25.6₩ /kg	20₩ /kg	5
3902 10 090		25.6₩ /kg	20₩ /kg	5
3903 19 010	Polystyrene	11.2	9.1	5
3903 19 090		4.1	2.5	2.1
4202 11 200	Other trunks, vanity cases etc	12.5	12.5	8.1
4202 12 211	With outer surface of plastic sheeting	10	10	6.6
4202 12 219	Trunks, suitcases etc; with outer surface of textile materials	10	10	6.6
4202 21 210	Trunks, suitcases etc; of leather or of patent leather	10	10	6.6
4202 22 210	Trunks, suitcases etc; with outer surface of plastic sheeting	10	10	6.6
4202 31 200	Trunks, suitcases etc; other with outer surface of leater, composition leather	12.5	12.5	8.1
4202 32 210	Trunks, suitcases etc; with outer surface of plastic sheeting	10	10	6.6
4202 32 290	Trunks, suitcases etc; with outer surface of textile materials	10	10	6.6
4202 91 000	Trunks, suitcases etc; with outer surface of leather, of composition lether or of patent leather	12.5	12.5	8.1

0038

I

	H S	Description	Base Rate	Offered Rate	Request Rate
☆	4202 92 010	Travelling bags, of plastic sheeting	10	10	5
☆	4202 92 090	Travelling bags, of textile materials	10	10	5
☆	4203 10 100	Articles of apparel, of leather or composition leather	20	20	10
☆	4203 10 200	Articles of apparel, of others	12.5	12.5	6.3
	4203 21 210	Glove, mittens and mitts in baseball	12.5	12.5	8.1
	4203 21 290	Gloves, mittens and mitts (of leather, designed for use in sports, or others)	12.5	12.5	6.3
	4203 29 200	Other articles of apparel and clothing accessories of leather or of composition leather	10	10	6.6
	4420 90 010	Wood marquetry of inlaid wood	20	10	12.8
	5004 00 000	Silkyan not put up for retailsale	6	6	4
	5007 20 010	Other wovenfablic of silk or of silk waste	12.5	12.5	6.6
☆	5007 20 032	Woven fabrics of silk or of silk waste	10	10	4
	6105 10 011	Men's or boy's open shirts and similar shirts, of cotton	16.8	10.9	8.4
	6105 10 012	Other shirts, of cotton	14	9.1	8.4
	6105 20 011	Men's or boy's open shirts and similar shirts, of man-made firbres	16.8	10.9	8.4
	6105 20 913	Other shirts, of man-made fibres	14	9.1	7
	6106 10 011	Women's or girl's blouses, shirts and shirt-blouses,	16.8	10.9	8.4
☆	6106 10 012	knitted or crocheted, of cotton	14	9.1	7

0039

	H S	Description	Base Rate	Offered Rate	Request Rate
☆	6106 20 011	┐ Women's or girl's blouses, shirts and shirt-blouses,	16.8	10.9	8.4
	6106 20 013	┘ knitted or crocheted, or cotton	14	9.1	7
☆	6107 11 000	Men's or boy's underpants and briefs, of cotton	11.2	7.4	5.6
	6108 21 000	Women's or girls' Brief and panties, of cotton	11.2	7.4	5.6
	6108 32 000	Nightdresses and pyjamas, of man-made fibres	11.2	7.4	5.6
	6109 10 011	┐ T-shirts, of cotton	16.8	10.9	8.4
	6109 10 012		14	9.1	7
	6109 10 020	┘	11.2	7.4	5.6
	6109 90 016	T-shirts, of the textile materials of synthetic fibres	14	9.1	7
	6110 10 010	┐ Jerseys and similar articles, of wool of fine animal hair	16.8	10.9	8.4
	6110 10 020	┘	14	9.1	7
	6110 20 011	Sweat shirts, of cotton	16.8	10.9	8.4
	6110 20 019	Jerseys and similar articles, of cotton	16.8	10.9	8.4
	6110 20 021	Sweat shirts, of cotton	14	9.1	7
☆	6110 20 029	Jerseys and similar articles, of cotton	14	9.1	7
	6110 30 011	Sweater shirts, of man-made fires	16.8	10.9	8.4
	6110 30 012	Jerseys and similar articles, acrylic	16.8	10.9	8.4
	6110 30 014	Jerseys and similar articles, polyesters	16.8	10.9	8.4
☆	6110 30 022	Jerseys and similar articles, acrylic	14	9.1	7
	6110 30 024	Jerseys and similar articles, of polyesters	14	9.1	7
	6110 90 010	Jerseys and similar articles, of other textile materials	16.8	10.9	8.4

0040

H S	Description	Base Rate	Offered Rate	Request Rate
6112 12 010	Track suits, of synthetic fibres	10.5	10.0	8.4
6201 12 200	Men's overcoat, of cotton	11.2	9.1	5.6
6201 13 200	Men's overcoat, of man-made fibres	11.2	9.1	5.6
6201 91 200	Men's overcoat, of wool or animal hair	11.2	9.1	5.6
6201 92 200	Men's overcoat, of cotton	11.2	9.1	5.6
6201 93 200	Men's overcoat, of man-made fibres	11.2	9.1	5.6
6202 11 200	Women's overcoat, of wool or animal hair	11.2	9.1	5.6
6202 12 200	Women's overcoat, of cotton	11.2	9.1	5.6
6202 13 200	Women's overcoat, of man-made fibres	11.2	9.1	5.6
6202 92 200	Women's overcoat, of cotton	11.2	9.1	5.6
6202 93 200	Women's overcoat, of man-made fibres	11.2	9.1	5.6
6203 11 200	Men's suits, of wool or animal hair	11.2	9.1	5.6
6203 31 200	Men's jackets, of wool or animal hair	11.2	9.1	5.6
6203 32 200	Men's jackets, of cotton	11.2	9.1	5.6
6203 33 200	Men's jackets, of man-made fibres	11.2	9.1	5.6
6204 32 200	Women's jackets, of cotton	11.2	9.1	5.6
6204 33 200	Women's jackets, of man-made fibres	11.2	9.1	5.6
6204 42 200	Women's dresses, of cotton	11.2	9.1	5.6
6204 52 200	Women's skirts, of cotton	11.2	9.1	5.6
6204 62 200	Women's trousers, of cotton	11.2	9.1	5.6
6206 30 210	Women's blouses, of cotton	11.2	9.1	5.6

0041

HS	Description	Base Rate	Offered Rate	Request Rate
6206 40 210	Women's blouses, of man-made fibres	11.2	9.1	5.6
6210 40 200	Other men's garments, of textile materials	11.2	9.1	5.6
6211 20 210	Men's ski suits	11.2	9.1	5.6
6211 20 220		11.2	9.1	5.6
6211 20 230		11.2	9.1	5.6
6211 33 200	Other garment's, men's, of man-made fibres	11.2	9.1	5.6
6401 92 090	Other waterproof footwear	10	10	5
6402 19 000	Other sports footwear	10	10	6.6
6402 91 000	Other footwear	10	10	5
☆ 6402 99 010	Shoes	10	10	5
☆ 6403 91 011	Footwear for gymnastics athletics or similar activities	27	27	13.5
6403 99 011		27	27	13.5
6404 11 010	Tennis shoes, canvas shoes	10	10	5
6404 11 090	Tennis shoes	10	10	5
6404 19 220	Canvas shoes	10	10	6.6
6404 19 290	Other footwear	10	10	6.6
6405 20 000	Other footwear of with uppers of textile materials	4.3	4.3	2.9
6406 10 100	Parts of footwear; of leather or containing furskin	20	-	12.8
6406 10 200	Other parts of footwear	4.2	4.2	2.8
6406 20 000	Outer soles and heels, of rubber or plastics	4.2	4.2	2.8
6406 99 290	Parts of footwear; of other materials	4.2	4.2	2.8

☆ : Items of Korea's special interest

0042

발 신 전 보

분류번호	보존기간

번   호 : WGV-0136   920124 1708 EP   종별 :

수   신 : 주   제네바   대사. 총영사

발   신 : 장 관 (통 기)

제   목 : UR 시장 접근 분야 협상 (일본)

(별첨)

표제관련, 대일 16개 관세인하 요청 품목중 HS 3902 10 010의 품목명 Polypropylene에 대한 아측 인하 요청세율은 8.5%가 아닌 5%이니 금번 양자 협상시 정정 요청바람. 끝.

(통상국장 김용규)

첨부: 상기 자료 2매

통상1222호: ~~

양고재	91년 1월 24일	통상기구과	기안자 성명 능범헌	과장	심의관	국장 전결	차관	장관

보 안 통 제	

외신과통제

0043

- 지급 -

FAX 번호: 001 - 41 - 22⁷91 - 0525
(제 네 바) 대표부

발신 : 외무부 통상1과 강 대현 서기관

수 신 : 통상국 심의관님 친히

GV. 대사관으로 중계요 :

0044

Ⅱ. 對日 貿易赤字 縮小를 위한 協力 要請

1. 日本政府의 協力 必要性

○ 今年 日本의 海外貿易 黑字가 過去 最高를 기록할 展望인 가운데 韓國의 對日 貿易赤字는 사상 유례없이 큰 規模로 擴大되고 있어 韓.日間의 傳統的 友好 紐帶關係에도 否定的 影響을 미칠 우려가 있는 바, 時急 하고도 可視的인 對策이 要求되고 있는 實情임.

○ 이제 日本政府로서도 美國, EC 에 대해서 뿐만 아니라 韓國에 대한 과대한 貿易黑字에 關心을 돌려 兩國間 貿易의 擴大均衡을 위해 무엇인가 誠意 있는 努力을 취해 주어야 할 것으로 생각함.

○ 그동안 日本政府는 韓國商品의 對日 輸入擴大를 위한 韓國側의 要請에 대해 이는 business 次元의 性格이기 때문에 日政府의 對應이 어렵다는 立場이었는 바, 금번 韓國으로서는 전예 없는 對日 貿易赤字 狀態에 직면, 日政府가 措置할 수 있는 分野에서 아래와 같은 協力을 要請함. 日政府로서도 전술한 深刻한 事態를 염두에 두고 반드시 具體的 措置를 취하여 주기 바람.

2. 要請內容

A. 關稅引下

○ 그동안 여러채널을 통해 韓國側의 關稅引下 要請에 대해 日本政府는 UR 의 장에서 다룬다는 方針을 維持하여 오고 있으나, UR 에서 韓國이 日本에 대해 Request 한 內容과 日本이 Offer 한 內容에 Cap 이 큰 뿐만 아니라 協商의 結果도 의문시 되므로, 韓國商品의 日本市場 接近에 影響이 큰 16個 品目(品目리스트 : 別添 I -A)에 대해 對韓國 貿易黑字 縮小 次元에서 關稅率을 現行稅率의 1/2 로 引下하여 줄 것을 要請함.

3

0045

B. GSP 受惠 擴大 및 管理方法 改善

 1) GSP 受惠擴大

  ○ (a) 프탈산디옥틸 等 13個 品目에 대한 GSP 限度擴大, (b) 프탈산디옥틸 等
   7個 品目에 대한 1/4 彈力化, (c) 가방류등 6個 品目의 SP 除外要請 (品目
   리스트 : 別添 I-B)

   * 91年度 限度擴大時 예년에 비해 特定品目의 例外的인 擴大를 한바
    있으나, 50% 擴大된 22個 項目中 15個項, 30% 擴大된 3個項中 2個項이
    90年度 限度 미소진항목으로서 이의 실링확대는 無意味함.

  ○ 특히 그동안 韓國側의 要請에 대한 日側의 反應을 살펴보면, 第21次
   및 第22次 韓.日 貿易會談(88年 12月, 90年 1月)等에서 提示한 우리의
   要請이 매번 反映되지 않은 실정임. 따라서 이번 우리의 GSP 關聯
   要請事項이 反映되도록 日側에서 보다 積極 努力하여 줄 것을 希望함.

 2) GSP 制度의 改善

  ○ GSP 供與 初日 限度全量 消盡項目의 管理方法 改善
   ('91 會計年度 18個 項目)
   - 輸出業者, 輸入業者 및 關聯機關等의 業務가 번잡하므로 月別管理로의
    轉換이나 限度量의 大幅擴大로 初日 集中現象 防止
   * 90年의 경우 同 品目中 글루타민산소다는 限度量의 199배,
    정제등의 경우는 限度量의 10배가 輸入됨.

  ○ 限度運用의 彈力化
   - 現在 145個 項目中 46個 品目만이 彈力化 對象品目인 바, 日本의
    産業에 深刻한 影響을 미칠 수 있는 小數 品目을 除外하고는
    과감한 彈力化가 必要

4

0046

C. 非關稅障壁 撤廢

　○ 輸入數量規制等 直接的인 輸入規制 措置의 撤廢

　　- 韓國의 主종 輸出商品에 대한 各種 輸入數量 規制措置의 撤廢 또는
　　緩和를 91.6. 韓.日 貿易.産業技術協力委員會에서도 日側에 要請한
　　바 있지만, 그중에서도 미역 및 다시마, 선어類에 대한 일방적쿼타,
　　견직물 및 연연사에 대한 쌍무쿼타, 갈치에 대한 數量制限 措置等은
　　韓.日間 貿易不均衡의 深刻性을 考慮하여 撤廢를 希望함.

　○ 皮革, 革靴에 대한 關稅쿼타 撤廢 또는 쿼타량의 大幅 擴大 要望

　○ 인삼정제품, 쌍화차, 칡차등의 차를 食品으로 分類

D. 市場開拓活動 支援

　○ 韓國商品展示會 支援

　　- 92年度 日本市場 開拓을 위한 力點事業으로 韓國側이 推進코자 하는
　　韓國 優秀商品종합전(Korea for Quality Fair : 92.6月, 東京), 韓國
　　優良製品展示會('92 Best of Korean Fair in Kyushu : 92.10月,
　　북구주)等 韓國商品展示會의 成功的 開催를 위해 바이어에 대한 弘報,
　　現地매스콤에 의한 廣告等 가능한 最大支援을 要請함.

　○ 訪日 輸出促進團 活動에 대한 積極 支援

　　- 訪日 輸出促進團 活動의 質的向上을 위해 韓國側도 改善方案을 樹立
　　할 豫定인 바, 日本側 主管團體인 JETRO가 積極的인 바이어 誘致,
　　現地 매스콤을 통한 弘報强化, 展示施設에 대한 支援擴大等 과감한
　　支援 努力을 展開함으로써 促進團 活動이 實質的으로 많은 效果를
　　볼 수 있도록 도와주기 바람.

- 5 -

0047

關稅引下 要請品目(16個)

(單位 : 百萬¥)

H S	Description	'91 Rate	'90 輸入		'91(1-7) 輸入		希望 税率
			全 體	對 韓	全 體	對 韓	
3902 10 010	Polypropylene	25.6 Y/Kg	4,408	2,655 (60.2)	2,610	1,637 (62.7)	8.5
4202 92 010	Travelling bags, of plastic sheeting	10	43,562	15,822 (36.3)	25,585	8,952 (35.0)	5
4202 92 090	Travelling bags, of textile materials	10	24,076	11,237 (45.5)	18,927	8,705 (46.0)	5
4203 10 100	Articles of apparel, of leather or composition leather	20	8,917	5,035 (61.4)	1,988	1,166 (58.7)	10
4203 10 200	Articles of apparel, of others	12.5	103,017	60,392 (58.6)	29,699	17,626 (59.3)	6.25
5007 20 032	Woven fabrics of silk or of silk waste	10	1,476	1,476 (100.0)	529	529 (100.0)	4
6106 10 012	Women's or girl's blouses, shirts and shirt-blouses, knitted or crocheted, of cotton	14	6,828	3,992 (58.2)	4,863	2,657 (54.6)	7
6106 20 011	Women's or girl's blouses, shirts and shirt-blouses, knitted or crocheted, of cotton	16.8	5,179	2,931 (56.6)	2,971	1,719 (57.9)	8.4
6107 11 000	Men's or boy's underpants and briefs, of cotton	11.2	4,258	2,596 (61.0)	2,246	1,301 (57.9)	5.6
6110 20 029	Jerseys and similar articles, of cotton	14	11,503	5,136 (44.6)	8,001	3,836 (48.0)	7
6110 30 022	Jerseys and similar articles, acrylic	14	5,980	3,784 (63.3)	2,752	1,837 (66.8)	7
6202 13 200	Women's overcoat, of man-made fibres	11.2	8,031	3,437 (42.8)	3,379	1,641 (48.6)	5.6
6402 99 010	Shoes	10	36,278	12,015 (33.1)	23,834	8,102 (33.6)	5

I - 2

0048

(別添 I -A)

（單位 : 百萬￥）

H S	Description	'91 Rate	'90 輸入		'91(1-7) 輸入		希望 税率
			全體	對韓	全體	對韓	
6403 91 011	Footwear for gymnastics athletics or similar	27	7,360	4,349 (59.1)	5,679	3,327 (58.6)	13.5
6403 99 011	activities	27	28,667	18,439 (64.3)	17,839	11,159 (62.6)	13.5
6404 11 010	Tennis shoes, canvas shoes	10	6,678	3,048 (45.6)	4,241	2,043 (48.2)	5

* 註 : （ ）は日本總輸入中の對韓輸入比重である

2 - 2

0049

Talking Points on the occasion of
the bilateral negotiation with Japan on market access

1. Before starting our discussions on the specific points, I would like to refer to the agreements reached at the Seoul summit meeting earlier this month between President Roh and Prime Minister Miyazawa regarding our bilateral trade relations.

2. We have received the communication from our capital that the matter of trade imbalance between our two countries was raised and discussed as one of the main topics at the summit meeting.
    -   President Rho of Korea, expressing his serious concern over the increasing trade deficit vis-a-vis Japan in recent years, requested a series of trade-related joint actions to redress the situation.
    -   Prime Minister Miyazawa, expressed his understanding on the seriousness of the matter and pledged that Japan would cooperate to correct the trade imbalance.

3. As a result of the meeting, two summits agreed to instruct government officials to enter into intensive consultations to work out action plans for the correction of bilateral trade imbalance by the end of June. The consultation will cover seven areas including cooperation in technology, market access for Korean products, environmental cooperation. With regard to the reductions of tariff and elimination of non-tariff barriers, it was agreed that the matters would be negotiated in the context of the Uruguay Round and in that process, Japan would duly consider reductions of tariff Korea has requested.

0050

4. Having referred to our summit meeting, I would like not to emphasize the mandate given to us that through this meeting we have to implement the agreement between our President and Prime Minister. Since the summit agreements represent a very high political determination to develop our bilateral relationship to a more friendly and cooperative ties with a future-oriented perspective, we have every reason to believe that we should come up with satisfactory results through this meeting.

5. On many occasions, Japan expressed the view that Japan cannot help much to improve the trade imbalance because in principle trade flows according to the market force, demand and international competitiveness of the products. However, tariff reductions and elimination of non-tariff barriers for the products of export interest to Korea are steps certainly within the purview of Japanese government decisions.

6. The Korean government attaches great importance to this meeting and looks upon this meeting with great expectation, since this bilateral negotiations provide the first opportunity to follow-up the summit agreements. Furthermore, the result of this meeting will set the tone of the intensive consultations which will be initiated soon to work out overall action plans under the mandate of our summit meeting.

7. Before concluding my remarks, I would like to remind you that the Korean government presented to Japan a list of products of its particular interest (16 products for tariff reductions and 12 products for elimination of various non-tariff measures) before the summit meeting. Those 16 products are parts of total 121 products of our export interest to Japan which are included in our requests.

0051

8. I understand that Japan would have some difficulty in accepting fully our requests. Nevertheless, in view of the high expectations of Korean people with regard to the follow-up of the agreement at the summit meeting, Japan is cordially requested to make its best efforts in the interest of further developing constructive trade relations between our two countries.

0052

관리 번호	92-108

분류번호	보존기간

발 신 전 보

WGV-0169   920129 1922 DU   종별 : 긴급

번   호 :

수   신 : 주   제네바   대사. 총영사/

발   신 : 장   관 (통 기)

제   목 : UR/시장접근 양자협상 (일본)

연 : CVW-0148

1. 연호, 대일본 시장접근 양자협상(비관세) 관련,관계부처와 협의 작성한 request
    list안을 별첨(1) 송부하니 활용바람.

2. 당초 한.일 정상회담시 아측은 별첨(2) 품목을 일측에 요청 하였으나 관계부처
    협의 과정에서 일부 품목을 조정 하였으니 참고바람.

첨 부(FAX) : 1. 대일 Request list(안) 국.영문 각 1부.

            2. 한.일 정상회담시 비관세장벽 제거 요청 내용 1부.   끝.

(WGVR-탑)   (통상국장 김 용 규)

양 고 재	92 년 1 월 28 일 통상 기획 과	기안자 성명 송봉헌	과장 심다반 추진	국장 전결	차관	장관

보 안 통 제	

외신과통제	

0053

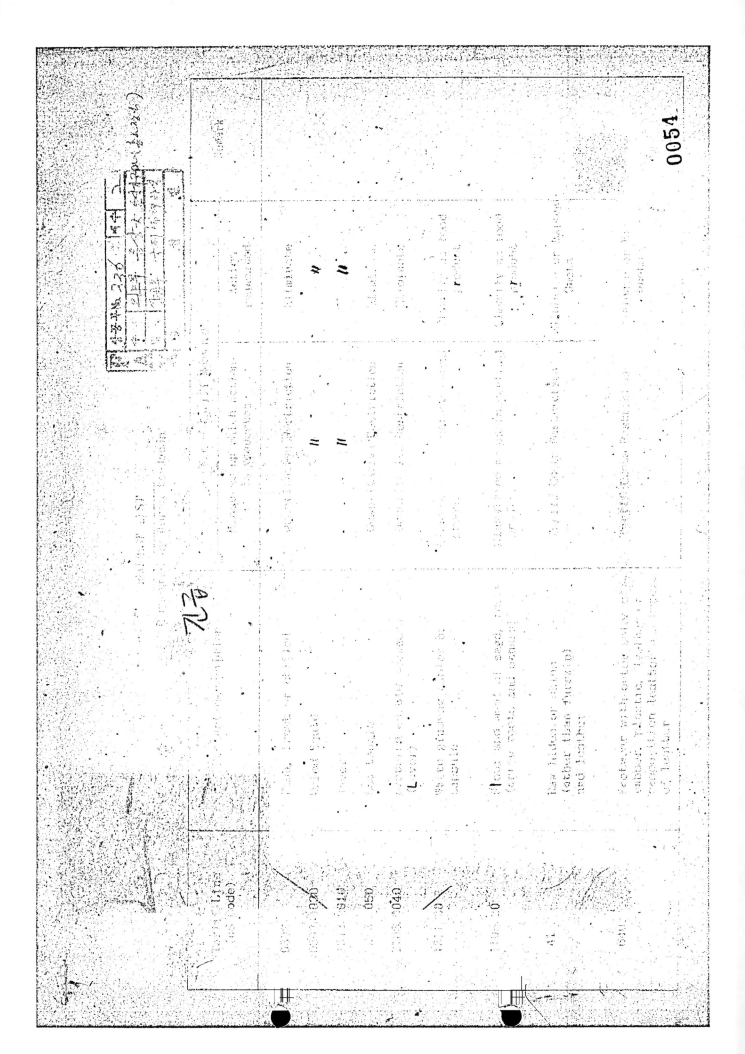

0055

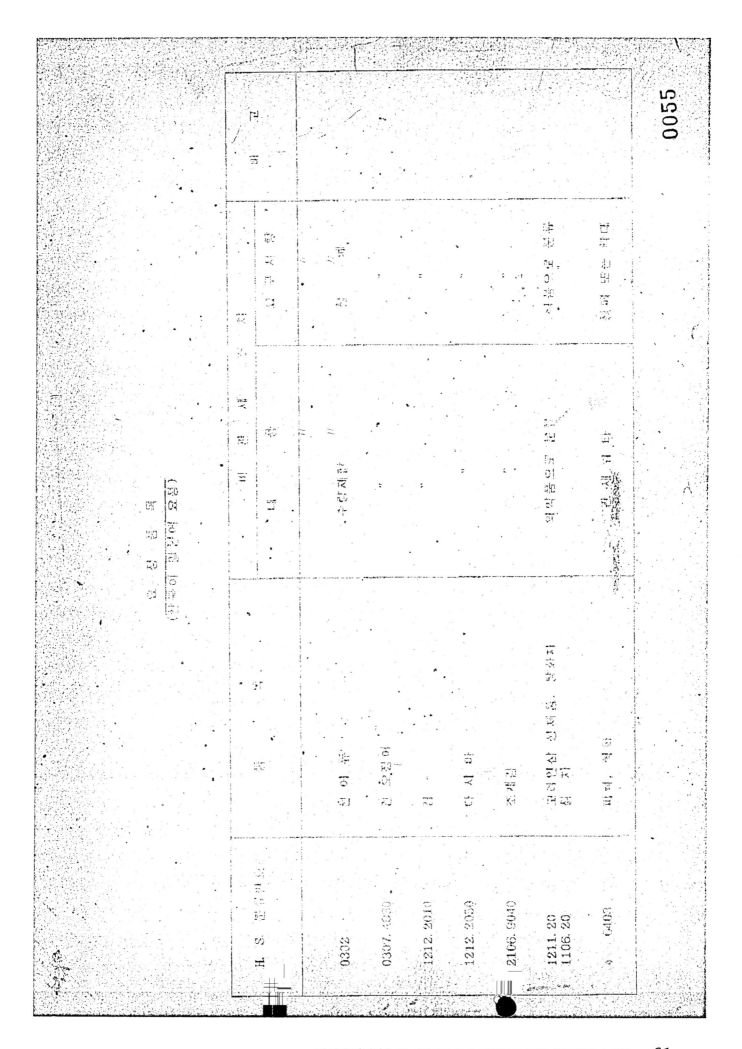

양 허 표
(한국의 양허안 목록)

H. S. 품목번호	품 목 명	양허세율		적용기준	비고
0302	물 이 류				
0307.4000	오 징 어				
1212.2010	김				
1212.2050	한 천 외				
2106.9040	조 제 품				
1211.20 1106.20	고려인삼 성적삼, 홍삼류				
9.0403	음 료 기 타				

C. 非關稅障壁 撤廢

○ 輸入數量規制等 直接的인 輸入規制 措置의 撤廢

- 韓國의 주종 輸出商品에 대한 各種 輸入數量 規制措置의 撤廢 또는
緩和를 91.6. 韓.日 貿易.産業技術協力委員會에서도 日側에 要請한
바 있지만, 그중에서도 미역 및 다시마, 선어류에 대한 일방적쿼타,
견직물 및 견연사에 대한 쌍무쿼타, 참치에 대한 數量制限 措置等은
韓.日間 貿易不均衡의 深刻性을 考慮하여 撤廢를 希望함.

○ 皮革, 革靴에 대한 關稅쿼타 撤廢 또는 쿼타량의 大幅 擴大 要望

○ 인삼정제품, 쌍화차, 칡차등의 차들 食品으로 分類

D. 市場開拓活動 支援

○ 韓國商品展示會 支援

- 92年度 日本市場 開拓을 위한 力點事業으로 韓國側이 推進코자 하는
韓國 優秀商品종합전(Korea for Quality Fair : 92.6月, 東京), 韓國
優良製品展示會('92 Best of Korean Fair in Kyushu : 92.10月,
북구주)等 韓國商品展示會의 成功的 開催를 위해 바이어에 대한 弘報,
現地매스콤에 의한 廣告等 가능한 最大支援을 要請함.

○ 訪日 輸出促進團 活動에 대한 積極 支援

- 訪日 輸出促進團 活動의 質的向上을 위해 韓國側도 改善方案을 樹立
할 豫定인 바, 日本側 主管團體인 JETRO가 積極的인 바이어 誘致,
現地 매스콤을 통한 弘報强化, 展示施設에 대한 支援擴大等 과감한
支援 努力을 展開함으로써 促進團 活動이 實質的으로 많은 效果를
볼 수 있도록 도와주기 바람.

5

0056

외 무 부

원 본

종 별 :

번 호 : GVW-0205   일 시 : 92 0128 2100

수 신 : 장 관(통기,경기원,재무부,농림수산부)

발 신 : 주 제네바 대사

제 목 : UR/시장접근 양자협상(핀랜드)

　　1.28 당지에서 개최된 표제협상 토의 요지 아래보고함. (엄재무관,최농무관, 재무부 강과장등 본부대표 참석)

　　1. 일반적 의견 교환

　　- 양측은 공히 DUNKEL PAPER 를 그대로 받아들이는데 어려움이 있음을 언급함.(핀랜드는 특히 농산물의 기준년도, TE의 계산 및 인하 방법등에 어려움이 있다함)

　　- 그러나 양측은 제시된 일정인 부활절 이전 (4.16)까지 어떤 형태로든 종결토록 하기위하여 참여하고 있음을 발언함.

　　2. 시장접근 분야 협상 전마에 대한 의견교환

　　- 핀랜드측은 현재의주된 장애요인이 (1) 분야별접근방식, (2) TRANSPARENCY, (3) 개도국 우대문제에 대한 참가국간 의견 차이라 하고, 앞으로도 이러한 상황이 조속 개선될지는 불확실하나 핀랜드로서는 국내적인 어려움에도 불구하고 1/3이하 목표를 달성한 기존 OFFER 를 중심으로 계속 협상을 진행할 것이라 언급함.

　　- 아국은 현재의 상황인식에 핀랜드와 대체로 의견을 같이하나, 특정국가의 OFFER 무세화를 제외하면 인하목표에 미달함을 상기시키면서 미국과 EC간의 타협을 공동으로 촉구해야 함을 언급함.

　　3. 양국간 현안문제

　　- 핀랜드측은 아국이 REQUEST 한 품목의 대부분이 국내적으로 민감하거나 구조조정등에 있는 분야임을 강조함.

　　- 아국은 양국간 양허가 심각히 불균형 되어있음을 재차 지적하고 아국 REQUEST중 섬유, 신발 및 고무제품에 대한 재고를 요청함.

　　- 이에 핀랜드는 양국간에 양허가 불균형되어있으나 이는 세율 수준, GSP 혜택등이

통상국　　2차보　　경기원　　재무부　　농수부

PAGE 1   92.01.29　08:32 WG

동시에 고려되어야 함을 언급함.

- 또한 핀랜드는 무세화중 임산물에의 무세화 참여에 어려움이 있음을 언급한바 아국은 무세화에 대한 기존입장을 설명함.

- 핀랜드는 그간 오고간 REQUEST LIST 의 내용 확인 및 자국의 PSI 품목에 대한추가 REQUEST LIST 를 각 교역상대국에 제시하는 일환으로 아국에 대한 추가 REQUEST LIST 를 제시하였음

4. 농산물분야에 대한 의견교환

- 농산물분야에 대한 핀랜드측은 농산물협상 담당자가 참석하지 않아 구체적인 협의가 없었으며, 다만 북구관련 국내에서 이문제에대해 협의중이라는 언급이 있었음.

첨부: 핀랜드의 대아국 추가 REQUEST LIST 1부

(GVW(F)-0054).끝

(대사 박수길-국장)

주 제 네 바 대 표 부

번 호 : GVW(F) - 005   년월일 : 20/28   시간 : 2 10

수 신 : 장 판 (통계, 기기원, 재무부, 농수산부, 상공부)

발 신 : 주 제네바대사

제 목 : GVW-205 건경

총 3 매(표지포함)

보 안 통 제	
외신과 통 제	

54-3-1   0059

1992-01-28 21:38   KOREAN MISSION GENEVA   2 022 791 0525   P.01

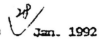

tariff item number (HS)	description	base duty	offer	tariff request	export 1000 mk (1988)	share %/rank
25.16.11.00	granite, crude or roughly trimmed	10.0 U	5.0		1.697	24/2
28.22.00.20.10	cobalt oxides and hydroxides	20.0 U	13.0		802	92/1
35.07.90.30.00	malt enzymes	20.0 U	13.0		126	100/1
43.02.19.30.00	tanned or dressed furskins of fox	25.0 U	10.0		4.834	36/1
48.04.41.19	uncoated kraftliner, other (than unbleached)	20.0 BP	13.0		3.851	67/1
48.04.42.00	other kraft paper and p.board, bleached	20.0 BP	13.0		1.088	97/1
48.11.39.90.00	paper and p.board coated with plastics	25. U	13.0		8.706	7/5
48.13.10.00	cigarette paper, in rolls of width not exceeding 5 cm	40.0 C	10.0		701	100/1
84.09.99.30.20	parts for marine internal combust. engines with a rating 300-2000 kw	25.0 U	15.7		6.548	8/3
84.30.69.00	other moving, grading, levelling etc. machinery, not self-propelled	20.0 B	13.0		546	9/5

54 - 7 - 2

85.16.60.10.00	electric ovens	50.0 C 16.0	248	42/1
87.04.22.00	motor vehicles for the transport of goods g.v.w. 5-20 tonnes	25.0 U 10.0	6.802	8/3
89.06.00.90.90	other vessels	2.5 U	11.562	87/1

54 - 3 - 3

0061

1992-01-28   21:39   KOREAN MISSION GENEVA   2 022 791 0525   P.03

외　무　부

원　본

종　별 :

번　호 : GVW-0212

일　시 : 92 0129 1800

수　신 : 장관(통기)

발　신 : 주 제네바 대사

제　목 : UR/시장접근 양자 협상(일본)

연: 1) WGV-0148

2) WGV-0169

연호 1 에 의하면 비관세 철폐 요청폭이 12 개이나 연호 2 에 의하면 9 개 품목이므로 연호 1 TALKING POINT 중 비관세 관련 부분을 9 개품목으로 수정하여표제협상에 임할것인바 의견있을 경우 조속 회시바람. 끝

(대사 박수길-국장)

예고:92.6.30 까지

대그문에 의기 제외무 19B.6.30이 김 성명

통상국

외 무 부

종 별 :

번 호 : GVW-0214

일 시 : 92 0129 1930

수 신 : 장 관(봉기,경기원,재무부,농림수산부,상공부)

발 신 : 주 제네바 대사

제 목 : UR/시장접근 양자협상(2)

1.29 당지에서 개최된 표제협상 토의 요지 아래보고함.

1. 미국

가. 시장접근 분야 협상 전망에 대한 의견 교환

- 아국은 (1) 그간 미국과 EC 간의 협상결과 (2)미국 및 EC 의 입장 변화 여부 (3) 무세화 대상분야중 미국과 EC 간의 타협 가능성 부문에 대하여 문의하고, 양국간의 타협없이는 협상진전이 어려우며, 특히 아국과 같은 제 3국은 양국간의 협상 결과를 알지 못하는 한 협상진행이 곤란함을 강조함.

- 이에 미국은 상호 LARGE PACKAGE 를 위해 EC와의 양자 협상을 계속 진행중이나, 현재까지 양국간의 기본입장이 바뀌었다고는 볼수 없으며, 미국으로서는 특히 분야별 접근 부문에 대해 희망을 갖고 계속 추진중인바, 일부 국가는 비록 무세화가 아니더라도 시질적인 관세인하를 달성하는 분야별 접근 방식에 상당한 관심을 갖고 있는 것으로 파악되었으므로 분야별 접근이 논의되고 있는 전분야에 무세 또는 일부 DEEPCUT 를 달성할수 있을 것이라 답변함.

나. 양국간 현안 문제

- 미국은 (1) 아국이 일부 참여 가능하다고 한 전자, 건설장비 부문에 실망을 표시하고 (기계자체가제외되고 부품에 한정되어 있어 그 참여 범위가좁음) (2) 화학제품에 대한 관세조화 (특히 H.S39 류는 한국이 생산 및 수출면에서 MAJOR PLAYER임)에 대한 참여 촉구, (3) 무세화 부문중 수산물 (특히 카나다의 수산물 관세 조화 방안에 대한 입장 문의), 비철금속, 종이, 목재, 의료장비에 대한 아국 참여를 재차 요청함.

- 이에 아국은 분야별 접근 방안에 대한 아국의 기본입장을 반복 설명하고 화학제 품에 대하여는 (1) 정부 차원의 공식 제안이 아직 없으며, (2)동업계 제안에

통상국   2차보   경기원   재무부   농수부   상공부

PAGE 1

92.01.30   08:11 WG

외신 1과 통제관

0063

의하더라도 조화 관세율 수준을 달성하는 세율인하 방식에 있어 개도국에 불리하게되어 있음을 지적함.

- 미국은 DUNKEL TEXT 중 RULE MAKING 분야등에 대하여 국내업계에서 불만이 많으나 전자, 건설장비 목재, 종이분야는 무세화 달성시 UR협상결과를 강력히 지지하는 부문으로서 이를 달성키 위해 아국의 참여가 필수적임을 재차 언급하고, 화학제품 관세조화 방안에 대한 개도국 문제는 동제안 제 4항에서 적절히 고려될수 있을 것이라 답변함. (이행기간의 차등, 일부 부문에의 참여 등)

- 또한 아국은 양국간 양허 균형문제에 있어 아국이 미국에 훨씬 많이 양허하였음을 거론하면서 아국이 이미 제시한 REQUEST LIST 중 우선 관심 품목을 전달하고 이에 호의적 고려를 요청함.

- 이에 미국은 양국간 양허 균형을 계산함에 있어 섬유 부문에 대한 고관세가 고려되었으므로 그 수치에 있어서는 미국측이 낮으나 실질적으로 MFA 가 철폐됨에 따른 시장접근 개선 효과를 동시에 고려하여야 하며, 섬유류에 대해서는 2월 재차협상시 NEW INFORMATION 을 제시할 예정이라 하면서 미국의 관세 조화 세율과 아국의 OFFER 세율, 현행 적용 세율, 93년 세율과의 차이등을 문의함. (미국 국내업계 설득용임을 암시)

- 비관세 문제에 대하여는 초코렛 검역문제에대한 미국업계의 추가적 요청사항을 제시함. (별첨)

다. 농산물 관련 사항

- 미국은 던켈 초안에 불만이 없는 것은 아니지만 이를 협상의 기초로 받아 들인다고 전제하고 각국은 동 초안에 의거하여 감축약속 계획서를 3.1 까지 제출해야 한다고 하면서, 아국도 3.1 까지 던켈초안에 의거한 COUNTRY-SCHEDULE 을 제시해야할 것이라고 하였음.

0 던켈 초안을 수정하는 문제와 관련 미측은 수정을 위한 협상이 재개되서는 안된다는 것이 기본입장이며, 만약 수정을 시도할 경우는 4월중순까지의 협상시한을 맞추기 어려울 것으로 전망하였음.

0 미국, 이씨 간 양자협의 관련해서는 90.12월 이후 최근까지 아무런 접촉이 없었다고 하면서 이씨측이 아직까지 미국과 협의할 준비가 되지 않은 것으로 평가하였음.

0 3.1 이전까지 양자협의 과정에서 감축 약속계획서 작성을 위한 주로 기술적

PAGE 2

문제를 협의토록하고 3.1 동 계획서가 제출되면 협상을 마무리 짓도록 하는 것이 합리적인 방법이 될것이라고 하면서 3.1 이전이라도 모든 문제에 대한 논의를 할 용의가 있다고 하였음.

 - 이에 대하여 아국은 농산물 분야에 대한 던켈초안에 불만이 있으며, 수정이 필요하다는 것이 기본입장이라고 전제하고 특히 예외없는 관세화 개념 및 쌀에 대한 최저 시장접근이 가장 심각한 문제점이라고 지적하였음.

0 감축 약속 계획서는 3.1 까지 제출을 위해 국내에서 최대한 노력하고 있으나 국내적으로 복잡한 절차를 거쳐야 하고, 작성상 기술적인 어려움이 있어 상당한 시간이 소요될 것으로 예상된다고 하였음.

0 쌀은 정치.경제.사회적으로 매우 민감하고 문화적인 바탕이 되는 품목이므로 개방이 지극히 곤란한바 쌀 수출 관심국인 미국이 먼저 이점을 이해해야 할것이라고 하였음.(미구은 이에대하여 국내시장의 5 퍼센트를 개방할 경우 큰 충격이없을 것이라고 하면서 한품목이라도 예외를 인정할 경우 원칙이 무너지게 된다는 기존입장을 재차 강조하였음.)

0 또한 아국은 88년 이후 최근까지 국내보조를 증대시켜왔기 때문에 기준년도를 86-88 기준으로 하는데 문제가 있다고 하였음.

2. 홍콩

 - 양국간에 현안이 없으므로 주로 UR협상전반에 관한 상호 의견 교환에 이어 홍콩은 10여개국과의 협상 과정에서 향후 실질협상은 각국의 양허표가 제시된 이후에 가능할 것이라는 인상을 받았는바 이경우 부활절 이전까지 협상 종료가 쉽지 않을 것이라 전망하였음. 끝

첨부: 초코렛관련 미국의 추가자료 (GVW(F)-58)

(대사 박수길-국장)

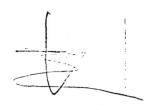

주 제 네 바 대 표 부

번 호 : GVW(F) - 0058   년월일 : 2012/   시간 : 1P00

수 신 : 장   판 (통기 · 경기인 · 재무부 · 농림수산부 · 상공부)

발 신 : 주 제네바대사

제 목 : GVW-214 첨부.

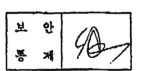

총 3 미 (표지포함)

보 안 봉 제	
외신과 등 제	

0066

58-3-1

〈첨부〉 쵸코렛 관련 미국의 추가자료

U.S. NTM REQUEST OF KOREA

Description:

Korea imposes restrictive quarantine and labelling requirements on sugar confectionery products, particularly chocolate, that are inconsistent with international norms.

-- **Quarantine requirements:** Despite Korean pledges to alleviate the problem, U.S. exporters of sugar confectionery products continue to experience quarantine hassles at ROKG ports resulting in long, unwarranted customs delays for each shipment. U.S. is particularly concerned with ROKG insistence on taking samples of all shipments for quarantine purposes. The following is an example of recent harassment: a U.S. exporter who had brought in chocolate at one port and filed the necessary documentation was recently forced to file the documentation again simply because the first shipment was smaller than subsequent shipments (documentation is supposed to be valid for 12 months).

-- **Labelling requirements:** New ROKG labelling standards require labels on chocolate confectionery products to list the percentage breakdown of individual chocolate ingredients (e.g., cocoa butter and cocoa fat) as a percentage of the total product. These requirements are misleading, of no value to consumers and are inconsistent with requirements of other chocolate producing countries. They fail to accurately indicate the quality of the product and have the affect of unfairly presenting superior chocolate products as being of inferior quality (from a quality angle the label should list the percentage of cocoa in the chocolate not in the entire product).

U.S. Request

Quarantine requirements: U.S. requests that the ROKG eliminate its restrictive quarantine practices for chocolate and sugar confectionery products and ensure that its quarantine regulations and testing requirements are transparent and applied in a uniform and expeditious manner. The U.S. proposes that Korea incorporate language along the following lines into its schedule of concessions:

"The Republic of Korea government agrees to limit testing for chocolate and sugar confectionery to a small sampling of routine shipments, rather than every shipment. New testing equipment that will expedite the testing process will be installed at quarantine stations at Korean ports and test results will be shared among ports through a new computerized import tracking system to limit reiterative testing. In addition, Korea agrees that no limit on the size of a shipment

0067

shall be required for quarantine testing."

Labelling requirements: U.S. requests that the ROKG eliminate its restrictive labelling requirements for chocolate products. In addition, the U.S. requests that the ROKG participate actively in the ongoing work of CODEX related to the establishment of international standards for chocolate products and adopt the final standards. The U.S. proposes that Korea incorporate language along the following lines into its schedule of concessions:

"The Republic of Korea government agrees to postpone adoption of new, proposed labelling requirements for chocolate products until international CODEX standards for chocolate products are developed and to adopt the CODEX standards once developed."

0068

| 관리
번호 | *92-111* |

원 본

외 무 부

종 별 :

번 호 : GVW-0228   일 시 : 92 0131 1100

수 신 : 장관(통기),통일,아일,경기원,재무부,농림수산부,상공부,

발 신 : 주 제네바 대사   경제수석)

제 목 : UR/시장접근 협상(일본,3)

　　1.30 당지 아국 대표부에서 개최된 표제협상 토의 요지 아래 보고함.

　　(아측: 김삼훈대사, 엄재무관, 최농무관, 강상무관, 재무부 강과장등 본부 대표단, 일본측: 노가미 외무성 심의관, 우노 재무성 과장, 미야모토 농림성과장, 토요타 통상성 과장등 11 인)

　　1. 정상회담 합의사항의 구체적 시행문제

　　- 아측 김대사는 별첨 1 의 발언 내용과 같이 지난 1 월초 서울에서 개최된 양국 정상회담의 합의사항을 상기시키면서

　　0 심각한 대일 역조현상에 대한 우려와

　　0 정상회담 합의 사항의 구체적인 실천 계획의 일환으로 개최되는 금번 양자 협상의 중요성을 강조하고 다음 사항의 반영을 일본측에 강력히 요청함(하기 LIST 일본측에 전달)

　　1) 121 개 품목 및 특히 16 개 품목(별첨 2)에 대한 관세인하(121 개 품목중의 일부)

　　2) 9 개 품목(별첨 3)에 대한 비관세 장벽 철폐)

　　- 이에 일본측은 동문제에 대한 심각성을 이해한다고 하면서 정상회담시 상기 LIST 를 이미 전달받아 신중히 고려중에 있으나 동문제를 UR 협상에서 논의하자고 합의하였으므로 동문제는

　　1) UR 의 WORK PROGRAMME 내에서 논의될 것이며, 이러한 관점에서 일본은 DENIS 의장이 제시한 일정에 따라 논의를 진행할 예정이고 2) UR 에서는 한국으로부터 제시된 REQUEST 만이 논의될수 없으므로 모든 나라로 부터의 REQUEST 를 한데모아 UR 협상 최종단계에서 동시에 검토될 것이라고 하고 특히 한국의 REQUEST 는 그 문제의 심각성을 감안하여 조기에 검토할 것이라 하였음.

통상국 해협위	장관 청와대	차관 안기부	1차보 경기원	2차보 재무부	아주국 농수부	경제국 상공부	통상국	외정실

PAGE 1

예고문에 의거 재분류 199 . . .
기위   성명

92.02.01   00:30

외신 2과 통제관 FK

0069

제목 국제관세나 허사로는 확인자료

o 86.9. 세율기준 전뒤 offer 가 없는 품목 (9개)

- 4202 92 010, 4202 92 090, 4203 10 100,
4203 10 200, 5007 20 032, 6402 99 010,
6403 91 011, 6403 99 011, 6404 11 010

o 잔여 구개품목
- 86.9. 세율기준 인하는 offer하였으나 아측 request와
세율에 약 2% 정도 미흡

- 이에 김대사는 일측의 성의 표시에 일응 이를 평가하고 UR 협상 결과와는 직접 연관시키지 않고 조속해결 되어야 할것이라는 점을 아래와 같이 지적함.

o 이문제는 한. 일 무역 역조 개선책의 일환으로 작년 5 월 노대통령 방일시에도 강력히 거론되었으며, 이를 위해 한. 일 산업 기술협력 위원회가 창설되었음.

o 작년 6 월 개최된 상기 위원회에서 일측은 별다른 성의를 보이지 않고 이문제를 UR 협상의 장으로 넘겼음.

o 금번 정상회담에서도 이문제는 UR 협상 테두리내에서 협의하자는 기본적인 합의가 있었던 것은 사실이나 작년 6 월 논의된 이후 현재까지 아무런 가시적성과가 없고 현시점에서 UR 조기 타결 전망도 불투명한 실정임.

o 따라서 이문제는 일본정부가 성의가 있다면 UR 협상과는 별개로 얼마든지 양국간 차원에서 해결할수 있는 사안인바, 일측의 성의있는 조속한 조치를 재차 촉구함.

- 상기 LIST 의 제시후 일본측이 제기한 구체적인 문의사항과 아국 답변 내용은 다음과 같음.

o 일본측 문의사항

1) 121 개 품목중 16 개 품목과 나머지 품목과의 차이점

2) 121 개 품목중 화학제품등 관세조화 대상 품목과 무세화 대상 품목이 포함되어 있는 바 이들 품목과 분야별 제안과의 관련성 (분야별 제안에 참여할 경우 동품목에 대한 한국의 요구가 충족될수 있는바 이들 품목에 대한 분야별 제안에의 참여 여부 문의)

o 아측 답변

1) 16 개 품목은 일본 시장에서 아국 수출 점유율이 큰 특별 관심품목으로서 일본이 고관세를 유지하고 있고 이중 9 개 품목은 일본 OFFER 에서 반영이 되어 있지 않는 품목임. 또한 현재의 OFFER 를 기초로 양국간의 양허 균형을 계산하면 일본에 유리하게 되어 있는바, 이들 16 개 품목이 아국 요구대로 일본 OFFER 에 반영되면 양국간 양허균형이 달성됨.

2) 아국 REQUEST 품목은 분야별 제안과는 무관하며, 분야별 제안의 협상결과와는 상관없이 일본 OFFER 에 반영되어야 함.

,, 이하 2. 항부터 GVW-0230 으로 계속됨. 합본처리 바람.

관리 번호	92-12

외 무 부

종 별 :

번   호 : GVW-0230   일 시 : 92 0131 1100

수   신 : 장관(통기,통일,아일,경기원,재무부,농림수산부,상공부,경제수석

발   신 : 주 제네바 대사

제   목 : UR/시장접근 협상(일본,3)

GVW-0228 호 계속

2. UR/ 시장접근 분야 협상에 대한 의견 교환

- 양측은 금번 협상에서 실질적 진전이 이루어지지 않은데 공히 우려를 표시하였으며, 특히 일본은 현시점에서 DENIS 의장이 제시한 일정에 아무도 반대할수 없으므로 전통적인 시자접근 분야에 관한한 동일정에 맞춰 협상을 종료시키도록 모든 참가국이 최선을 다할수 밖에 없음을 언급함.

- 또한 일본은 화학제품 관세 조화 방안에 다한 아국의 참여를 재차 촉구하고 동 품목에 대한 일본의 제안을 설명하기 위해 별도로 만날것을 제의함. 또한 일본이 이미 제안한 전자 및 비철금속에 대한 관세 조화 방안에의 참여를 요청하면서 미국과 EC 간에 철강, 의약품, 건설기계(CONSTRUCTION MACHINERY) 의료장비에 대해 대체적인 합의가 있었다고 함.

- 이에 아국은 분야별 접근 방식에 대한 아국의 기본입장을 반복 설명하고 특히 화학 제품에 대하여는 정부차원에서의 제안이 없는점, 선.개도국간 세율 인하의 불균형등을 지적함.

3. 농산물 분야

- 일본은 합의된 문서가 없는 상황에서 시장접근 협상에 의미있는 OFFER 를제시하기 어렵다는 기본입장을 밝히고, 현재 농산물 분야 시장분야협상에 참여하고 있지만 TRACK 4 에 의한 던켈 문안 조정작업에 큰 관심을 두고 있다고 하면서 특히 예외없는 관세화, 삭감폭과 관련된 균형유지, 허용정책등에 개선이 필요하다는 입장을 보였음.

0 이와 관련 던켈 문안 개선에 관심을 갖고 있는 국가와 협조할 필요성을 강조하면서 문안 조정을 위한 구체적인 조치를 취하는 방안을 검토중에 있다고

통상국 분석관	장관 정와대	차관 안기부	1차보 경기원	2차보 재무부	아주국 상공부	경제국	통상국	외정실

PAGE 1   92.02.01   00:35 0071

외신 2과 통제관 FK

하였음.

ㅇ 일본의 쌀시장 관련 정부입장은 변화가 없으며, 최근 일부 언론 보도도 사실 무근이라고 하였음.

ㅇ 감축 약속 계획서에 쌀, 유제품, 전분등 민감품목을 제외시킬 것인지에 대해서도 정부 방침이 아직 정해지지 않았다고 하면서 3.1 까지의 동 계획서 제출 시한을 맞추기 위해 최선의 노력을 하고 있다고 하였음.

- 이에 대하여 아국은 현재 합의된 문서가 없으므로 아국의 기존 입장에 기초한 감축 약속 계획서를 낼수 밖에 없다고 하고, 3.1 까지 감축약속 계획서를 제출하기 위한 노력을 하겠으나 여러가지 어려움 때문에 시한을 맞출수 있을지 확신을 할수 없다고 하였음.

ㅇ 아국은 특히 예외없는 관세화, 쌀의 최소시장접근, 기준년도등이 특히 어려운 사항인바, TRACK 4 를 통해 개선되도록 노력할 것이며, 특히 일본등 관계국과 협조하여 공동 대응하는 방안등이 검토되어야 할것이라고 하였음.

ㅇ 국별 감축계획서 작성과 관련 한. 일 양국간 실무자가 의견 교환등 협조해 나가자고 하였음.

4. 관찰 및 건의

- 정상회담 합의사항의 실천 계획분야의 하나인 관세인하 및 비관세 장벽 철폐에 관하여는 일본이 UR 협상에 참여하고 있는 모든 국가와의 시장접근 협상과 병행하여 검토될 것이라는 반응과 작년 6 월 이후 동문제에 대한 진전이 없고, UR 협상의 조기 타결전망도 불투명한 점을 감안할 경우 조속한 가시적인 결과의 도출이 용이하지 않을 것으로 사료됨.

- 따라서 동문제의 중요성과 UR 협상의 향후 전망등을 감안할때 아측 요구 사항에 대한 일본측의 긍정적 반영을 가시화하기 위해서는 UR 협상 차원에서 계속 적극 노력하겠으나 이와 병행하여 앞으로 진행될 산업기술 무역위원회등 양국간 협상 차원에서도 강력하게 동 사항을 집중 논의하여 일측의 수락을 받은후 그결과가 UR 또는 기타 일본의 수입자유화 조치의 일환으로 반영되도록 하는 노력이 필요할 것으로 사료되어 건의함.

첨부: 1. 김삼훈 대사 발언문

2. 121 개 및 16 개 품목에 대한 관세인하 LIST

3. 9 개 품목에 대한 비관세 철폐 요청 LIST. 끝

PAGE 2

0072

(GVW(F)-61)

(대사 박수길-차관)

예고 92.6.30 까지

원 본

외 무 부

종 별 :

번 호 : GVW-0229

일 시 : 92 0131 1100

수 신 : 장 관(통기, 경기원, 재무부, 농림수산부, 상공부)

발 신 : 주 제네바 대사

제 목 : UR/시장접근 양자협상(4)

1.30 당지에서 개최된 표제협상 토의내용 아래보고함.

1. 스웨덴

가. 시장접근 협상 전망에 대한 의견교환

- 양측은 금번협상 기간중 실질적인 활발한 협상이 진행되고 있지 않는데 우려를 표시하고 3.1.까지 양허표 제시에 최선을 다할것이나 이것이 최종협상 결과의 성격을 가질 것인지에 의문을 표시하였음.

(오히려 추후 협상의 기초가 될 가능성을 시사)

나. 양국간 현안문제

1) 관세

스웨덴은 두번에 걸쳐 제시한 스웨덴의 대아국 REQUEST LIST 92개 품목중 주로대아국 PSI품목인 60개를 우선 관심품목으로 (별첨)제시함. 동 우선품목 LIST 는 종전의 LIST를 대체하는 것이라 하고 아국의 호의적인 고려를 요청함. 특히 요청 세율은 무세로 되어 있으나 이는 실질적으로 한국의 관세인하 계획에 의한 실제 적용세율 수준에서의 양허를 의미하는것이라 부언 설명함.

- 아국은 양국간에 이미 양허균형이 달성되어있음을 상기시키면서 주요국간 협상 결과를 알지못하는 현상황에서 아국의 추가 OFFER제시가 용이하지 않음을 설명하고 대 스웨덴 REQUEST 에 대한 스웨덴의 입장을 문의 함.

- 이에 스웨덴은 다음과 같이 자국의 입장을 설명함.

O 아국 REQUEST LIST 중 화학제품은 관세조화제안에 포함된 품목으로서 동제안의 협상결과에 따라 추가 인하가 논의될 것임.

O 섬유류는 협상참가국중 스웨덴이 동품목에대해 관세, 비관세 양측면에서 가장 시장개방적인 입장을 취하고 있음을 상기키면서 이러한 관점에서 추가 관세 인하는

통상국   2차보   경기원   재무부   농수부   상공부

PAGE 1

92.02.01   08:00 WG

외신 1과 통제관

0074

곤란하며 다만동 부문에 대한 EC 의 관세조화 방안을 지지하는 입장이므로 동방안의 논의 결과에 따라 일부품목에 대해 관세율의 일부가 조정될수 있을 것임.

2) 비관세

- 스웨덴은

0 자동차에 부과되는 취득세, 특소세 등의 제반 세금부과 내용의 구체적 설명

0 작년 12월 양국간 MIXED COMMITTEE 에서 합의된원 산지증명에 대한 한국측의 구체적인 설명자료 (PRACTICAL GUIDELINE)

0 철강 제품의 연지급 수입

0 상기 분야에 대한 협상결과의 문서화를 요청함.

- 이에 아국은 자동차에 대한 세금부과 내용은 추후 상세한 설명내용을 서면으로 제시키로하고, 원산지증명에 대한 설명자료는 본부에서 작성되는대로 전달할 것이며, 연지급 수입금융 확대문제는 아국관세율이 인하됨에 따라 해결될수 있을것이라 답변하였음. 협상결과의 문서화에 대해서는 N.T.B. 의 정의가 불명확한 점을 들어 불가하다는 의사를 표시하였으나 스웨덴은 양허표에 포함시키고자 하는것이 아니라 양국간서한 형식으로 교환을 제안함.

다. 농산물 분야(스웨덴)

이번 시장접근 양자협상에서 다른나라들과 농산물에 관해서 구체적 토의가 있었는지에 관해 문의한바 스웨덴측은 일부 케언즈국가를 제외하고는 각국이 국별 이행계획서 (COUNTRYSCHEDULE)가 제출된 이후에야 실질적인 농산물에관한 양자협상이 이루어질수 있을 것이라고 언급함.

최종협정초안 (DRAFT FINAL ACT)의 농산물 분야에 관해서는 스웨덴으로서는 수용 가능한내용 (FAIRLY ACCEPTABLE TEXT) 이라고 평가하고, 일부 품목이 기준년도에 문제가 있는등 전체적으로 만족스럽지는 않으나 수정보완의 필요성을 느끼지는 않으며 수정이 있을 경우에도 받아들일 준비는 되어있다고 밝혔음.

2. 뉴질랜드

가. 일반적 의견 교환

- 뉴질랜드는 농산물을 포함한 모든 물품에 대한 양허표를 3.1 이전까지 제시할것이라 하면서 아국의 양허표에 농산물 포함여부를 문의함.

- 아국은 3.1 까지의 제시 일정에 맞추도록 최선을 다할 것이나 주요국간 협상 결과를 알지 못하는 현재의 불부명한 상황이 시한내 모든 품목에 대한 양허표 제시를

어렵게하고 있다 하였음.

　나. 양국간 현안문제

　- 아국은 양국간 양허가 크게 불균형 되어 있음을 상기 시키면서 아국의 REQUEST 에 대한 뉴질랜드 입장을 문의하고 26개 우선 관심 품목 LIST 를 제시함.

　- 뉴질랜드는 아국 REQUEST 중 일부 품목에 대해 신축성이 있으나 이도 자국의 농산물에 대한 아국입장 여하에 관련되어 있음을 언급하고 특히 섬유류에 대해서는 1.17 각국에 배포한바와 같이 모든 쿼타를 폐지하고 관세만 남아 있음을 강조하였음.

　- 이에 아국은 섬유류에 수입쿼타가 없어졌다고 하나 의류에대한 40 퍼센트의 관세는 선진국으로서매우 높은 수준이라 하였음.

　- 뉴질랜드는 자국의 REQUEST 에 대한 아국입장, 카나다가 제안한 수산물 관세조화 방안에의 아국참여등을 요청함.

　- 아국은 뉴질랜드의 REQUEST 는 먼저 양국간 양허균형이 달성된후 논의함이 바람직하고 수산물에 대해서는 아국의 기본입장을 반복 설명함.

　다. 농산물 분야

　- 뉴질랜드는 농산물 분야에 관심이 많으므로 3.1이전에도 농산물분야를 구체적으로 논의하기 바라며 현재 이행계획서 (COUNTRY SCHEDULE) 를작성중인바, <u>2월 중순경이면 완성될</u> 것이라고 언급하며 모든 국가가 3.1 1까지는 반드시 이행계획서를 제출해야 할것이라고 하였음.

　- 특히, 뉴질랜드가 관심이 있는 농산물 분야에 관해서는 아직까지 주요국간에 합의가 없음을 이유로 하여 전혀 논의가 되지 않고 있다는 사실에 대해서 유감을 표시하며 농산물에 관해 깊이있는 의견 교환을 할 것을 희망해 왔음.

　- 이에대해 아측은 아직까지도 TRACK 4 가 가동되지 않는점을 지적하며 협정초안중 농산물 분야는 수정되어야 한다는 입장을 표명하였고 농산물 양자협상은 아무런 기초가 없는 상태이고, 국별 이행계획서 작성은 상당한 시간이 소요되는 작업임을 상기시킴.

　또한 미국, EC간의 합의가 전혀없이 전망이 불투명한 상태에서 양자협상은 무의미하며 적어도 3.1 이후에야 실질적인 양자협상이 있을수 있을것이며 아국은 이행계획서 작성에 최선을 다할것임을 밝혔음.

　- 뉴질랜측은 3.1 이후에는 일정이 매우 촉박하므로 그전에도 협상이 이루어져야 한다고 재강조하며, 3.1제출되는 국별 이행계획서가 최종적이 될것인지 아니면 협상의

PAGE 3

0076

대상이 될수 있을 것인지에 대해 아국의 의견을 물어온바, 아측은 국별이행 계획서를 기초로 향후 협상이 이루어질 것이므로 최종적인 것은 아니라고 본다는 의견을 제시하였음.

 - BOP 품목의 관세화 여부에 관해서 뉴질랜드측은 매우 민감한 문제임을 강조하며 BOP 조항은 이미 90.1.1.에 원용을 중단하였으며, 협정 초안에서도 관세화 대상이되지 아니하는 비관세 조치로 명시되어 있으므로 관세화해서는 안된다는 주장을 하였으며 이에대해 아국은 종전입장대로 BOP 품목은 '97년 까지 자유화하거나 GATT 규정에 일치시켜 나갈것이며 이에 따라 UR 타결시 새로운 GATT규정에 따라 관세화 할것임을 밝혔음. 이에대해 뉴질랜드측은 이문제에 관해서 앞으로 계속 논의할 것을 제안하였음.끝

  (대사 박수길-국장)

  첨부: 스웨덴의 우선관심품목 LIST(GVW(F)-0062).

PAGE 4

0077

주 제 네 바 대 표 부

번 호 : GVW(F) - 0062   년월일 : 2/3/   시간 : 11°°

수 신 : 장   관(회. 제기획원·개정부·농전수산부·상공부)

발 신 : 주 제네바대사

제 목 : GVW - 0221

총 /3 미(표지포함)

보 안 봉 제	
외신과 봉 제	

0078

62-13-1

Date: 1992-01-23

0079

URUGUAY ROUND TARIFF REQUESTS

Specified request by Sweden

from ...REPUBLIC OF KOREA...

Tariff line HS	Product description	Tariff current	Bound rate	Proposal	Tariff binding request	Rev proposal	Remarks
2506.10.20.00	Quartz containing not less than 0,06 % but not more than 0,1 % of impurities	10 %	n.b.	6,6 %	free	5 %	
2839.11.00.00	Sodium metasilicates	30 %	30 %	18,6 %	free	13 %	
2922.50.90	Metropolol tartrate	15 % ? (Base rate 20 %)	n.b.	12,8 %	free	13 %	
ex 2922.50.90	Terbutaline sulfate USP	15 % ? (Base rate 20 %)	n.b.	12,8 %	free	13 % -	
ex 2933.59.20.10	Piperazine	20 %	n.b.	12,8 %	free	13 %	
2933.59.20.20	Piperazine citrate	20 %	n.b.	12,8 %	free	13 %	
2933.90.90	Omeprazole pellets	15 % ? (Base rate 20 %)	n.b.	--	free	--	

0080

Date: 1992-01-23

URUGUAY ROUND TARIFF REQUESTS

Specified request by Sweden

from ...REPUBLIC OF KOREA...

	Tariff line s	Product description	Tariff current	Bound rate	Proposal	Tariff binding request	Rev proposal	Remarks
ex	2941.10.90.90	Bacampicillin &CL	15 % ? (Base rate 20 %)	n.b.	12.8 %	Free	13 %	
ex	3003.39.10.10	Preparations containing pituitary (anterior) hormones	25 %	n.b.	-	free	-	
ex	3003.39.10.20	Preparations containing pituitary (posterior) hormones	25 %	n.b.	-	Free	-	
ex	3004.32	Pulmicort	15 % ? (Base rate 25 %)	n.b.	--	Free	--	
ex	3004.39	Genotropin	15 % ? (Base rate 25 %)	n.b.	--	Free	--	
ex	3004.39.10.10	Preparations containing pituitary (anterior) hormones	25 %	n.b.	-	Free	-	

62-13-3

Date: 1992-01-23

0081

URUGUAY ROUND TARIFF REQUESTS

Specified request by Sweden

from ...REPUBLIC OF KOREA...

Tariff line HS	Product description	Tariff current	Bound rate	Proposal	Tariff binding request	New proposal	Remarks
3006.90	Xylocaine	15 % ? (Base rate 25 %)	n.b.	--	Free	--	
3703.10.90.30	Photographic paper etc., sensitised, unexposed, in rolls of a width exceeding 610 mm, for photo-copying	30 %	n.b.	18.6 %	Free	13 %	
3807.00.10.00	Wood tar, wood tar oils and wood creosote	20 %	n.b.	30 %	Free	13 %	
3912.31.10.00	Sodium carboxymethyl cellulose	25 %	n.b.	-	Free	-	
3913.90.90.10	Dextran	20 %	30 %	12.8 %	Free	13 %	
4101.21.10.10	Cow hide	10 %	n.b.	6.6 %	Free	5 %	
4101.21.10.20	Steer hide	10 %	n.b.	6.6 %	Free	5 %	
4301.10.00.00	Raw furskins of mink, whole, with or without head, tail or paws	40 %	40 %	24 %	Free	5 %	

92-13-4

Date: 1992-01-23

0082

URUGUAY ROUND TARIFF REQUESTS

Specified request by Sweden

from ---REPUBLIC OF KOREA---

Tariff line HS	Product description	Tariff current	Bound rate	Proposal	Tariff binding request	Rev proposal	Remarks
4802.52.30.00	Base paper and paperboard for abrasing paper, weighing 40 g/m² or more but not more than 150 g/m²	25 %	n.b.	30 %	free	13 %	
4804.31	Other uncoated kraft paper and paperboard weighing 150 g/m² or less, unbleached	15 % ? (Base rate 20 %)	20 %	20 %	free	13 %	
4804.41.10.00	Electric insulating paper and paperboard	20 %	(20 %)"	20 %	free	13 %	
4810.39.00.00	Kraft paper and paperboard, other than that of a kind used for writing etc, other than those bleached uniformly throughout the mass and of which more than 95 % by weight of the total fibre content consists of wood fibres obtained by a chemical process	25 %	n.b.	30 %	free	13 %	

62-13-5

Date: 1992-01-23

URUGUAY ROUND TARIFF REQUESTS

Specified request by Sweden

from ...REPUBLIC OF KOREA...

Tariff line HS	Product description	Tariff current	Bound rate	Proposal	Tariff binding request	Rev proposal	Remarks
4011.39	Paper coated with plastics	? (Base rate 25 %)	n.b.	30 %*)	Free	10 % 13 %	
5513.29.10.00	Other woven fabrics, dyed, of nylon or other poly-amides	30 %	n.b.	18,6 %	Free	13 %	
5609.00.30.00	Articles of yarn, strip or the like of heading No. 5404 or 5405, twine, cordage, rope or cables, n.e.s. or included, of man-made fibres	25 %	n.b.	30 %	Free	13 %	

----

* partially bound

*) Electric insulating paper, condenser paper and releasing paper: no offer.

62-13-6

0083

Date: 1992-01-23

URUGUAY ROUND TARIFF REQUESTS

Specified request by Sweden

from ...REPUBLIC OF KOREA...

Tariff line its	Product description	Tariff current	Bound rate	Proposal	Tariff binding request	Rev proposal	Remarks
7203.90.00.00	Ferrous products obtained by direct reduction of other spongy ferrous products than iron ore, in lumps, pellets or similar forms; iron having a minimum purity by weight of 99.94 %, in lumps, pellets or similar forms	5 %	n.b.	3.5 %	Free	2 %	
7205.29.00	Iron powder	5 % (Base rate 10 %)	n.b.	20 %	free	5 %	
	Flat-rolled products of iron or non-alloy steel, of a width of 600 mm or more, in coils, not further worked than hot-rolled, of a thickness of 4.75 mm or more:						

62-13-7

0084

0085

Date: 1992-01-23

URUGUAY ROUND TARIFF REQUESTS

Specified request by Sweden

from ...REPUBLIC OF KOREA...

Tariff line HS	Product description	Tariff current	Bound rate	Proposal	Tariff binding request	Rev proposal	Remarks
7208.21 7208.22	- Other	10 % + 2,5 % defence tax (Base rate 20 %)	n.b.	30 %	Free	10 %	
7218.90.20.00	Billets of stainless steel	10 %	n.b.	-	Free	5 %	
7219.32, 33, 34	Cold-rolled stainless sheet of a width of 600 mm or more, of a thickness of less than 4,75 mm	10 % (1991 9 % 1992 8 % 1993 7 %) (Base rate 20 %)	n.b.	--	Free	--	
7220.20	Cold-rolled stainless strip steel	10 % (1991 9 % 1992 8 % 1993 7 %) (Base rate 20 %)	n.b.	--	Free	--	

62-13-8

Date: 1992-01-23

0086

URUGUAY ROUND TARIFF REQUESTS

Specified request by Sweden

from ...REPUBLIC OF KOREA...

Tariff line NS	Product description	Tariff current	Bound rate	Proposal	Tariff binding request	Rev proposal	Remarks
7226.20.0900	Strip steel of high speed steel	10 % (1991 9 % 1992 8 % 1993 7 %) (Base rate 20 %)	n.b.	--	Free	--	
ex 7226.91	Strip steel of tool steel not further worked than hot-rolled	10 % (1991 9 % 1992 8 % 1993 7 %) (Base rate 20 %)	n.b.	30 %	Free	--	
7302.90.00.00	Other railway or tramway track construction material	20 %	n.b.	12,8 %	Free	13 %	
7315.89.00.00	Other chaines than articulated link chain, skid chain, stud link chain or other welded link chain	25 %	n.b.	30 %	Free	13 %	
8202.10.20.00	Hand saws for metal	20 %	n.b.	12,8 %	Free	13 %	

0087

Date: 1992-01-23

URUGUAY ROUND TARIFF REQUESTS

Specified request by Sweden

from ...REPUBLIC OF KOREA...

Tariff line HS	Product description	Tariff current	Bound rate	Proposal	Tariff binding request	Rev Proposal	Remarks
8202.91.10.00	Hack-saw blades	20 %	n.b.	30 %	Free	13 %	
8207.11.00.00	Rock drilling or earth boring tools with working parts of sintered metal carbide or cermets	30 %	30 %	30 %	Free	30 %	
8207.50.20.00	Tools for drilling, other than for rock drilling: brace bits	30 %	30 %	30 %	Free	30 %	
8209.00.10.90	Tips for tools, other than of tungsten carbide, molybdenum carbides or vanadinum carbide	30 %	30 %	30 %	Free	30 %	
8402.19.90.00	Other vapour generating boilers, including hybride boilers, than watertube boiler and heating medium boiler	20 %	n.b.	30 %	Free	13 %	

Date: 1992-01-23

URUGUAY ROUND TARIFF REQUESTS

Specified request by Sweden

from ...REPUBLIC OF KOREA...

Tariff line HS	Product description	Tariff current	Bound rate	Proposal	Tariff binding request	Rev proposal	Remarks
8415.10.20.20	Air conditioning machines, wall-type, self-contained, of a power exceeding 11 kW	35 %	n.b.	21.3 %	Free	16 %	
8428.10.00.00	Lifts and skip hoists	20 %	20 %	20 %	Free	13 %	
8439.10.50.00	Beaters for making pulp of fibrous cellulosic material	20 %	n.b.	12.8 %	Free	13 %	
8439.20.10.00	Machines for forming paper	20 %	n.b.	30 %	Free	13 %	
8439.20.20.00	Paper making machines	20 %	n.b.	30 %	Free	13 %	
8450.19.00.00	Washing machines, each of a dry linen capacity not exceeding 10 kg, other than fully-automatic machines and other than machines with built-in centrifugal drier	35 %	n.b.	35 %	Free	.	

Date: 1992-01-23

URUGUAY ROUND TARIFF REQUESTS

Specified request by Sweden

from ...REPUBLIC OF KOREA...

Tariff line HS	Product description	Tariff current	Bound rate	Proposal	Tariff binding request	New proposal	Remarks
8479.10.90.00	Machinery for public works, building or the like, not elsewhere specified or included in chapter No. 84, other than mortar or concrete spreading machines or other road making machines	20 %	n.b.	30 %	Free	13 %	
8479.89.90.90	Other machines or mechanical appliances not specified or included elsewhere in chapter No. 84	20 %	n.b.	30 %	Free		
8504.40.30.00	Battery charges	25 %	n.b.	-	Free	13 %	
8509.10.00.00	Vacuum cleaners	50 %	50 %	29 %	Free	16 %	

Date: 1992-01-23

URUGUAY ROUND TARIFF REQUESTS

Specified request by Sweden

from ...REPUBLIC OF KOREA...

Tariff line HS	Product description	Tariff current	Bound rate	Proposal	Tariff binding request	New proposal	Remarks
8517.30.91.90	Telephonic or telegraphic switching apparatus, other than for public exchange, of electronic switching system other than space division or time division system	20 %	n.b.	-	Free	13 %	
8517.90.10.00	Parts of electronic switching system for public telephony exchange	20 %	n.b.	30 %	Free	13 %	
8531.10.20.00	Fire alarms	25 %	n.b.	30 %	Free	.	
8536.41.00.00	Relays for a voltage not exceeding 60 V	25 %	n.b.	30 %	Free	13 %	
8705.90.90.10	Breakdown lorries	25 %	n.b.	30 %	Free	.	

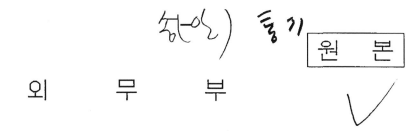

외 무 부

종 별 :

번 호 : GVW-0247

일 시 : 92 0131 1830

수 신 : 장 관(봉여,경기원,재무부,농림수산부,상공부)

발 신 : 주 제네바 대사

제 목 : UR/시장접근 한.스위스 양자협상(5)

1.31.오전 개최된 표제협상 요지 아래보고함. (엄재무관, 최농무관, 재무부 강과장등본 부대표 참석)

1. 협상 전망에 대한 의견 교환

- UR 협상 전반적인 전망에 대하여 현재 EC가 협상에 적극 참여하지 않고 있는 상태에서 미국은 종전의 자국 입장대로 협상을 추진하는등 향후 협상추이가 불투명한데 대하여 상호 우려를 표명하였음.

- 스위스는 3.1 까지도 이러한 불확실성 (UNCERTAINTY)이 지속된다면 많은 각국가 기존 양허계획표를 개선하기가 어려울것이라고 전망하면서 스위스는 던켈이 제시한 일정에 따라 자국의 양허 계획표를 제출할것이나 이는 최종양허 계획표라기 보다는 수정 OFFER 에 가까운 성경이 될것이라고 함.

2. 관세

- 스위스는 양국간의 양허가 한국에 유리하게 되어있는바 아국의 대 스위스 양허가 개선되지 않을 경우 자국의 기존 섬유제품 양허를 그대로 유지하지 않을 것임을 시사 함.

- 아국은 양국간 양허 불균형에 대하여 스위스와의 무역 역조문제 산업발전 수준의 차이 스위스의 전체적인 양허가 27 퍼센트에 그치고 있는 사실에 비추어 양국간 균형은 오히려 스위스 OFFER 의개선을 통하여 이루어져야 한다고 지적하면서 3.1이전에 상호 REQUEST 품목에 대한 양허 개선노력을 하기로 함.

2. 농산물

- 전반적 협상동향

스위스측은 농산물은 대부분의 국가가 국별 이행계획서 작성에 주력하고 있으며 양자협상에 적극적으로 참여하지는 않고 있음을 전제하고 스위스도 이러한 입장에서

통상국 2차보 경기원 재무부 농수부 상공부

PAGE 1

92.02.01 08:33 WG

외신 1과 통제관

0091

시장접근 양자협상에 임하고 있으며, 동향에 관해 문의한바 미국과는 만났으나 특별한 진전은 없었다고 하고 EC와는 아직 계획이 없다고 하였음.

　- 국별 이행계획서 작업

스위스도 3.1 까지 제출하기 위해 최선을 다할 것이나 어떠한 품목이 국별 이행계획서에 포함될지는 아지 결정된바 없으며, 관세 상당치가 계산되는 품목은 자유화된 품목보다 감축율을 낮게 (15퍼센트에 가까운 숫자)하여 스위스 농업에 대한 피해를 가급적 줄이기 위해 최선을 다할것이라고하고 제출시기에 관해서는 다른 국가들과 비슷한 시기에 제출하겠다고 언급하여 다른나라의 동향을 보아가면서 제출할 것을 간접적으로 시사하였음. 또한 국별 이행계획서는 최종적인 것이 될수없으며 추후 협상이 있을 것으로 보나 주어진 기간이 한달 밖에 안되기 때문에 충분한 양자협상이 이루어질수 있을지 우려된다고 하였음.

　- 협정 초안 수정

아측은 TRACK 4 에 의한 수정이 이루어져야 하며 아국의 관심사항이 반영되어야 함을 강조하자 스위스도 협정초안의 내용을 그대로 수용하는데는 많은 어려움이 있음을 표명, 협정초안 수정에 관심은 나타냈으나 TRACK 4 가 언제쯤 어떤형태로 시작될지는 알수 없으며 스위스로서는 수정안에 대한 구체적인 계획은 아직까지 결정된바가 없다고 하였으며 스위스의 농산물교섭 담당자가 내주중 제네바에 오기때문에 구체적인 문제는 내주중 별도 협의하기로 함.

　3. 비관세

　- 스위스는 종전에 양국간 비관세 문제로 제기된 <u>모직물 수입품에 대한 LABELLING</u> 문제등 4개사항에 대한 아국의 입장을 재차 문의함.

　- 상기 문의사항에 대한 아국의 답변 내용은 아래와 같음.

　1) 수입 시계에 대한 특소세등 내국세 부과문제:동 세금의 부과는 내국산 및 수입품에 공통적으로 적용되는 것으로 아국은 동 조세면세점 확대의 시행 및 세율인하계획등 아국의 기존 입장을 설명

　2) 수입자유화 예시계획에 포함되지 않은 4개 견직물에 대한 수입제한철폐: 동제품의 향후 자유화 계획을 설명

　3) 수입 모직물에 대한 LABELLING 표시: 동 제도를 도입한 취지를 자세히 설명하면서 스위스가 제시한 봉인방법등에 대해 검토중에 있음을 설명

　4) 수입의약품에 대한 임상실험 문제 및 수입의 약품에 대한 보험료 상환 방법:

PAGE 2

0092

기본적으로 동문제는 UR 협상 차원에서 논의할 성질이라기 보다는 관계전문가 간에
협의할 사항이라고 언급하고 동사항에 대한 스위스의 관심사항을 서면으로 제시하면
본부 전문가로 하여금 동 문제를 검토하여 추후 답변할 용의가 있음을 설명.끝

　　(대사 박수길-국장)

외 무 부

종   별 :

번   호 : GVW-0288   일   시 : 92 0206 0900

수   신 : 장 관(통기,경기원,재무부,농림수산부,상공부)

발   신 : 주 제네바 대사

제   목 : UR/시장접근 협상

1. 2,5(수) 오후 DENIS 의장의 요청에 의해 표제협상의 진전과 관련 의장 및갓트사무국측(BROADGRIDGE 사무차장보, WOLTER농업국장, CAMPEAS 관세국장, OPELZ비관세국 장)과의 개별협의가 있었으며 홍콩이 초청되었음.

   (김대사,엄재무관,최농무관,김재무관보 참석)

2. 동 협의는 그동안 진행된 양자협상 진전상황을 파악하고 3.1.까지의 시한에 맞추어 각국이 NATIONAL SCHEDULE 을 필히 제출하여 주어야 할것이라는 점을 강조하기위한 협의로서 오늘로서 10개국과 협의를 가졌는바 어제는 미국과 EC를 동시에 초청협 의를 가진바 있다함.

3. DENIS 의장은 현재까지 많은 참가국과 접촉한 결과 실질적인 협상 진전이 이루어지지 않은 것으로 판단되어 이러한 상황에 우려를 표시하면서도 미국,EC와의 협의시 3.1.까지 NATIONAL SCHEDULE 제시에 대한 긍정적인 반응이 있었다고 하면서 그간의 아국의 양자협상진전상황과 우리의 입장을 문의하고 아국도 시한에 맞추어 농산물을 포 함한 NATIONAL SCHEDULE를 제출하여 줄것을 재삼 요청하였음.

4. 김대사는 아래와 같이 답변함.

O 아국은 UR 협상의 성공을 위해 일관된 입장을 견지해왔으며 앞으로의 일정에 맞추도록 가능한 한 최선을 다하고 있음.

O 시한도 중요하지만 미국,EC 를 비롯한 주요국이 제시할 SCHEDULE 의 구체적인내용이 더욱 중요할 것인바 현재까지는 많은 문제점과 불확실성이 있는 것으로 알려지고 있음.

O 아국으로서는 농산물분야에서 특정품목의 시장개방 불가 및 11조 2(C) 관련 일부품목의 관세화가 곤란하다는 일관된 입장인바, TRACK 4 에 의해 이러한 아국의 어려움 이 필히 반영되어야 할 것임.

통상국   2차보   구주국   청와대   안기부   경기원   재무부   농수부   상공부

PAGE 1   92.02.06   20:29 FN

외신 1과 통제관

0094

0 아국은 그간 8개국과 양자협상을 가졌으나 가시적인 결과는 없었으며 양국정상간에 무역역조 개선책을 UR 에서 논의하자고 합의한 일본과의 양자협상에서 조차 구체적 결과가 없었음. 아국은 공산품에 관한 한 몬트리올목표를 충족하는 OFFER 를 제시하였고 부문별접근 협상에서 긍정적으로 참여하고 있음.

5. 의장은 주요국과의 개별협의에 이어 2.7(금)시장접근 그룹 비공식회의를 개최, 각국입장을 청취한후 그동안의 협상진전에 관한 자신의 의견과 평가를 DUNKEL 총장에게 보고할 예정이라고 하였음.끝

(차석대사 김삼훈-국장)

원 본 ✓

외 무 부

종 별 :

번 호 : GVW-0312

일 시 : 92 0207 1800

수 신 : 장관 (통기, 경기원, 재무부, 농림수산부, 상공부)

발 신 : 주 제네바 대사대리

제 목 : UR/시장접근 협상 그룹 비공식 회의

2.7 (금) 당지에서 개최된 표제회의 토의 요지 아래보고함. (엄재무관, 최농무관, 김재무관보, 김농무관보 참석)

1. DENIS 의장은 각국에게 협상의 성공적 마무리를 위하여 시장접근 협상 일정에 따라 3.1까지 국별 계획표의 작성이 긴요하다고 하고 그간의양자 협상 진전상황을 문의함.

2. 각국의 발언 요지

0 미국은 그간 30 여개국과 양자 협상을 가졌는바, 개도국들과는 일부 개도국이 수정 OFFER 를 제시하는등 상당한 성과가 있었으나 선진국 특히 EC 와는 아무런 진전이 없었다고 함.

또한 3.1 까지 자국은 SCHEDULE 을 제시할 것이며, 타국도 일정에 맞춰 SCHEDULE 을 제시할 것을 촉구하고 자국의 시장접근 협상팀은 3.1 까지 제네바에 체류하여 언제든지 협상할수 있는 태세에 있다고 함.

0 일본은 20여개국과 협상하였는바, 전반적으로 개도국이 수정 OFFER 를 제시하는등 긍정적측면도 있었으며 3.1 까지 SCHEDULE 을 제시 할것이나 농산물에 관하여는 현재의 TEXT 에 문제점이 있어 TRACK 4 에 의한 협상이 이루어져야함을 주장하고 EC 와의 협상이 불가했던 사실을 지적하였음.

0 EC 는 정해진 일정에 따라 내부적으로 작업중이며 협상진전 상황 진행여부는 특정국의 협상의지에 달려 있음을 간략히 언급함.

0 스웨덴, 스위스, 오지리등은 미국, EC 와의 양자 협상 결과가 부진하여 협상타결의 실마리가 주어지지 않는 상황이라 진단하고 시한내의 SCHEDULE 제시도 중요하지만 그 내용도 보다 중요하므로 3.1 이전에 그 내용을 파악하기 위한 별도의 회합이 필요함을 주장함.

통상국	2차보	경기원	재무부	농수부	상공부	

92.02.08   08:55 WG

외신 1과 통제관

0096

특히 스위스는 농산물 분야에서 합의된 MODALITY가 없으므로 이에 대한 CONCENSUS 확보가 시급한 과제라고 언급하고 오지리도 TRACK 4 에 의한 협상개시를 촉구함.

0 호주, 뉴질랜드는 농산물을 포함한 모든 물품에대한 SCHEDULE 을 3.1 까지 제시할 것이라 하고 모든 참가국이 시한 못지 않게 그 내용의 충실성에도 많은 관심을 가져야 할 것임을 촉구함. 특히 농산물은 던켈 초안에 합치하는 내용이 되어야 한다고 강조하였음

0 태국, 말레이지아, 필리핀, 인도네시아 등은 농산물 특히 열대산품 뿐만 아니라 섬유류등의 OFFER 개선 및 미국과 EC 의 타협을 재차 촉구함.

0 페루, 코스타리카, 멕시코, 브라질, 콜롬비아, 베네주엘라, 알젠틴 등은 수정 OFFER 를 제시하였음을 언급하고 열대산품 OFFER개선을 재차 촉구함.

0 아국은 본부에서 대표단이 파견되어 여러 참가국과 협상을 진행하였으며, 아국도 3.1 까지 SCHEDULE을 제시할수 있도록 최선을 다해 작업을 진행하고 있음을 언급함. 또한 미국과 EC간의 협상 부진이 협상진전의 장애가 되고있음에 우려를 표시하고 아국으로서는 농산물분야에 매우 중요한 관심을 갖고 있는바, FINALACT 의 개선을 위하여 조속히 TRACK 4 에 의한 협상을 진행할 것을 촉구함. 끝

(차석대사 김삼훈-국장)

PAGE 2

0097

원 본

외 무 부

종 별 :

번 호 : GVW-0322   일 시 : 92 0210 1800

수 신 : 장관(통기, 재무부)

발 신 : 주 제네바 대사대리

제 목 : UR/시장접근 협상 양허표 제출

시장접근 협상 양허표 제출 준비와 관련된 갓트사무국 설명자료를 별첨 송부함.

첨부: MTN.GNG/MA/W/15 1부(GVW(F)-89)

(차석대사 김삼훈-국장)

통상국   차관   2차보   재무부

92.02.11   05:06 ED

외신 1과 통제관   0098

주 제 네 바 대 표 부

번 호 : GVR(F) - 0089   년월일 : 2021/0   시간 : /800

수 신 : 장   판 (통이 래직부)

발 신 : 주 제네바대사

제 목 :

총 3 매 (표지포함)

보 안 통 제	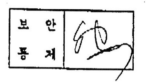
외신과 통 제	

8P-3-1

0099

1992-02-10   19:06   KOREAN MISSION GENEVA   2 022 791 8525   P.03

MULTILATERAL TRADE

NEGOTIATIONS

THE URUGUAY ROUND

RESTRIC

MTN.GNG/MA/W/15

5 February 1992

Special Distribution

Group of Negotiations on Goods (GATT)

Negotiating Group on Market Access

PREPARATION OF THE URUGUAY ROUND SCHEDULES OF CONCESSIONS

Note by the Secretariat

1.   As in document MTN/TNC/W/FA, the schedules containing the market access concessions of participants will be annexed to the Geneva (1992) Protocol embodying the results of the Uruguay Round Multilateral Trade Negotiations.

2.   Participants should send to the secretariat 180 copies marked SECRET of their complete line-by-line draft schedules of concessions and commitments by 1 March 1992 for circulation to those participants who have also submitted schedules.

3.   Schedules may be submitted in any of the official GATT languages. In accordance with past practice, the schedules will not be translated.

4.   In order to ensure confidentiality, the secretariat will distribute, against signature, two numbered copies of the draft schedules, to all participants who have submitted schedules.

5.   Draft schedules should be in the format required for the final schedules, as in pages C.3 to C.5 of document MTN/TNC/W/FA. However, for agricultural products the expanded format in pages L.56 to L.74 should be used.

6.   In addition to submitting schedules on paper the revised offers should, where possible, also be provided on diskette. The Statistics and Information Systems Division has provided each of the forty-one participants whose import statistics at the tariff line level have been recorded with a diskette containing its base rates and initial offers as presently recorded on the Trade Negotiations Computer Files, along with an explanatory note.

7.   To allow the annexation of final schedules to the Protocol by 31 March 1992, each participant should send to the secretariat one copy of its final schedule by that date. The secretariat will then prepare one copy of each schedule on a special (treaty) paper to be attached to the Protocol. As soon as possible thereafter, participants should send to

---

.·/.

[1]The documentation should be addressed to Miss M. Kennedy, Tariff Division, Room 1073, Tel. 739 51 37.

GATT SECRETARIAT
   UR-92-0023

8f-3-2

0100

the secretariat **300 copies** of their final schedules for distribution to **all** participants in the Multilateral Trade Negotiations.

8.   After the Protocol has been opened for signature, a set of printed volumes will be prepared containing the original texts certified by the Director-General. Two copies will be sent to each participating government free of charge. Additional copies will be available for sale.

$8 f - 3 - 3$

외 무 부

원 본

종 별 :

번 호 : GVW-0321   일 시 : 92 0210 1800

수 신 : 장관(봉기, 재무부, 상공부)

발 신 : 주 제네바 대사대리

제 목 : UR/시장접근 협상 양자 협상(스위스)

스위스에서 제시한 비관세 추가 설명자료를 별첨송부함.

첨부: 비관세 추가 설명자료 1부. 끝

(GVW(F)-88)

(차석대사 김삼훈-국장)

통상국   차관   2차보   재무부   상공부

PAGE 1   92.02.11   05:04 ED

주 제 네 바 대 표 부

번 호 : GVW(F) - 0088   년월일 : 2021/0   시간 : 1800
수 신 : 장   관(통해. 제2부. 상황박)
발 신 : 주 제네바대사
제 목 : GVW-0321 첨부

총 2 매 (표지포함)

보 안 동 제	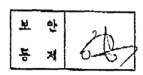
외신과 동 제	

88-2-1

February 3, 1992

Additional information on Switzerland's requests concerning pharmaceuticals

- **clinical tests:**

Switzerland maintains its request on clinical tests, i.e. the requirement to conduct local clinical tests/trials should be dropped when a Free Sale Certificate from a well developed country is available.

- **reimbursement by health insurance for imported pharmaceutical products:**

Although a liberalisation regarding the status of imported pharmaceutical products has been realised recently, Swiss exporters of finished pharmaceuticals still face the following problems:

- the reimbursement price for imported pharmaceuticals is arbitrarily limited by the "standard retail price" (currently CIF price x 2.8) from which the trade margin still has to be paid locally;

- the administrative guidelines for hospitals to get a reimbursement for imported products are complicated and time consuming and seem to be applied differently compared to locally produced products. This results de facto in the prescription of locally produced products, for which the reimbursement guidelines are clearly fixed. As such the reimbursement of imported finished products is in theory possible, in practice however the importer of such products is in a disadvantageous position;

- prices for imported products need to be recalculated with every new import consignment, depending on prevailing exchange rates, which further complicate the issue;

- cases of discriminatory reimbursement guidelines are known.

Switzerland therefore requests that the Korean Government establishes and maintains clear, transparent and non-discriminatory guidelines with regard to reimbursement of imported products. Product licence requests should be considered without regard to where the product would be manufactured and both medical and financial information should be used when establishing reimbursement guidelines. Reimbursement prices and margins for imported products should be the same as in the case of locally produced products.

- **state tests for imported biologicals and antibiotics:**

Switzerland maintains its request on state tests for imported biologicals and antibiotics, i.e. the simplification of inspection procedures.

88 - 2 -2

0104

〈외무부〉

UR/시장접근/비관세분야 양허표 제출 대책

1992. 2.

상 공 부
국 제 협 력 관 실

0105

- 목   차 -

0106

1. UR/시장접근/비관세분야 협상진전 현황

o '90. 2. 14 회의에서 시장접근분야 협상의 Request/Offer 협상 방식에
  합의

o R/O 협상절차에 따라 각 국에서 Request List를 제출하였고 수차의
  양자협의를 진행
  - 각 국은 상대국의 Request에 대한 Offer List 제출

o 아국에 대하여는 13개국에서 Request List를 제시하였고, 이에 대하여
  아국에서는 7개국에 Offer List를 제출한 바 있으며, 아국은 13개국에
  Request List를 제시하여 3개국으로부터 Offer List를 받았음

구 분	대 상 국 가
- 대아국 Request 제시국가 (13개국)	EC, 미국, 일본, 카나다, 호주, 오스트리아, 뉴질랜드, 스웨덴, 핀란드, 헝가리, 우루과이, 스위스, 태국
- 아국의 Offer 제출 국가 (7개국)	EC, 미국, 카나다, 호주, 뉴질랜드, 스웨덴, 우루과이
- 아국의 Request 제시 국가 (13개국)	EC, 미국, 일본, 카나다, 호주, 뉴질랜드, 태국, 필리핀, 이집트, 파키스탄, 말레이지아, 인도네시아, 인도
- 대아국 Offer 제출 국가 (3개국)	EC, 호주, 뉴질랜드

o 동 Request/offer 이후에도 수차의 양자협상을 통하여 각국간 비관세
  조치에 대한 협상을 계속하여 왔음

0107

2. 비관세분야 양허표 작성경위

o 비관세분야 양허표 게기 이유

- '91.12.20 Dunkel 의장이 제시한 최종협정문안 (Draft Final Act)에서
  비관세분야도 양허협상 결과를 양허표에 게기하고 이의 수정. 철회시는
  GATT 제 28조를 적용토록 함

o 추진일정 (UR/시장접근분야)

- 1.17~2.28까지 양자, 다자협상 계속
  . 집중협상기간 : 1.28~2.6, 2.20~2.28
- 3.1까지 협상종료 및 결과제시
- 3.15경 협상결과 평가
- 3.31 각국의 최종 양허 Schedule을 Protocol에 부착

3. 비관세양허표 제출 대책

가. 양허표 작성 기본방향

- 아국산업에 미치는 부정적 영향 최소화

- 주요국의 양허내용을 감안한 적정수준의 양허

나. 단계별 추진

o 비관세양허표 제출시 주요 고려사항은 양허범위 및 제출시기임

- 양허범위 : 아국 산업피해 최소화 및 주요국과 균형유지가 중요

- 제출시기 : UR 협상에 적극 임한다는 아국 기본입장과 관련 추진일정에
  맞추어 제출할 필요가 있음

0108

o 양허표 제출의 단계적 추진

  - 3.1까지 제출된 각국별 양허표에 대하여 주요관심국간 본격적인
    양자협상이 진행될 것으로 예상되므로 이에 대한 대비 필요

  - 따라서 아국 비관세 양허표 제출은 2단계로 나누어 추진
    . 1단계에서는 최소한의 양허표를 작성, 3월초에 제출
      (이미 offer한 내용중 수량규제 관련사항)
    . 동 양허표 제출이후 각국의 비관세양허내용 및 양자협상과정에서의
      요구정도 등을 감안하여 3.31 까지 최종 양허표 제출

o 단계별 추진대책

구 분	주 요 내 용
제 1 단계	o 제출시기 : 3.1경 o 양허범위 : '90.11 아국이 제출한 offer에 포함된 　　　　　　　품목에 대한 수량규제 해제 - 공산품, 광산물, 수산물, 임산물 (농산물 제외) - HS 6단위기준 178개 품목 (각국이 요청한 품목중 　이미 수량규제가 해제되었고 향후에도 도입 가능 　성이 없는 품목)
제 2 단계	o 제출시기 : 3.31경 o 양허범위 : 관계부처 의견을 검토하여 결정 - 양자협의 과정에서 제기된 사항중 수량제한 　이외의 사항으로서, 현재 시행되지 않고 있으며 　향후에도 도입 가능성이 없는 사항 - 종래 시행되던 사항중 국제규범과 일치되지 않는 　것으로서 현재 폐지하였으며 주요국에서 양허를 　강력히 요구하는 사항

3   0103

<첨부 1> UR/비관세분야 각국 요구사항에 대한 수용·양허여부 검토

각국의 NTMs 관련 요구내용	요청국가	현 황	주무부처의 의견	양허여부 검토
1. 초코렛, 설탕제품의 검역상 제한 해제 (양허요구)	미 국		(보사부, 식품유통과)	요구사항 가 다항의 경우 현재 국내 시행중인 내용으로 수용 가능여 강안하여 최종 상향허용 양허 고려
가. 재반입시 관능검사만 실시		1년이내 동일회사, 동일제품 반복수입시 관능검사만 실시	- 수용가능	
나. 선적분량에 관계없이 종전 검사절과 인정		선적분량이 현저히 다른경우 재검사 실시 (수입식품 관리지침)	- 종전 물량의 5배이상 재 재반입 되는 경우 재검사 실시 (수용불가)	
다. 각 검역소에서 이화학 검사를 실시하고 타 검역소의 검사절과 인정		타 검역소의 검사절과를 인정함	- 수용가능	
라. 모든 선적분에 대한 샘플 채취방식 지양		생물제취는 대표성 문제와 관련함 되며, 밀요 최소한으로 채취함	- 수용불가	
2. 초코렛제품의 한글표시부착 개선 (Labelling) 제도 (양허요구)	미 국, EC		(보사부, 식품유통과)	양허 불가
가. 한글표시 (성분명, 유통기한, 반품장소, 보관기준 등)는 수입재한적임		국민건강 보호들을 위해 식품 위생법에 의거 한글표시제도 실시	- 초코렛 제품에 대한 표시 제도는 이전부터 시행되던 것으로서 새로이 개정·도입된 제도가 아니고,	
나. Codex 기준 완비시까지 한국의 표시제도 시행연기 (추후 Codex 기준 적용)		- 초코렛에 대한 표시사항 (식품공전) 개정 • 초코렛과 가공초코렛 구분 표시 삭제 • 곡코아 가공품의 명칭과 함량 표시 삭제	- 식품공전 개정으로 미국측의 요구가 대부분 반영되어 있으며. - 장기적으로 Codex 규정에 따르는것이 불가피하나, 현 단계에서 기존제도의 적용을 유보하고 향후 정비될 Codex 규정에 따르다는 양허는 수용곤란	

각국의 NTMs 관련 요구내용	요청국가	현 황	주무부처의 의견	양허여부 검토
3. 소프트웨어에 대한 관세평가 - 가격평가시 프로그램가격이 아닌 매체자체의 가격으로 해둘것	미 국	관세평가협정 제 1항에 따라 소프트웨어 및 매체거래가격을 기준으로 평가 - '90.1.1부터 소프트웨어 수입 자유화 및 첨단기술의 수입 디스크는 100% 관세 감면	(재무부, 국제관세과) - 관세평가 협정에 따른 것이 므로 수용곤란	양 허 불 가
4. 전기전자제품에 대한 시험검사 기준 개선	미 국		(공업진흥청)	양 허
가. 신제품의 평가가 광범위하여 수입품에 대한 재검사		신제품의 인정의 기준이 타임변경 이므로 모델변경보다 검사 대상이 축소됨	- 미국의 요구는 근거없음	불 가
나. 32개기관 관여로 검사기간 지연, 절차 복잡		32개 검사기관중 12개기관의 검사 만 받으면 됨		불 가
5. 불필요한 기술규제 및 검사 기준의 철폐			(공업진흥청, 보건사회부)	
가. 전기용품 형식승인 관련 검사 철폐		전기용품안전관리법에 의한 형식승인 대상품목 : 304개품목	- 국내외산 동등취급 - 외국의 경우에도 유사제도 운영	양 허 불 가
나. 자동차 2만km 장기검사폐지		자동차관리법에 의거 년간 100 대 이상 제작.조립.수입하는 자는 주행시험 및 6개 항목별 시험검사	- 수입차의 경우 제작사의 자체시험 성적서로 대체 (서류검사)	양 허 불 가
다. 외국산 타이어의 품질검사 철폐		'87.1부터 철폐	- 해당사항 없음	양 허 불 가
라. 화장품에 대한 검사폐지		약사법에 의거 화장품.향수 수입시 국립보건원에서 안전성. 유효성 검토	- 국민보건.위생을 위한 제도 - 내외국산 동등취급 - GATT 20조에 의거 정당화	양 허 불 가

각국의 NTMs 관련 요구내용	요청국가	협 상 현 황	주무부처의 의견	양허여부 검토
6. 통관 관련 복잡한 절차 및 불공정한 관세평가 - 하자보수용품의 수입규제	E C	하자보수용품은 수입승인절차 없이 수입가능	(재무부, 국제관세과) - EC 주장은 근거없음	양 허 불 가
7. 소비재 수입에 대한 연지급 수입 허용	E C	연지급수입 허용대상 및 기간 - 대상 : 실행관세율 10% 이하 품목 - 기간 [내수용 : 60일 　　　　 수출용 : 90일	(재무부, 외환정책과) - 관세율의 지속적 인하로 연지급수입범위가 점차 확대될 것임	양 허 불 가
8. 철강제품에 대한 연지급수입 허용	스웨덴	(상　　동)	(상　　동)	양 허 불 가
9. 농산물에 대한 연지급수입 허용 : 미국 GSM 102 사용허용과 관련 캐나다의 EDC 자금도 사용가능토록 허용	캐나다	미국 GSM 자금은 역사적 배경을 가진 것이며, FY 92부터 점차 축소되어 FY 95에 폐지 예정	(재무부, 외환정책과) - 현시점에서 캐나다에 새로이 허용곤란	양 허 불 가
10. 의료장비 수입규제 해제	일 본	약사법에 의거 의료용구수출 조합의 추천을 받아 수입하며 검정기관의 검정 필요 - 추천대상 : 의약품 수출입 허가 받은품목 - 대상품목 : 472개품목 (HS 10단위 기준)	(보사부, 시설장비과) - 국민보건 등 관련 안전성 및 유효성 확보를 위해 불가피 - 일본, 미국, 독일 등에서도 시험·검사제도 운용	양 허 불 가

각국의 NTMs 관련 요구내용	요청국가	현 황	주무부처의 의견	양허여부 검토
11. 수입선다변화제도 폐지	일 본	수입선다변화품목(별도 공고)은 점차 축소해 나가고 있음 '87: 632품목 → '91: 258품목	(상공부, 수입과) - 대일무역역조가 심화되는 상황에서 동 제도의 조기 폐지 곤란 - 양국간 무역 불균형이 개선되는 경우 점진적 축소 가능	양 허 불 가
12. 철강제품 국내시장가격 통제 철폐	일 본	81년이래 철강제품에 대한 수급 및 가격조정협정체도 유지 (자율적인 가격형성가반도모 및 시장지배력에 의한 부당가격 설정 방지)	(상공부, 제철과) - 수입규제 목적의 가격통제 제도가 아님	양 허 불 가
13. 수입모직물에 대한 표시제도 개선	스위스, 스웨덴, 오스트리아	공진청 고시 「섬유제품군」에 의거 모직물, 모혼방직물은 양반 및 혼용율 제조자(수입자)명 표시 의무화	(공진청, 소비자보호과) - 내외국산 차별없음 (소비자 및 제조업체 신뢰도 보호) - 맞춤복이 50%이상 차지하고 있는 국내시장 이건상 직물에 직접 품질 표시하는 것은 불가피 (외국의 경우 기성복 시장이 90% 이상 차지)	양 허 불 가
14. 수입의약품에 대한 임상실험의 무조정폐 : 폐지요망	스위스, E C	개발국에서 사용토지 3년미만인 의약품에 대한 부분적인 3상 임상 실험 실시	(보건사회부, 약무과) - 외국에서 임상실험이 완료된 의약품이라 하더라도 안전성, 유효성 확인 측면에서 부분적인 3상임상실험은 반드시 필요함	양 허 불 가

0114

각 국의 NTMs 관련 요구내용	요청국가	현 황	주무부처의 의견	양허여부 검토
15. 수입차에 대한 차별과세 및 공채구매 차별 개선	EC, 스웨덴	취득세 : 승용차 구입시 2% (단, 과세시가기준액 7천만원 초과시 15%임) 지하철공채 : 배기량 기준 4% (1,000CC미만), 9% (1,500CC미만), 12% (2,000CC미만), 20% (2,000CC이상)	(내무부, 지방세과) - 원산지에 의한 차별이 아님 (국산차, 외산차 동등적용) - 사치세의 일종임	양 허 불 가
16. 수입물품에 대한 차별과세 개선	EC, 스위스		(재무부, 소비세과) - 내외산에 대해 동등적용 - 사치세의 일종 - 특소세는 '88년말 세율대폭 인하 및 면세점 인상	양 허 가
가. 50만원이상 다이아몬드 : 60% 특소세 부과		다이아몬드에 대한 특소세:60% (단, 50만원이하는 면제)		
나. 40만원이상 시계 20% 특소세 및 30% 교육세 부과		시계에 대한 특별소비세 : 20% (단, 40만원 미만 비과세) . 교육세는 특별소비세액의 30% 부과		
17. 수입가격표시제 개선 - 수입품 가격표시는 "수입가 + 수입업자의 비용"으로 해주기 바람	EC	물가안정 및 공정거래에 관한 법률에 의한 가격표시제 실시 요령 (상공부 고시) - 국산품 : 공장출고가격과 표시 - 수입품 : 통관완료단계가격 표시	(상공부, 유통산업과) - 적정마진설정을 유도함으로써 공정한 유통질서확립 도모 - 수입가격과 공장도가격은 유통업자의 이윤율을 표준화하지 않고있다는 점에서 상이함	양 허 가
18. 고가 견직물의 수입제한 해제	스위스	HS 10단위기준 6개품목 수입제한 - 섬유직물수출조합 추천으로 수입가능 - 2개 품목은 94년까지 자유화 예시	(상공부, 섬유방직과) - 견직물의 국내가가 국제가보다 57% 높음 - 점차적으로 수입자유화를 추진할 예정임	양 허 가

각국의 NTMs 관련 요구내용	요청국가	현 황	주무부처의 의견	양허여부 검토
19. 전기기기에 대한 강압기 사용 금지 해제 (양허요구)	미 국	· 500720900 (기타 건직물) : 94년 · 500790100 (혼방) : 93년 - 나머지 생직 건직물 및 순건직 물의 4개 품목은 95년이후 자유화 추진 검토중 전력에너지 효율 향상을 목적으로 강압기 사용제한 - '90.4 및 '90.10 미국의 요청에 따라 '91.2.7 강압기 사용 전기용품에 대해 형식 승인 허용	(공진청, 안전관리과) - 양허여부는 향후 기술적인 사항과 수입개혁 등을 검토하여 결정할 사항임	현재 폐지된 사항에 대한 것으로서 상대 국의 요구강도 등에 비추어 최종 단계에 서 양허시 고려
20. 수입품에 대한 1.1 승수제도 폐지	E. C, 스웨덴	'91.1.1부 폐지됨	(재무부, 소비세제과) - 이미 폐지되었으므로 불필요	
21. 국산부품 사용의무 해제 : 외국인 투자시 일정비율이상 국산부품 사용의무 부과	스웨덴	'89.12 제도 폐지	(재무부, 투자진흥과) - 이미 폐지되었으므로 불필요	TRIM협정 관련사항으로 양허불필요
22. 수입허가절차협정 가입	미 국, 캐나다, E C	관련부서에서 검토중임	(상공부, 수입과) - 조속한 시일내에 동 협정에 가입할 수 있도록 국내제도 정비등 준비작업을 추진함	양 허 불 가 (UR협상 종료시 자동 가입)

9

각국의 NTMs 관련 요구내용	요청국가	현 황	주무부처의 의견	양허여부 검토
23. 수입선전환정책 폐지	일 본	'86년부터 무역협회 주관으로 수입선전환 가능품목을 발굴하여 왔으나 '90년이후 중단	(상공부, 무역정책과) - 이미 폐지된 제도이나, 양허 표기시 여타 대일 무역의 조개선 활동에 제한 요소가 될 것임	양 허 불 가
24. 수입의약품에 대한 의료 보험료 상환	스위스	'91.6.26 보사부고시(약가기준 액표)를 개정하여 스위스 요구 사항 반영 - 수입의약품에 대하여 의료 기관의 실구입가로 한불	(보사부, 약무과) - 이미 반영되었으나 양허 불필요	양 허 불 가
25. 방위세 폐지 (전품목)	미 국, 오스트리아	'90.12.31 폐지	(재무부, 세제조사과) - 방위세법이 폐지되었으므로 양허불필요	내국세 관련제도는 국내산에 대한 차별이 없는한 각국정부 고유권한이므로 양허불가
26. 특별소비세 폐지 . HS 5106.10 ~ 5112.20 (양모사 및 동직물)	뉴질랜드	'89.1 폐지	(재무부, 소비세제과) - 이미 폐지되었으므로 양허 불필요	
27. 지방세 폐지 . HS 5701.10 (양모) . HS 5703.10 (섬수모제의 것)	뉴질랜드	지방세 없음	(내무부, 세제과) - 양허가능	
28. 목재, 펄프등 수송시 국적선 이용의무 철폐	캐나다	국적선 이용의무 부과대상 - 수출 2개품목 - 수입 97개품목 (단, 국적선 이용 대상품목이 많음)	(교통부, 해운정책과) - 서비스협상(해운분야)에서 논의	양 허 불 가

0116

각국의 NTMs 관련 요구내용	요청국가	현 황	주무부처의 의견	양허여부 검토
29. 식물방역법상 수입제한 해제		식물방역법상 수입제한 지역		
가. HS 0809.20 : 체리	캐나다	코드린나방 서식지역에 해당	(보건사회부) - 농산물 협상에서 논의될 사항임	양 허 불 가
나. HS 0208-09 : 사과, 배, 복숭아, 자두, 딸기, 체리	뉴질랜드			
다. HS 0804.50 : 망고류	태국	꽃관대파리 발생지역에 해당		
30. 주류, 과일쥬스에 대한 수입허가제 철폐	미국, 캐나다, 오스트리아	농산물 협상 대상	(농수산부, 국세청) - 농산물 협상에서 논의될 사항임	양 허 불 가
31. 소나무 재선충을 이유로한 목재품 수입제한 철폐	미국	식물방역법에 의가 일부 소나무 목재의 미국, 일본, 독일로부터 수입이 금지됨	(산림청, 국립식물검역소) - 동 문제는 양국 전문가간 협의가 진행중이며 그 결과에 따라 처리할 사안임	양 허 불 가
32. 무역업허가요건 완화 및 등록제도 전환	E C	갑류무역업 허가기준 - 법인 : 납입자본금(또는 출자총액) 5천만원 이상 - 개인 : 최근 1년간 애금잔고 5천만원 이상	(상공부, 무역정책과) - 내외국인간 차별없음 - 법정요건 충족시 무제한 등록가능 외국물 사실상 등록제와 다름없음 - 서비스 협상분야임	양 허 불 가
33. 수입담보금제 철폐	E C 스웨덴	'82.2 수입담보제 폐지	(재무부, 외환정책과) - 현재 사실상 운용하지 않고 있음	상대국의 요구강도등을 감안하여 최종단계에서 양허 교려

한・EC 비관세 양허계획표 (안)

1992. 2.

대 한 민 국 정 부

0118

비 관 세 양 허 표

관세품목번호	품 명	양 허 내 용
030193	잉 어	수입수량제한철폐
ex 030199	돔	〃
030211	송어 (신선 또는 냉장)	〃
030212	연어 (〃)	〃
030219	기타 연어 (〃)	〃
030231	날개다랭이 또는 긴지느러미 다랭이 (〃)	〃
030232	황다랭이 (〃)	〃
030233	가다랭이 (〃)	〃
030239	기타 전체 다랭이 (〃)	〃
030250	대 구 (〃)	〃
030262	해 덕 (〃)	〃
030263	검정대구 (〃)	〃
ex 030269	갯장어 (〃)	〃
030270	간장과 어란 (〃)	〃
030341	날개다랭이 (냉 동)	〃
030342	황다랭이 (〃)	〃

0113

관세품목번호	품 명	양 허 내 용
030349	눈다랭이 (냉 동), 기 타 (냉 동)	수입수량제한철폐
030372	해 덕 (〃)	〃
030373	검정대구 (〃)	〃
030377	동 어 (〃)	〃
030378	민대구 (〃)	〃
ex 030379	달고기 (〃) 새꼬리민태 (〃)	〃
ex 030380	간장과 어란 (〃)	〃
030410	어류의 피레트 (신선 또는 냉장), 연 육 (신선 또는 냉장) 기타어류 (〃)	〃
ex 030420	대구의 피레트 (냉 동)	〃
030510	식용에 적합한 어분	〃
ex 030520	간장 (건조, 염장, 훈제), 어란 (건조), 훈제 어란	〃
ex 030530	어류의 피레트 (염장 또는 염수장)	〃
030551	대구 (건 조)	〃
ex 030559	상어지느러미 (건 조)	〃
030562	대구 (염장 또는 염수장)	〃

0120

관세품목번호	품 명	양 허 내 용
ex 030569	청어리 (염장 또는 염수장), 꽁 치 (염장 또는 염수장), 기 타 (")	수입수량제한철폐
030611	닭새우류 (냉 동)	"
030612	바다가재 (")	"
ex 030614	게 살 (")	"
030619	기 타 (")	"
030621	닭새우류 (냉동하지 아니한것)	"
030622	바다가재 (냉 동)	"
ex 030624	게 (냉동하지 아니한것, 신것, 신선, 냉장, 건조한것)	"
030629	기타갑각류 (냉동하지 아니한것)	"
ex 030710	굴 (냉동, 건조한것)	"
030721	가리비과의 조개 (산것, 신선, 냉장한것)	"
030729	가리비과의 조개 (냉동, 건조, 염장), 기타	"
030731	홍합 (산것, 신선, 냉장한것)	"
ex 030739	홍합 (냉동, 염장, 염수장한것)	"
ex 030759	문어 (염장 또는 염수장한것)	"
030760	달 팽 이	"

0122

관세품목번호	품명	양허 내용
ex 030791	백합 (산것, 신선, 냉장한것), 피조개 (산것, 신선, 냉장한것), 진주조개 (산것, 신선, 냉장한것), 개아지살 (산것, 신선, 냉장한것), 새조개 (산것, 신선, 냉장한것), 성게 (신선, 염장한것)	수입수량제한철폐
ex 030799	개아지살 (냉동한것), 피조개 (냉동한것), 소라 (냉동한것), 해삼 (냉동한것), 기타 (냉동한것), 개아지살 (건조한것), 바지락 (건조한것), 성게 (건조한것), 해삼 (건조한것), 우렁쉥이 (건조한것), 기타 (염장 또는 염수장한것), 성게 (염장 또는 염수장한것), 해삼 (염장 또는 염수장한것), 기타 (염장 또는 염수장한것)	〃
ex 160411	연어 조제 (밀폐 용기에 넣은것은 제외)	〃
ex 160412	청어 조제 (〃)	〃
ex 160413	정어리 조제 (〃)	〃
ex 160414	기타 다랑어 (밀폐용기에 넣은것)	〃
ex 160415	고등어 조제 (밀폐용기에 넣은것은 제외)	〃
160416	멸치 (밀폐용기에 넣은것), 멸치 조제 (밀폐용기에 넣은것은 제외)	〃
ex 160419	전갱이 (밀폐용기에 넣은것), 기타 고기 (밀폐용기에 넣은것)	〃
ex 160420	생선 소세지	〃
160510	게살 (밀폐용기에 넣은것, 훈제한것, 기타), 게살조제 (개살조제는 제외)	〃

관세품목번호	품명	양허내용
ex 160520	새우와 보리새우의 조제 (훈제된것, 기타)	수입수량제한철폐
160530	바다가재 (밀폐용기에 넣은것), 바다가재조제 (밀폐용기에 넣은것은 제외)	〃
160540	기타갑각류 (밀폐용기에 넣은것), 기타갑각류 조제 (밀폐용기에 넣은것은 제외)	〃
ex 160590	소라 (밀폐용기에 넣은것), 우렁이 (밀폐용기에 넣은것) 굴 (밀폐용기에 넣은것), 기타 홍합, 수생무척추동물 (밀폐용기에 넣은것), 새조개 (훈제된것), 기타홍합 (훈제된것), 기타홍합, 수생무척추동물 (기타 조제)	〃
260700	연광과 그 정광	〃
3901	폴리에틸렌	〃
390210	폴리프로필렌 수지	〃
390319	폴리스틸렌 수지	〃
392410	플라스틱제의 식탁용품과 주방용품	〃
392490	기타 플라스틱제의 가정용품과 주방용품	〃
440890	목재, 단판, 침엽수류가 아닌것	〃
441010	목재 웨이퍼 보드	〃
441120	섬유판 (밀도가 1입방센티미터당 0.5그램 초과 0.8그램 이하의 것)	〃

관세품목번호	품 명	양 허 내 용
441219	기타 합판	수입수량제한철폐
500710	견 노일직물	"
ex 500720	생지 견직물	"
710231	다이아몬드 (가공한 것인지의 여부를 불문하며 장착 또는 세트된 것을 제외한다), 기타	"
711319	신변장식용품 (기타 귀금속에 한한다)	"
720410	주철의 웨이스트와 스크랩	수출수량제한철폐
720421	스테인레스강의 웨이스트와 스크랩	"
720429	합금강의 웨이스트와 스크랩	"
740430	주석을 도금한 철강의 웨이스트와 스크랩	"
720441	선삭, 쉐이빙, 밀링웨이스트	"
720450	재용해용 스크랩 잉곳	"
7301 ~ 7308	강 (鋼)	수입수량제한철폐
740400	동의 스크랩	수출수량제한철폐
750110	니켈의 매트	"
7502	니켈의 괴	수입수량제한철폐

관세품목번호	품명	양허내역
750400	니켈의 분과 플레이트	수입수량제한철폐
760110	합금하지 아니한 알루미늄의 괴	〃
760120	알루미늄 합금의 괴	〃
760200	알루미늄의 웨이스트와 스크랩	수출수량제한철폐
760720	알루미늄의 박 (뒷면을 붙인것)	수입수량제한철폐
780100	연의 괴	수출수량제한철폐
780200	연의 웨이스트와 스크랩	〃
790111	합금하지 않은 아연의 괴 (99.99% 이상인 것)	수입수량제한철폐
790112	(99.99% 미만인 것)	〃
790120	아연합금의 괴	〃
790200	아연의 웨이스트와 스크랩	〃
820740	탭핑 또는 드레딩용의 공구	〃
820760	보링 또는 브로칭용의 공구	〃
820780	터닝용의 공구	〃
820790	기타호환성공구	〃
841350	기타의 용적형 왕복펌프	〃

관세품목번호	품 명	양허내용 수입수량제한철폐
851360	기타의 음적용 회전펌프	수입수량제한철폐
841370	기타의 액체용 원심펌프	〃
841382	액체 엘리베이터	〃
841391	액체펌프의 부분품	〃
841810	분리된 외부도어를 갖춘 냉장고, 냉동고	〃
841821	압축식 가정용 냉장고	〃
841822	전기흡수식 가정용 냉장고	〃
841829	기타 가정용 냉장고	〃
841850	냉장기구를 갖춘 전시용 카운터	〃
841861	압축식 냉장유니트 (열 교환식을 갖춘 것에 한한다)	〃
841891	냉장을 위하여 설계된 가구	〃
841899	냉동기구의 부분품	〃
845011	완전자동세탁기 (10kg 이하)	〃
845012	탈수기를 갖춘 세탁기 (〃)	〃
845019	기타 세탁기 (〃)	〃
845020	10kg을 초과하는 세탁기	〃
845090	세탁기 부분품	〃

관세품목번호	품 명	양 허 내 역
851610	전기식 물 가열기	수입수량제한철폐
851710	전화기	〃
851720	텔레프린터	〃
851730	유선전화용 또는 유선전신용 교환기	〃
851740	반송통신용의 기타기기	〃
851781	기타 유선전화용 기기	〃
900311	프라스틱 안경테와 장착구	〃
900319	안경테와 장착구, 기타	〃
900390	안경테와 장착구의 부분품	〃
합 계	178 품목 (HS 6단위)	

0128

GATT

SCHEDULE LX - THE REPUBLIC OF KOREA

Non-Tariff Concessions

This Schedule is authentic only in the English language

SCHEDULE LX - THE REPUBLIC OF KOREA

Non-Tariff Concessions

This Schedule is authentic only in the English language

Tariff item number	Description of product	Concessions
030193	Carp	Elimination of import QR
ex 030199	Sea-bream	Elimination of import QR
030211	Trout (fresh or chilled)	Elimination of import QR
030212	Salmon (fresh or chilled)	Elimination of import QR
030219	Other Salmon (fresh or chilled)	Elimination of import QR
030231	Albacore or longfinned tunas (fresh or chilled)	Elimination of import QR
030232	Yellowfin tunas (fresh or chilled)	Elimination of import QR
030233	Skipjack (fresh or chilled)	Elimination of import QR
030239	Other whole tunas (fresh or chilled)	Elimination of import QR
030250	Cod (fresh or chilled)	Elimination of import QR
030262	Haddock (fresh or chilled)	Elimination of import QR
030263	Coalfish (fresh or chilled)	Elimination of import QR
ex 030269	Sharp toothed eel (fresh or chilled)	Elimination of import QR
030270	Livers (fresh or chilled), Roes (fresh or chilled)	Elimination of import QR
030341	Albacore (frozen)	Elimination of import QR
030342	Yellowfin tunas (frozen)	Elimination of import QR

March 1992

LX-1

0129

Tariff item number	Description of product	Concessions
030349	Big eye tunas (frozen), Others (frozen)	Elimination of import QR
030372	Haddock (frozen)	Elimination of import QR
030373	Coalfish (frozen)	Elimination of import QR
030377	Sea bass (frozen)	Elimination of import QR
030378	Hake ((frozen)	Elimination of import QR
ex 030379	John dory (frozen), Whip tail or hoki (frozen)	Elimination of import QR
ex 030380	Livers (frozen)	Elimination of import QR
030410	Fish fillets (fresh, chilled), Fish surimi (fresh, chilled), Other fish meat (fresh, chilled)	Elimination of import QR
ex 030420	Fillets of code (frozen)	Elimination of import QR
030510	Fish meal fit for human food	Elimination of import QR
ex 030520	Livers (dried, salted, smoked), Roes (dried), Smoked roes	Elimination of import QR
ex 030530	Fish fillets (salted or in brine)	Elimination of import QR
030551	Cod (dried)	Elimination of import QR
ex 030559	Shark fins (dried)	Elimination of import QR
030562	Cod (Salted or in brine)	Elimination of import QR

March 1992

LX-2

0130

Tariff item number	Description of product	Concessions
ex 030569	Sardines (salted or in brine), Saury (salted or in brine), Other fish (salted or in brine)	Elimination of import QR
030611	Rock lobster, other sea crayfish (frozen)	Elimination of import QR
030612	Lobsters (frozen)	Elimination of import QR
ex 030614	Crabs meat (frozen)	Elimination of import QR
030619	Other (frozen)	Elimination of import QR
030621	Rock lobster, sea crawfish (not frozen)	Elimination of import QR
030622	Lobsters (frozen)	Elimination of import QR
ex 030624	Crabs (not frozen, live, fresh, chilled, dried)	Elimination of import QR
030629	Other crustaceans (not frozen)	Elimination of import QR
ex 030710	Oysters (frozen, dried)	Elimination of import QR
030721	Scallops (live, fresh, chilled)	Elimination of import QR
030729	Scallops (frozen, dried, salted), other	Elimination of import QR
030731	Mussels (live, fresh, chilled)	Elimination of import QR
ex 030739	Mussels (frozen, salted or in brine)	Elimination of import QR
ex 030759	Octopus (salted or in brine)	Elimination of import QR
030760	Snails	Elimination of import QR

March 1992

LX-3

0131

73

Tariff item number	Description of product	Concessions
ex 030791	Hard clams(live,fresh,chilled), Pearl oyster (live, fresh, chilled), Ark shells (live,fresh,chilled), Cockles (live), Adductors of shell fish (live, fresh, chilled), Marsh clams (live, fresh, chilled), Seal-urchins (fresh, chilled)	Elimination of import QR
ex 030799	Adductors of shell fish (frozen), Ark shells (frozen), Top shells (frozen), Sea-cucumbers (frozen), Others (frozen), Adductors of shell fish (dried), Baby clams (dried), Sea-urchins (dried), Sea cucumbers (dried), Sea squirts (dried), Other (dried), Hen clams (salted or in brine), Other(salted or in brine), Sea-urchins (salted or in brine), Sea-cucumbers (salted or in brine), Other (salted or in brine)	Elimination of import QR
ex 160411	Salmon preparations (excluding in airtight containers)	Elimination of import QR
ex 160412	Herrings preparations (excluding in airtight containers)	Elimination of import QR
ex 160413	Sardines preparations (excluding in airtight containers)	Elimination of import QR
ex 160414	Other tunas (in airtight containers)	Elimination of import QR
ex 160415	Madckerel preparations (excluding in airtight containers)	Elimination of import QR
160416	Anchovies (in airtight containers), Anchovies preparations (excluding in airtight containers)	Elimination of import QR
ex 160419	Horse mackerel (in airtight containers), Other fish (in airtight containers)	Elimination of import QR
ex 160420	fish sauages	Elimination of import QR

Mach 1992

LX-4

0132

Tariff item number	Description of product	Concessions
160510	Crab meat (in airtight containers, smoked, other), Crab preparation (excluding crab meat preparation)	Elimination of import QR
ex 160520	Shrimps and prawns of preparations (smoked, other)	Elimination of import QR
160530	Lobsters (in airtight containers), Lobster preparations (excluding in airtight containers)	Elimination of import QR
160540	Other crustaceans (in airtight containers), Other crustaceans preparations (excluding in airtight containers)	Elimination of import QR
ex 160590	Top shells (in airtight containers), Squid (in airtight containers), Abalone (in airtight containers), Other molluscs, aquatic invertebrates (in airtight containers), cockles(smoked), Other molluscs (smoked), Other molluscs, aquatic invertebrates (other preparations)	Elimination of import QR
260700	Lead ores and Concentrates	Elimination of import QR
3901	Polyethylene	Elimination of import QR
390210	Polypropylene resins	Elimination of import QR
390319	Polystyrene resins	Elimination of import QR
392410	Plastic tableware and kitchenware	Elimination of import QR
392490	Other household and foiler articles of plastic	Elimination of import QR
440890	Wood, Veneer, Non-coniferous	Elimination of import QR

March 1992

LX-5

0133

Tariff item number	Description of product	Concessions
441010	Waferboard/Orientated strand Board	Elimination of import QR
441120	Fireboard of a density exceeding 0.5g/cm³ but not exceeding 0.8/cm³	Elimination of import QR
441219	Softwood plywood	Elimination of import QR
500710	Fabrics of noil silk	Elimination of import QR
ex 500720	Silk fabrics, grey	Elimination of import QR
710231	Diamonds (non-industrial whether or not worked, but not mounted or set), other	Elimination of import QR
711390	Articles of jewellery of other precious metals	Elimination of import QR
720410	Waste and scrap(of cast iron)	Elimination of export QR
720429	Waste and scrap(of other alloy steel)	Elimination of export QR
720430	Waste and scrap(fo tinned iron of steel)	Elimination of export QR
720441	Turnings, shavings, milling waste	Elimination of export QR
720450	Remelting scrap ingots	Elimination of export QR
7301 ~ 7308	Steel	Elimination of import QR
740400	Copper scrap	Elimination of export QR

March 1992

LX-6

0134

Tariff item number	Description of product	Concessions
750110	Nickel mattes	Elimination of export QR
7502	Unwrought nickel	Elimination of import QR
750400	Nickel powders and flakes	Elimination of import QR
760110	Unwrought aluminium not alloyed	Elimination of import QR
760120	Unwrought aluminium alloys	Elimination of import QR
760200	Aluminium scrap and waste	Elimination of export QR
760720	Aluminium foil (backed)	Elimination of import QR
780100	Unwrought lead	Elimination of export QR
780200	Lead waste and scrap	Elimination of export QR
790111	Unwrought zinc, not alloyed, 99.99% or more of zinc	Elimination of import QR
790112	Unwrought zinc, not alloyed, under 99.99% zinc	Elimination of import QR
790120	Unwrought zinc alloys	Elimination of import QR
790200	Zinc waste and scrap	Elimination of import QR
820740	Tools for tapping or threading	Elimination of import QR
820760	Tools for boring or broaching	Elimination of import QR
820780	Tools for turning	Elimination of import QR

March 1992

LX-7

0135

7

Tariff item number	Description of product	Concessions
820790	Other interchangeable tools	Elimination of import QR
841350	Other reciprocating positive displacement pumps	Elimination of import QR
841360	Other rotary positive displacement pumps	Elimination of import QR
841370	Other centrifugal pumps for liquids	Elimination of import QR
841382	Liquid elvators	Elimination of import QR
841391	Parts of pumps for liquids	Elimination of import QR
841810	Refrigerator-freezers with seperate external doors	Elimination of import QR
841821	Compression-type domestic refrigerators	Elimination of import QR
841822	Electrical absorption-type domestic refrigerators	Elimination of import QR
841829	Other domestic refrigerators etc	Elimination of import QR
841850	Refrigerated display counters	Elimination of import QR
841861	Compression refrigeration units with heat exchanges	Elimination of import QR
841891	Furniture designed for refrigerator	Elimination of import QR
841899	Parts of freezing equipment	Elimination of import QR
845011	Washing machines up to 10kg fully automatic	Elimination of import QR
845012	Washing machines up to 10kg with drier	Elimination of import QR

March 1992

Tariff item number	Description of product	Concessions
845019	Other washing machines up to 10kg	Elimination of import QR
845020	Washing machines capacity over 10kg	Elimination of import QR
845090	Parts for clothes washing machines	Elimination of import QR
851610	Electric Water heaters	Elimination of import QR
851710	Telephone sets	Elimination of import QR
851720	Teleprinters	Elimination of import QR
851730	Telephonic or telegraphic switching apparatus	Elimination of import QR
851740	Other apparatus for carrier – current line systems	Elimination of import QR
851781	Other telephonic apparatus	Elimination of import QR
900311	Plastic frames and mountings for spectacles etc	Elimination of import QR
900319	Frames and mountings for spectacles, other	Elimination of import QR
900390	Parts for frames and mountings for spectacles etc	Elimination of import QR

March 1992

LX-9
0137

외 무 부

110-760 서울 종로구 세종로 77번지 / (02)720-2188 / (02)725-1737 (FAX)

문서번호 통기 20644-

시행일자 1992. 2.21.(   )

취급		장 관	
보존		어길	
국 장			/
심의관	더이		
과 장	ルv		
기 안	이 찬 범		협조

수신   내부결재

참조

제목   Uruguay Round 시장접근 분야 협상

───────────────────────────────────────

92.2.24-28간 스위스 제네바에서 개최되는 표제회의에 참석할 정부대표를 "정부대표 및 특별사절의 임명과 권한에 관한 법률"에 의거 아래와 같이 임명코자 하니 재가하여 주시기 바랍니다.

- 아   래 -

1. 회 의 명 : UR 시장접근 협상

2. 일정 및 장소 : 92.2.24-28, 스위스 제네바

3. 정부대표

     o 재무부 국제관세과 사무관   차진석

     o 재무부 국제관세과 주사보   안병욱

     o 농수산부 국제협력 담당관실 사무관   배종하

     o 상공부 국제협력과 사무관   김기용

     o 주 제네바 대표부 관계관

4. 소요예산 : 해당부처 소관예산

5. 출장기간 : 92.2.22-3.1.

0138

6. 훈   령 :

ㅇ 92.3.1 시장접근 분야 양허계획표를 제출할 것을 감안, 금번
   회의에서는 아래 기존 입장으로 대처하고 전체적인 협상 동향과
   상대국의 요구사항을 우선 순위별로 명확히 파악 아국의 양허계획표
   및 차기 협상 대책 작성에 참고토록 함.
   - 무세화 분야
       . 철 강 : 전면 참여 가능
       . 전자, 건설장비 : 부분적 참여
       . 기 타 : 참여 불가
   - 관세조화 분야
       . 화학(3국 공동) : 목표 세율 5.5〜6.5%인 분야 참여 가능
       . 섬 유 : EC 제안 지지
       . 수산물 : 참여 불가
   - 농산물 분야 : 농산물 감축 이행 계획 제출 문제와 관련 여타국의
                  제출 계획을 탐문 아국의 감축 이행 계획서 작성에
                  참고토록 함.
ㅇ 출장 보고 : 귀국후 20일이내.   끝.

외 무 부 장 관

0139

상 공 부

우)427-760   경기도 과천시 중앙동 1번지 / 전화(02)503 - 9423 /FAX : 503 - 9496, 3142

문서번호 국협 28143- 105

시행일자 1992. 2. /9( )

선결			지	
접	일자 시간	· · :	시	
수	번호		결재	
처 리 과			· 공	
담 당 자			람	

수신 외무부 장관

참조 통상기구과장

제목   UR/시장접근분야 협상 참가

　　　'92. 2. 24(월) ~ 28(토)간 스위스 제네바에서 개최되는 UR/시장접근 협상에
참가하기 위하여 다음과 같이 출장코자 하오니 정부대표 임명등 필요한 조치를 하여
주시기 바랍니다.

　　　　　　　　" 다　　　　　음 "

　1. 출장지 : 스위스 제네바

　2. 출장 개요

직　위	성　명	출 장 기 간	비　　고
행　정 사 무 관	김 기용	1992. 2. 22(토) ~ 3. 1(일)	UR/시장접근분야 협상 참가

　3. 소요 예산 : 상공부 예산.　끝.

상 공 부 장

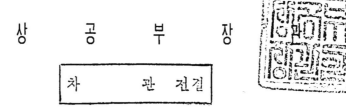

0140

재 무 부

우 427-760 경기도 과천시 중앙동 1 / 전화 (02)503-9297 / 전송 503-9324

문서번호 국관 22710-42

시행일자 1992. 2. 19. (   )

수신 외무부장관

참조 통상국장

선결			지시	재역의 회결 결재
접수	일자 시간		결재 · 공람	
	번호			
처리과				
담당자		이찬범		

제목 UR 시장접근분야 협상참석

　　　'92.2.24~28중 스위스 제네바에서 개최예정인 UR 시장접근분야 협상에 참석할 당부 대표를 아래와 같이 추천하오니 필요한 조치를 취하여 주시기 바랍니다.

- 아　　　　래 -

직　　　　책	성　명	참 석 회 의	출장기간
국제관세과 사무관	차 진 석	- UR 시장접근분야 회의	'92.2.22~3.1
주사보	안 병 옥	ㅇ 다자 · 양자협상	

첨부 : UR 시장접근분야 협상 참석대책. 끝.

재　무　부　장

재무부차관 전결

0141

UR 시장접근분야 협상 참석대책

1. 협상개요

- 일시·장소 : '92.2.24~28, 제네바

- 아국 대표 : 제네바 재무관
  당부, 상공부, 농림수산부등 관계자

2. 협상일정

- 당초 일정

  o '92.1.27~31간 및 2.24~28간 양허 협상

  o '92.3.1까지 협상 종료

- EC가 최근 양허협상에 불참하고 있어 협상은 3월 이후에도 계속될
  전망

3. 협상대책

> 기본적으로 기존입장에 따라 대처

가. 무세화

> o 철   강 : 전면 무세화 가능
> o 전자·건설장비 : 부분적인 무세화
> o 기타분야 : 참여 불가

0142

나. 관세조화

```
o 화  학 : 목표세율 5.5~6.5%인 분야 참여가능
o 섬  유 : EC제안 지지
o 수산물 : 참여 불가
```

다. 양자협상

- 아국의 기본입장 제시

```
o 양허균형 여부
o 응능부담원칙 견지
o 섬유등 고관세 유지 분야의 우선적인 관세인하
```

- 상대국에 대하여는 아국이 제시한 섬유·신발등 주요 수출품목 중심으로 추가양허 요구

- 상대국의 추가양허 요구 수용여부는 상대국의 추가양허가 있는 경우 수입유발 확대 효과가 작은 품목을 중심으로 동일한 양허가치 내에서 고려

5. 관세양허안(National Schedule) 제출

- 그간의 협상결과를 반영한 관세양허안을 3.1까지 제출(180부)
  o 최종안이라기 보다는 향후 협상의 기초가 될 전망

- UR 대책실무위('92.2.20 예정)를 거쳐 GATT에 제출 예정

0143

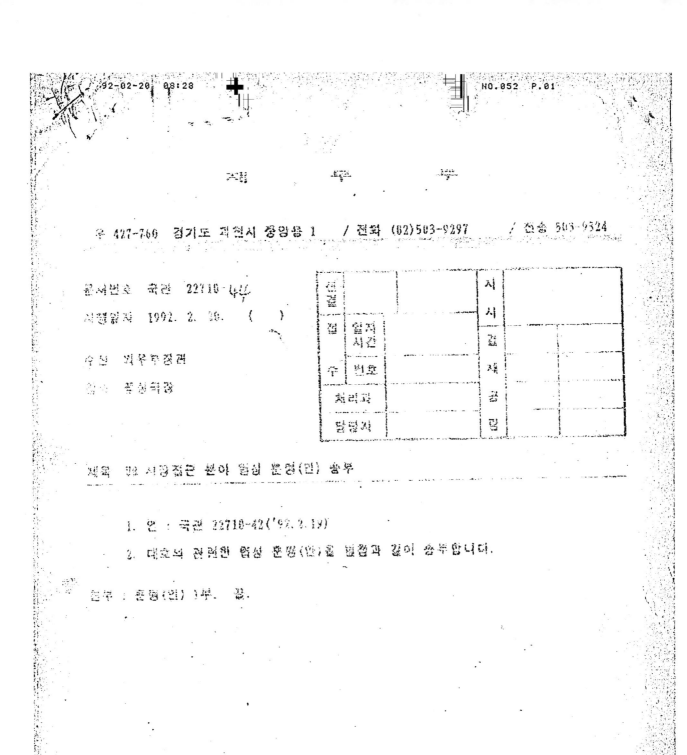

'92-02-20 08:28   NO.052 P.01

우 427-760 경기도 과천시 중앙동 1 / 전화 (02)503-9297 / 전송 503-9324

문서번호 국협 22710-42부

시행일자 1992. 2. 20. ( )

수신 외무부장관

참조 통상국장

제목 UR 시장접근 분야 협상 훈령(안) 송부

    1. 연 : 국협 22710-42('92.2.19)

    2. 대호와 관련한 협상 훈령(안)을 별첨과 같이 송부합니다.

첨부 : 훈령(안) 1부. 끝.

재   무   부   장

0144

훈　령(안)

1. 기본훈령

- 기본적으로 기존 입장에 따라 협상 대처

- 접정협상 일정상 금차회의로서 시장접근분야 양허협상을 마무리할 예정임을 감안, 아국의 주요 관심사항이 최대한 반영되도록 협상 노력 경주

2. 무세화 협상

- 협상현황

　o 현재까지는 큰 진전이 없었고 향후 미·EC간 타협 여부가 협상의 관건임.

- 대응방안

　o 일단 기존입장에 따라 대처

　　· 철　강 : 전면 참여 가능
　　· 전자·건설장비 : 부분적 참여
　　· 기　타 : 참여 불가

　o 협상 동향을 면밀히 관찰, 협상 타결에 대비

3. 관세조화 협상

- 협상현황

　o 각국의 개별제안 및 공동제안이 있었으나 구체적 진전은 없었음.

- 대응방안

　o 화학(3국 공동) : 목표세율 5.5~6.5인 분야 참여가능
　o 섬　유 : EC 제안 지지
　o 수산물 : 참여불가

0145

4. 양자협상

- 아국의 기본입장 제시
  o 양허균형 여부
  o 품목부담원칙 견지
  o 섬유등 고관세 유지 분야의 우선적인 관세인하

- 상대국에 대하여는 아국이 제시한 섬유·신발등 주요 수출품목 중심
  으로 추가양허 요구

- 상대국의 추가양허 요구 수용여부는 상대국의 추가양허가 있는
  경우 수입유발 확대 효과가 작은 품목을 중심으로 동일한 양허
  가치 내에서 고려

5. National Schedule 제출

- 그간의 협상결과를 반영한 National Schedule을 3.1까지 제출(180부)
  o 최종안이기기 보다는 향후 협상의 기초가 될 전망

6. 기 타

- 경미한 사항은 수석대표의 책임하에 처리하되 중요사항은 본부에
  청훈할 것.

0146

외 무 부

110-760 서울 종로구 세종로 77번지 / (02)720-2188 / (02)725-1737 (FAX)

문서번호 통기 20644-6*

시행일자 1992. 2.21.( )

취급		장 관
보존		
국 장		
심의관		
과 장	전 결	
기 안	이 찬 범	협조

수신 수신처 참조

참조

제목 UR 시장접근 분야 협상 정부대표 임명 통보

92.2.24-28간 스위스 제네바에서 개최되는 표제회의에 참석할 정부대표를
"정부대표 및 특별사절의 임명과 권한에 관한 법률"에 의거 아래와 같이 임명 하였음을
통보합니다.

- 아 래 -

1. 회 의 명 : Uruguay Round 시장접근 분야 협상

2. 일정 및 장소 : 92.2.24-28, 스위스 제네바

3. 정부대표

    o 재무부 국제관세과 사무관   차진석

    o 재무부 국제관세과 주사보   안병욱

    o 농수산부 국제협력 담당관실 사무관   배종하

    o 상공부 국제협력과 사무관   김기용

    o 주 제네바 대표부 관계관

4. 소요예산 : 해당부처 소관예산

5. 출장기간 : 92.2.22-3.1.

0147

6. 훈　령 :

○ 92.3.1 시장접근 분야 양허계획표를 제출할 것을 감안, 금번
회의에서는 아래 기존 입장으로 대처하고 전체적인 협상 동향과
상대국의 요구사항을 우선 순위별로 명확히 파악 아국의 양허계획표
및 차기 협상 대책 작성에 참고토록 함.

- 무세화 분야

. 철　강 : 전면 참여 가능

. 전자, 건설장비 : 부분적 참여

. 기　타 : 참여 불가

- 관세조화 분야

. 화학(3국 공동) : 목표 세율 5.5~6.5%인 분야 참여 가능

. 섬　유 : EC 제안 지지

. 수산물 : 참여 불가

- 농산물 분야 : 농산물 감축 이행 계획 제출 문제와 관련 여타국의
제출 계획을 탐문 아국의 감축 이행 계획서 작성에
참고토록 함.

○ 출장 보고 : 귀국후 20일이내.

수신처 : 재무부장관, 농림수산부장관, 상공부장관

외　무　부　장　관

0148

WGV-02나

<table>
<tr><td>관리
번호</td><td>92-149</td></tr>
</table>

<table>
<tr><td>분류번호</td><td>보존기간</td></tr>
<tr><td></td><td></td></tr>
</table>

발 신 전 보

~~WBB 0089~~   920221 1308 DU

번   호 : _____   종별 : _____

수   신 : 주 _{제네바} 빨리옴✓ 대사. 총영사

발   신 : 장 관 (통 기)

제   목 : UR 시장접근 협상

　　　　92.2.24-28간 귀지에서 개최되는 표제 회의에 참석할 본부대표로 재무부

국제관세과 차진석 사무관 및 안병옥 주사보, 상공부 국제협력과 김기용 사무관, 농수산부

국제협력 담당관실 배종하 사무관이 임명되었으니 아래 훈령에 따라 귀관 관계관과 함께

참석토록 조치바람.

　　　　　　　　　　　- 아　　　　　　　　　래 -

ο 92.3.1 시장접근 분야 양허계획표 제출 감안, 금번회의시 기존입장으로 대처하고

　　전체적 협상 동향과 상대국 요구사항을 우선 순위별로 명확히 파악 아국

　　양허계획표 및 차기 협상대책 작성에 참고

　　- 무세화

　　　. 철 강 : 전면 참여가능

　　　. 전자, 건설장비 : 부분적 참여

　　　. 기 타 : 참여 불가

<table>
<tr><td>예고문에 의거 재분류(19〇. 6.3〇)
직위　　　성명</td><td>전</td></tr>
</table>

<table>
<tr><td>보 안
통 제</td><td></td></tr>
</table>

<table>
<tr><td rowspan="2">양
고
재</td><td>92
년
2
월
21
일</td><td>통
상
기
구
과</td><td>기안자
성명</td><td>과 장</td><td>심의관</td><td>국 장</td><td>차 관</td><td>장 관</td></tr>
<tr><td></td><td>이찬범</td><td></td><td>대결</td><td></td><td></td><td></td></tr>
</table>

<table>
<tr><td>외신과통제</td></tr>
<tr><td></td></tr>
</table>

0149

- 관세조화 분야

    . 화 학(3국공동) 목표세율 5.5-6.5% 인 분야 참여가능

    . 섬 유 : EC 제안 지지

    . 수산물 : 참여 불가
- 농산물 : 감축이행 계획제출 문제관련 여타국 제출 계획 탐문 아국 계획서

    작성에 참고. 끝.   (통상국장 김 용 규)

0150

관리 번호	92-161

원 본

외 무 부

종   별 :

번   호 : GVW-0410   일   시 : 92 0221 1200

수   신 : 장관(통기, 경기원, 재무부, 농림수산부, 상공부, 경제수석)

발   신 : 주 제네바 대사

제   목 : UR /시장접근 협상

1. 본직은 2.20 DENIS 의장과 표제 협상관련 비공식 협의를 가졌는바 논의된 요지를 아래 보고함.

동협의는 DENIS 의장이 13 개 주요국가와 가지는 협의 과정의 일환으로 진행된 것임. (아국: 엄재무관, 최농무관, 김재무관보, 김농무관보, 갓트측: BROADBRIDGE 사무차장보, WOLTER 농업국장, OPELZ 비관세국장 각각 배석)

가. DENIS 의장은 먼저 3.1 까지 한국이 포괄적이고 내실있는 NATIONAL SCHEDULE 을 제시하여 줄것을 기대한다고 하면서 그간 양자 협상 진전 상황 및 전망을 문의한바, 본직은 다음과 같이 답변함.

- 지난 1 차 집중적 협상 기간동안 9 개국과 양자 협상을 가졌으나 실질적인 협상 진전 없이 일반적인 의견 교환에 그쳤음.

- 3.1 까지 NATIONAL SCHEDULE 제시에 최선을 다할 것이나 농산물에 관하여는 작성상 기술적인 문제등이 있어 다소 늦어질 가능성도 없지 않음.

- 농산물 SCHEDULE 작성과 관련 현행 TEXT 중 관세화등에 심각한 어려움이 있는바 TRACK 4 협상에 의한 기존의 아국입장 반영이 있어야 한다는 입장이므로 일부 품목은 동 SCHEDULE 에 포함시키기 어려울 것임.

나. 이에 DENIS 의장은 다음 사항을 추가 문의함.

- DENIS TEXT 에 따른 SCHEDULE 제출에 있어 국내적인 어려움이 관세화에 한정되는지 여부, 예외품목의 구체적 숫자등 정치적 결정 시기 및 방법

- 시한내 공산품 NATIONAL SCHEDULE 의 제시 여부, 공산품 SCHEDULE 에 무세대상품목등 추가 관세 인하가 포함되어 있는지 여부 및 N.T.B 포함 여부

다. 이에 대해 본직은 아래와 같이 아측 입장을 추가 설명함.

- 농산물에 관하여는 현재 본국정부에서 기초자료 수집등 실무적 작성 단계에

통상국	장관	차관	1차보	2차보	외정실	분석관	청와대	안기부
경기원	재무부	농수부	상공부					

PAGE 1   예고문에 의기 재분류 19   92.02.22   00:40
                          각위   성당   외신 2과   통제관 FK

0151

있으며, 예외품목, 삭감폭등 정치적 결정을 요구하는 사항은 각료급회의에서 여러가지 대안을 검토 최종단계에서 결정될 것임.

또한 예외없는 관세화외에도 쌀의 MMA, 기준년도, 전품목 양허, 최저 삭감등에 문제가 있음.

- 정치적 결정시기는 내주경 관계부처의 UR 대책위에서 동문제가 논의될 것으로 알고 있으며, 여타 협상 참가국의 입장이나 동향이 영향을 미칠 것이나 동 결정이 조속히 이루어지도록 본국정부에 건의하겠음.

- 공산품 NATIONAL SCHEDULE 은 시한내에 제시될 것이며, 동 SCHEDULE 에 분야별 무관세 대상품목의 반영등 추가관세 인하는 포함시키기 어려울 것인바, 이는 무엇보다도 주요국의 협상 결과에 영향을 받을수 밖에 없기 때문임.

- 원칙적으로 N.T.B 도 포함될 것이나 어떠한 N.T.B 가 양허표에 첨부될 것인가에 대하여는 협상 참가국간에 서로 다른 견해가 있다고 여겨짐.

② UR 협상의 성공여부가 전적으로 EC, 미국의 타협여부에 의존되고 있는 현상황하에서 아국의 SCHEDULE 제출이 지나치게 지연됨으로써 마치 아국이 협상결렬 책임이 있는 것처럼 지적될 가능성이 있음에 비추어 동 SCHEDULE 이 DUNKELTEXT 에 완전히 부합하지 못한다고 하더라도 가급적 기존 협상일정을 존중하여이를 제출하는 것이 긴요하다고 사료됨.

3. 현재 카나다 농무장관 및 통상장관 등이 11 조 2C 문제를 협의키 위하여EC 및 GENEVA 를 방문중에 있고 일본도 최근 4 개 사절단을 해외 파견하는등 자국입장 관철을 위하여 마지막 노력을 하고 있음에 비추어 아국도 대내외적인 제반사정을 신중 고려하여 TRACK 4 가동의 경우, 아국입장 지지획득을 위하여 미국, EC, GENEVA 등지에 사절단을 파견할 필요가 있는지 여부를 검토해 볼 필요가있다고 사료되니 참고 하시기 바람. 끝

(대사 박수길-국장)

예고 : 92.6.30 까지

원 본

외 무 부

종 별 :

번 호 : GVW-0428   일 시 : 92 0225 1700

수 신 : 장 관(봉기, 경기원, 재무부, 농림수산부, 상공부)

발 신 : 주 제네바 대사

제 목 : UR/시장접근 양자협상(스위스.1)

2.24(월) 당지에서 개최된 표제협상 및 GATT 사무국측과의 토의요지를 아래와 같이보고함.(엄재무관, 최농무관 및 본부 대표 참석)

1. 한.스위스 양자협상

가. 일반적 의견 교환

- 아국은 (1) 스위스-미국간 양자협상 결과 (2)스위스의 NATIONAL SCHEDULE 제출시기 (3) 동SCHEDULE 에의 분야별 무세화 반영 여부등을 질의함.

- 이에 대하여 스위스측은

(1) 미국이 실질적으로 개선된 NATIONAL SCHEDULE을 제출할 것이며 지나친 조건등이 보다 현실화될 것이라 함. 예를 들어 비철금속에 있어서는 무세가 아닌 저율수준으로의 관세조화,섬유분야의 OFFER 개선이 이루어질 것이며, 여타분야에는 기존의 무세화 조건이 계속 첨부될것임을 암시하였음.

(2) NATIONAL SCHEDULE 제출시기와 관련하여 스위스는 금주말 또는 내주초에 정치적 결정이 이루어질 것이며 공식인하의 기본구조에는 변함이 없을 것이나 농산물에관한 국내적 어려움으로 3월 중순경 공산품과 농산물을 별도의 DOCUMENT 로 동시에제출 할 가능성이 많음을 언급함.

(3) 또한 스위스는 금번에 제출할 SHEDULE 에 무세화등의 반영여부와 관련하여 LINE-BY-LINE은 아니라 하더라도 COVERNOTE 등을 통하여 각국간 CONSENSUS 가 이루어질 경우 이에 참여할 의사가있음을 시사하는 수준으로 포함될수 있음을 언급하고, 특히 자국은 의약품 및 의료장비 분야에 관심이 있음을 표명함.

- 스위스는 아국의 NATIONAL SCHEDULE 제시여부 및 그내용에 관하여 질의한바, 아국은 이에 대하여 공산품을 대상으로 실질적 내용 변경이 거의없는 NATIONAL SCHEDULE 을 3.1 까지 제출할 것이나, 미국-이씨간 협상결과를 모르는한 무세화의 반영은곤란할

통상국   2차보   경기원   재무부   농수부   상공부

92.02.26   05:25 FN

외신 1과 통제관

0153

것임을 밝히고 특히 농산물에 대하여는 해결되어야 할 어려움이 있음을 부연함.

나. 양국간 현안문제

- 스위스는 자국 OFFER 중 섬유부문에 대하여는 OECD 국가중 가장 많은 개선(예:특정품목 50퍼센트 인하)을 이루었으며 비관세.보조금도 전무한 내실있는 OFFER 를제시하였으므로 주요섬유 수출국인 아국이 실질적 양허 혜택을 볼것이므로 아국에 제시한 REQUEST LIST 중 양허되지 않은 품목에 대한 OFFER 제시를 요구함.

- 이에 대하여 아국은 관세양허 범위가 20에서 80 이상으로 확대되고 인하율도 32 를 나타내는등 개도국으로서 선진국과 동등한 OFFER를 제시하였음을 지적하고, 동일한 1/3 관세인하라고 할지라도 관세율 수준이 높은 국가와 낮은 국가의 관세인하는그 수입증대효과가 상이함을 들어 특정 품목은 관세양허 대상에서 제외시킬수 밖에없는 불가피성을 설명함.

- 또한 아국은 아국의 관세율이 선진국과의 발전단계를 비교시 결코 높은 수준이아님을 설명하고 스위스의 만성적 무역수지 불균형을 고려하여야 할것임을 언급함.

- 스위스는 자국의 REQUEST 품목중 PRIORITY LIST를 금주말 또는 내주에 전달할것임을 언급하고, 아국도 이에 상응하는 관심품목 LIST를 전달키로 합의함.

다. 비관세

- 스위스는 최근 자국이 제시한 의약품 관련추가자료에 대한 아국의 입장을 문의한바, 아국은 이에 대하여 본부에서 검토중임을 언급함.

2. GATT 사무국과의 기술적 토의

아국 대표단은 위 양자협상 종료후 GATT 사무국측과 NATIONAL SCHEDULE 제출과 관련한 기술적 사항에 관하여 토의한바, 아국의 질의사항및 사무국측 답변 요지는 다음 과 같음.

가. 특정국이 공산품과 농산물의 SCHEDULE 을 별도시기에 제출할 경우 공산품, 농산물의 SCHEDULE 을 동시에 제출한 국가의 모든 SCHEDULE 을 열람할 수 있는지 여부

- 이에 대하여 아직 토의, 결정된바는 없으나 사무국 담당국장, 사무차장보 및 DENIS 의장과 협의결정할 사항으로서 내일중 동문제에 관한 확인을 위하여 재 접촉키로 함.

나. 3.1.까지 180 부가 아닌 일부 부수만 제출 가능한지 여부

- 일부 제출도 가능하며 나머지는 추후 조속한 시일내에 제출하는 것이

PAGE 2

0154

현실적인방안임.

　다. 각국 SCHEDULE 의 평가회의 개최시기

　- 원칙적으로 대부분 참여국의 SCHEDULE 이 제출된 이후 결정될 사항이나, 내부적으로 8.15경에 일단 제출된 SCHEDULE 을 대상으로 1차 평가회의를 개최하고 나머지는 3월말경 평가회의를 개최하는 방안을 고려중임.

　라. 평가방법

　- 기본적으로 단일 평가 보고서 내에 농산물과 공산품을 별도의 CHAPTER 로서 평가하되 공산품은 기존과 동일하게 농산물은 TEXT 에 따라 평가될 것임.

　이경우 HS 25 류 이후에 포함된 농산물 협상대상 품목은 농산물 평가 대상으로, 수산물은 공산품 평가 대상에 포함될 것임. 또한 33 관세인하 품목은 동경라운드 공산품 에만 적용된 예를 들어 농산물을 포함한 전품목에 대한 관세인하 목표가 되기에는 어려움이 있음.

　- 분야별 무세화등에 종전에서와 같은 조건이 첨부될 경우에도 종전과 같이 평가할 것임.

　- 금주중으로 평가 MODEL 을 작성, 배포할 예정임.

　마. 평가시 CREDIT 부여방안에 대한 의장의 GUIDELINE 반영여부

　- 동 GUIDELINE 은 아직 CONSENSUS 가 이루어지지 않았으므로 평가시 고려되지 않을 것임

　바. NTB 평가 방법

　- NTB 는 HS 분류상 설정된 21개 SECTION별로 각 SECTION 중 몇개 품목에 대하여어떤 NTB 가 철폐, 완화되었는지를 기술하는 정도로 평가될 것임.

　사. HS 품목분류 변경분을 기초로한 SCHEDULE을 제출하여야 하는지 여부

　- EC, 일본등은 최근 변경된 HS 분류에 의거한 SCHEDULE 을 제시할 것으로 알고있으며 아국도 가급적 최신 분류를 기초로 제출할 것을 요청함.끝

　(대사 박수길-국장)

원 본

외 무 부

종 별 :

번 호 : GVW-0434

일 시 : 92 0225 1900

수 신 : 장관(통기,경기원,재무부,농림수산부,상공부)

발 신 : 주 제네바 대사

제 목 : UR/시장접근 양자 협상(미국,2)

2.25(화) 당지에서 개최된 표제 협상 토의 요지 아래보고함.

1. 일반적 의견 교환

가. 미국과 EC 간의 양자 협상 결과

- 미국은 2월중 EC 와 고위급 담당자간에 3차례 접촉을 가졌으며, 금주에도 접촉예정 이라하고, 주요 쟁점에 관하여 합의는 이루지 못했으나, 농산물을 포함 전반적으로 상당한 의견 접근이 있었다함.

- 특히 분야별 접근 방법에는 화학, 의약품,의료장비, 건설장비(농기계 제외) 부문에 상당한 진전이 있었다고 함.

나. 미국은 NATIONAL SCHEDULE 제출시기

- 미국은 EC 와 상당한 의견 접근을 보았으나 아직도 양국간 타협점을 모색하기에는 시간이 더필요하다고 하면서 내일 (2.26) DENIS 의장주관으로 열릴 다자간 협의에서 NATIONAL SCHEDULE 제출 시한의 연기등에 대한 논의가 있을것이라 함.(아국은금일 오전 명일 DENIS 의장주관 다자간 협의를 통보 받았음.)

다. 미국의 NATIONAL SCHEDULE 의 내용

- 미국은 기존 OFFER 에 비하여 보다 현실적인 내용으로 작성될 것이라 하고 분야별 접근 대상부문중 그간 상당한 진전이 있었던 의료장비,건설장비, 의약품, 철강분야 뿐 아니라 종이,목재, 비철금속, 전자, 맥주등도 계속 무세화를 추진할 것이라고 하였으며, 다만 EC, 일본등 주요국의 반응이 부정적 이었던 수산물을 제외 할것임을 시사함.

라. NATIONAL SCHEDULE 제출 형태

- 미국은 아직 불확실하나 농산물과 공산품을 별개로 유인하여 작성,제출하는 방향으로 검토하고 있다 함.

통상국	2차보	경기원	재무부	농수부	상공부

PAGE 1

92.02.26 08:58 FE

외신 1과 통제관

0156

마. 화학 제품 분야 관세 조화

- 미국은 화학 제품 분야 관세화 조화 방안에 아국의 화학 공업이 선진국 수준의 경쟁력을 갖추었으므로 아국의 참여가 필수적이라 하며, 이에대한 참여를 강력 촉구함.(예: HS 29, 39 류)

- 이에 아국은 현재 정부 차원에서의 제안이 없고 참가국간 조화 목표 세율 수준에 도달하는 관세인하 방식이 불합리함을 지적한바, 미국은비록 동 제한이 업계의 제안 이라고는 하나 그간 정부간 차원에서도 상당한 논의가 있었으며,현재 미국.EC 간에 이견을 보이고 있는 민감품목 처리 방안을 제외하고는 업계제안과 거의 유사하다고 하고, 아국등 개도국 에게는 참여가능한 분야에 대하여 장기간의 이행기간 등이부여될수 있 음을 언급함.

- 또한 미국은 동 분야에 있어 선진국간 상당한 합의가 이루어지고 있는바, 협상 마지막 단계에서 아국의 관심 사항의 반영은 여러모로 어려울것이므로 현시점에서아 국의 참여 가능 분야의제시가 요구됨을 언급하고, 특히 참여 대상의선정은 PRODUCT 단위가 아닌 CHAPTER 단위이어야 함을 강조함.

- 이에 아국은 미국이 중요하다고 생각하는 분야를 제시하여 줄것을 요청한데 대하여 오히려 미국은아국이 참여 가능분야를 제시할수 있을 것이라 한바양국 공히 동분야를 검토하기로 하였음.

바. 아국의 PRIORITY R/L 에 대한 반응

- 미국은 아국의 PRIORITY REQUEST 의 섬유 분야중8개 품목(HS 6104.6220, 6105.1000, 6201.9220, 6203.4240,6203.4340, 6204.6240, 6205.2020, 6206.3030) 은 미국시장내에서 한국이 PSI, SI 가 아님을 지적한바,아국은 비록 PSI, SI 는 아니라도 아국 입장에서는 우선 수출 관심 품목임을 설명함.

- 또한 미국은 아국의 REQUEST 에 대하여 계속검토 중임을 언급함.

2. 농산물 분야

- 이행 계획서 작성상 기술적인 사항에 대하여 미국은 유제품의 TE 작성상 기술적 어려움이있으며, 기본적으로 2가지 요소(SOLID AND DRIEDMILK)를 기초로 계측할 계획이라고 함.

- 국내 보조 CREDIT 인정과 관련 시장가격 지지의 국내가격(ADMINISTRED PRICE)을 86-88평균(기준년도) 대신 86년 가격만을 기초로하여 계측할 것이라고 함.

- 그밖에 CMA 의 증가, MMA 소비량 통계,CEILING BINDING 등 기술적 문제에

PAGE 2

대하여 의견교환이 있었으며, 관세화 예외등 정치적결정을 요하는 사항에 대하여는 논의가 없었음.끝

    (대사 박수길-국장)

발 신 전 보

번   호 : WGV-0323   920226 1912 CJ   종별 : _____

수   신 : 주   제네바   대사. //총영사

발   신 : 장   관   (통 기)

제   목 : UR/관세 양허표 제출

연 : 통기 20644-74 (92.2.24)

UR/시장접근 협상과 관련 92.3.1까지 갓트사무국에 제출토록 되어있는 연호 아국의
관세 양허표 제출시 하기 사항을 서면으로 갓트사무국에 통고바람.

- 아   래 -

"무세화, 관세조화등 분야별 협상이 타결되는 경우 아국은 관심분야 또는
품목에 대하여 추가 양허를 고려할 것임."   끝.

(통상국장   김 용 규)

	보 안	
	통 제	

앙고재	92년2월26일 통상국과	기안자성명 안명득		과 장	심의관	국 장 전결		차 관	장 관 후결		외신과통제

0159

원 본

외 무 부

종 별 :

번 호 : JAW-1073

수 신 : 장 관(통일,상공부)

발 신 : 주 일 대사(상무)

제 목 : GATT/UR 관련 통산성의 관세인하 제출계획

시 : 92 0226 1149

1. 일본통산성 GATT/UR 시장접근분야 협상(3.1예정)과 관련, 광공업제품의 관세인하계획 대상인 약 6,500개 품목중 새로이 수송기계, 산업기계, 필름, 가구등 약 1,000개 품목에 대해 93.1-97.1기간중 일방적으로 관세를 철폐해 나간다는 내부방침을 결정하였음, 이를 염두에 두고 현재 제네바에서 미국, EC 등 여타 국가와 교섭중이라고 밝힘

2. 동 계획에 따라 일본의 6,500개 광공업제품의 관세인하폭은 이미 2년전(90.3)제출한 34 인하 계획 제출에 이어 15포인트가 추가로 인하되어 평균 50 수준 가까이될 것으로 평가되고 있음. 또한 광공업제품 관세의 절대수준(평규관세율)에 있어서도 현재 3.6 수준에서 2 가량 하락한 수준이 될 것으로 보이며, 이 경우 미국, EC, 카나다 (3.5-5.5 수준) 보다도 낮은 수준으로 됨

3. 통산성은 또한 시장접근 협상에서 선진국간 관세의 상호철폐안을 검토중에 있는 것으로 알려지고 있으며, 관련 주요국과의 협의가 원만히 이루어질 경우 동 내용을개방계획에 반영할 가능성이 큰 것으로 알려지고 있음

4. 동관세인하제출 계획의 구체적 LIST 는 입수되는 대로 추후 파편 송부 예정임.끝
(공사 이재춘-국장)

통상국   상공부

PAGE 1

92.02.26   13:37 WH
외신 1과 통제관

0160

외　무　부

원　본 ✓

관리
번호 92-172

종　별 :

번　호 : GVW-0448　　　　　　　　　일　시 : 92 0227 1000

수　신 : 장관(통기,경기원,재무부,농림수산부,상공부,경제수석)

발　신 : 주 제네바 대사

제　목 : UR/시장접근 비공식 협의

　　2.26 당지에서 DENIS 의장 주관으로 표제협의 토의 요지 아래 보고함.(엄재무관,
최농무관 참석)

　　1. 현재 상황의 평가

　　가. 의장의 평가

　　- 의장은 현재의 상황을 평가하고 상호 의견을 교환하여 앞으로의 협상 진행
방향에 대한 상호 이해를 같이하기 위해 본협의를 소집하였음을 전제하고 의장 자신은
전반적으로 그간 개별 국가와 접촉한 결과에 기초한 자신의 견해를 다음과 같이 요약
보고함.

　　1) 제출시기에 관하여

　　- 대부분의 국가가 3 월초 시기를 맞추기 위해 최선을 다하고 있으나 일부 국가는
제출이 지연될 것을 시사하였고 상당수 개도국들도 기술적 어려움으로 지연이
불가피하다고 함. 따라서 부활절 이전까지 협상을 종료한다는 계획에는 변함이 없으나
이를 달성함에 있어 많은 어려움에 직면하고 있음.

　　2) 스케쥴 내용에 관하여

　　- 상당수 국가가 DUNKEL TEXT 에 의한 스케쥴 제시를 표명하였고 대부분 국가가
필요자료등을 제공할 용의를 표명하였음

　　0 다만 일부 국가는 예외없는 관세화에 의거한 스케쥴 제시의 곤란함을

　　0 일부국가는 감축율 제시가 곤란하여 기초자료(BASIC DATA) 만 제시할 것임을

　　0 1 개 국가는 농산물 스케쥴 제시가 불가능 하다함.

　　나. 각국의 발언

　　- EC 는 3.1 까지의 스케쥴 제시가 곤란한바, 첫째 동 스케쥴은 최종적인 것이어야
하고, 둘째 주요 교역국가와 양자협상이 충분히 종료되지 않은 이유를 열거하였음.

통상국　　장관　　차관　　1차보　　2차보　　외정실　　분석관　　정와대　　안기부
경기원　　재무부　　농수부　　상공부

PAGE 1

예고문제 의거 재분류 19
직위　　　　성명 12.630

92.02.28　　05:24
외신 2과 통제관 FM
0161

0 이러한 현상은 주요 참가국인 미국, 일본, 카나다도 유사한 어려움을 갖고 있고 개도국도 농산물 결과를 알기 전에 새로운 OFFER 제시가 곤란하다는 입장으로 파악되고 있음.

0 그러나 이러한 제출 지연은 장기간이 아닐것이며(10 일 정도) 자국의 이러한 입장이 협상 분위기를 냉각시키는 방향으로 해석되지 않기를 요망하였음.

0 또한 이번에 제시하는 스케쥴은 조건이 없는 최종적인 것이어야 하고 자국은 내주초에 농산물 감축률 기초자료를 제시할 것이라 언급함.

- 미국은

0 협상 현황 평가에 EC 와 기본적으로 의견을 같이하면서

0 농산물에 대하여는 기본적으로 제시된 일정내에 자국 스케쥴을 제시할수 있으나 공산품과 통합된 스케쥴을 제시하여야 하는 관계로 시한내의 제시가 용이하지 않음.

0 공산품은 EC 와 양자 협상을 진행중이 있고 분야별 무세화, TARIFF PEAK 의 완화등에 실질적 진전이 있었으나 아직 이것이 최종화 되지 못하였으므로 좀더 시간이 필요함을 언급함.

0 이러한 시한은 10 일 내지 2 주정도 될것이며 동 시한 연장이 협상 전반의 부정적 요인으로 받아 들여지지 않기를 요망하였음.

- 일본은

0 3.1 까지 내실있는 스케쥴을 제시할 예정이었으나 시한의 연기가 논의되는데 실망을 표시하면서, 동 시한은 가급적 단기간이어야 하고(10 일 이내) 시한을 연기하므로서 MOMENTUM 을 잃지 않도록 하여야 하며 새로운 단기간의 시한 설정을 요청하였는바, 의장은 스케쥴 제출의 지연은 10 일 내지 2 주정도 될것으로보지만 별도 시한을 설정하지는 않겠다고 답변함.

- 호주는 농산물은 일정에 맞추어 제출하는데 문제가 없으며 공산품은 아직미해결된 문제등이 있어 10 일정도가 더 필요하다함.

- 아세안 국가(말레지아 발언)는 제출시한내에 제출 예정인바 시한 연기에 실망을 표시하고 주요국의 협상 종결을 위한 노력을 촉구하였음

- 뉴질랜드는 농산물은 시한내 제출할 예정이며 공산품에 관하여는 그내용이 몬트리올 목표 이상이 될것이라 하고 각국의 제출시기가 다양한바, 동 내용의 평가진행 방향에 우려를 표시하였음.

- 카나다는 3.1 까지 농.공산품 공히 제시할 수 있도록 국내에서 작업중이며

PAGE 2

0162

시한의 연장보다 그내용이 중요한바, 예를 들면 어떤 부문이 무세화 되고 어떤 부문의 TARIFF PEAK 가 완화되는지가 중요하다 하였음.

- 스웨덴은 3.1 까지 제시하기 위해 노력중이나 스케줄의 성격이 최종적인 것이 아닌 조건부적일 수 밖에 없는 것으로서 현 상태에서 다음주중 제시 가능하나 오늘같은 상황을 감안시 그제시를 보류할 수 밖에 없다 하였음.

- 스위스, 오지리는 농.공산품을 동시에 제시할 것이나 농산무 때문에 제시시기가 다소 늦어질 것이라 하였음.

- 브라질, 아르헨티나, 멕시코는 농.공산품 공히 3.1. 까지 제시할 수 있음을, (다만 멕시코는 다소 늦어질 경우 기술적인문제일 것임을 언급함) 인도는 농산품에의 시한내의 제시가 어려움을 공산품에는 주요국의 섬유류 OFFER 를 기다리고 있다고 하였음

- 아국은 시한연기에 우려를 표시하면서 협상의 MOMENTUM 이 유지되어야 하고 기존 일정에 따라 아국의 스케줄 제시를 위해 최선을 다하고 있는바, 공산품의 경우 시한내 제시에 문제가 없으나 농산물의 경우에는 기술적인 문제로 다소 지연될 가능성이 있음을 언급하는 한편, TRACK 4 의 운용으로 농산물 TEXT 의 개선이 이루어져야 함을 지적함.

- 이에 의장은 3.1 까지의 제출 시한 연기가 불가피하다 결론짓고, 농산물의 경우 삭감율등이 포함된 완전한 SCHDULE 이 아니더라도 3 월초순까지 농산물 기초자료(BASIC INFORMATION) 만이라도 제시하여 줄것을 요청하였음. 또한 3. 5 오후에 공식회의를 소집하여 오늘 논의된 내용을 공식화 할것이라 하였음. 끝으로 의장은 전체적인 SCHEDULE 을 제출한 나라에 한하여 타국의 SCHEDULE 을 열람할수 있을 것이라 언급하였음.

   2. 관찰

- 금일 논의된 3.1 제출시한 연기문제는 미국과 EC 의 사전협의에 의한 것으로서 향후 언제까지 각국 스케줄이 제출될수 있을 것인지는 미국과 EC 간에 농산물 및 분야별 무세화등에 대한 합의 여부에 좌우될 것임

- 미국이 EC 와 합의에 이르지 못하는 경우 공산품의 무관세 제안등을 현재와 같이 조건부적인 OFFER 로서 농산물 스케줄과 함께 제출할 것인지(EC 의반대)또는 EC 와 합의가 이루어질때까지 그제출을 계속 지연시킬 것인지에 대하여는 미국과 EC 간에 합의된 것이 없는 것으로 판단됨. 끝

PAGE 3

(대사 박수길-차관)
예고:92.6.30 까지

0164

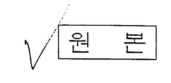

외 무 부

종 별 : 긴 급

번 호 : GVW-0457   일 시 : 92 0227 2000

수 신 : 장관(통기, 경기원, 재무부, 농림수산부, 상공부) 사본:주일대사-중계필-

발 신 : 주 제네바 대사

제 목 : UR/시장접근 양자협상(일본1)

2.27(목) 당지에서 개최된 표제협상 토의 요지중일부를 아래 보고함

(엄재무관, 최농무관, 강상무관, 본부대표 참석)

1. 아국 REQUEST 에 대한 일본측 반응

- 일본측은 내주에 자국이 제출할 스케줄에 반영될 아국의 REQUEST 품목은 다음과같다고함.

0 16개 우선 관심품목은 반영되지 않음.

0 121개 품목중 6402.19.000(10 -9), 6402.91.000(10 -9) 의 2개 품목만 반영됨

0 비관세는 전연 반영되지 않으며 아국이 요청한 수입수량제한 철폐는 곤란하나일방적 조치로 QUOTA 증가가 일부 있을 것임(92.4.1 부터 시행)

- 또한 일본은 상기내용을 UR 에서 논의하기로 합의한 이상 상호주의 등의 갓트원칙이 존중되어야 하므로 아국으로부터 자국 REQUEST 에대한 아무런 개선이 없으며국내적으로도 아국 REQUEST 품목이 매우 민감한 품목임을 들어 현시점에서 최대한반영된 것이라고 설명하면서 내주에 제출될 자국의 농산물 SCHEDULE 에 아국 농산물REQUEST 품목 일부가 긍정적으로 반영될 가능성을 시시함(구체적 내용은 밝힐수없다함)

- 기타 일본과의 양자협상 상세 내용은추보하겠음.끝

(대사 박수길-차관)

통상국   경기원   재무부   농수부   상공부   차관   오차보

PAGE 1   92.02.28   06:26 DW

외신 1과 통제관

0165

관리
번호 92-178

원 본

외 무 부

종 별 :

번 호 : GVW-0475   일 시 : 92 0228 1930

수 신 : 장관(봉기,통일,경기원,재무부,농림수산부,상공부,경제수석)

발 신 : 주 제네바 대사   사본:주일 대사-중계필

제 목 : UR/시장접근 양자협상(일본 2)

연: GVW-0457

1. 일본적 의견 교환

가. 미국과 EC 간의 양자협상 진전 상황

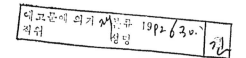

- 일본은 미국이 EC 에 대하여 분야별 접근방식에 참여를 계속 요구하고 있고, EC 도 이에 상당히 협조적인 것으로 알고 있으며, EC 는 미국의 TARIFF PEAK 완화를 계속 요구하고 있는 것으로 알고 있다고 함.

- 또한 일본은 양국간 조만간 타협이 이루어질수 있는 가능성이 있는 것으로 보이나 향후 미.EC 간 합의를 중심으로 타국의 참여를 촉구할 것으로 예상되어 남은 일정등을 감안할 경우 자국의 관심사항을 어떻게 반영할 것인지 우려한다고 함.

나. NATIONAL SCHEDULE 제출시기

- 일본은 내주중 농산물을 포함한 모든 분야에 대한 자국의 SCHEDULE 을 제출할 것이라고 하고, 동 SCHEDULE 에는 주요국간 거의 합의가 이루어진 의약품 무세화(단, 중간재는 일부 이견 상존)는 조건없이 SCHEDULE 에 포함시킬것이나, 여타 부문, 즉 화학관세조화, 건설장비, 철강, 의료장비, 전자, 비철금속, 비료, 필름등에 대한 무세화는 조건부로 동 SCHEDULE 에 반영할 것이라고 함.

- 또한 일본은 미국도 내주중 농산물 SCHEDULE 을 제시할 것이나 공산품에 대하여는 EC 와 합의가 안될경우 기존의 조건부 OFFER 를 SUMMARY NOTE 형식으로 변형시켜 간략히 제시할것으로 알고 있다고 전언함.

(TARIFF LINE 별 LIST 는 제출되지 않을것으로 예상됨)

2. 양국간 관심사항

가. 관세

- 일본은 아국의 관심품목중 다음품목이 내주에 제출할 자국의 NATIONAL SCHEDULE

통상국	장관	차관	1차보	2차보	통상국	분석관	정와대	안기부
경기원	재무부	농수부	상공부	중계				

에 반영될 것이라 함.

. HS 4104.29.022(60% - 40 %), 4202.31.100(20% - 18%), 4203.30.100(20% - 18%), 6402.19.000(10%- 9%), 6402.91.000(10% - 9%), 6404.19.119, 6404.20.119, 6404.20.212, 6404.20.222, 6405.90.112,6405.90.122(이상 60% 또는 4,800엔/ 컬레 - 40% 또는 4,300 엔/ 컬레) 6405.90.129(10% - 9%), 8473.30.010(4.9% - 0%), 9401.90.020(4.8% - 3.8%)

- 일본은 상기 14 개품목중 HS 8473.30.010 은 아국의 REQUEST 품목이 아니나 일본 국내시장에서 아국이 제 8 위의 수출국임을 추가 설명하고, 화학제품은 동제품에 대한 관세조화방안에 관하여 선진 교역국간 합의가 이루어지지 않았으므로 내주에 제출예정인 자국 SCHEDULE 에는 포함되지 않을 것이나 최종 SCHEDULE 에는 일부 반영될 가능성이 있음을 시사함.

- 이에 아국은 상기 14 개 품목중 아국이 우선관심 품목으로 제시한 16 개 품목은 전혀 반영되지 않았고, 일본측이 아국의 REQUEST 품목이 아니라고 언급한HS 8473.30.010 뿐 아니라 나머지 대부분의 품목도 아국의 REQUEST 품목이 아닌바, 121 개 REQUEST 품목주 HS 6402.19.000 및 6402.91.000 의 2 개 품목만 10%에서 9%로 인하 반영됨을 지적, 확인하고 동 내용에 대하여 큰게 실망감을 표명하면서, 관세인하 조치는 양국의 무역불균형을 시정하기 위하여 정부가 할수 있는 가장 전형적인 조치임을 들어 향후 추가반영을 강력히 요청하였음.

- 또한 아국은 현재의 논의가 양국의 무역불균형을 시정하기 위한 조치이므로 일본이 일부 경쟁력을 갖춘 부문에 대하여만 관세를 인하하고 국내적으로 민감한 부문은 전혀 반영되지 않을 경우 오히려 양국의 무역 불균형이 심화될 것임을 지적하고 일본이 금일 제시한 내용이 양국 정상간에 합의하여 UR 에서 논의토록 한 아국의 기대에 전혀 미치지 못함을 강조함.

- 이에 일본은 동 사안을 UR 에서 논의하자고 합의한 이상 UR 협상의 기본 원칙인 상호주의 등이 존중되어야 하나 자국이 아국에 제시한 REQUEST 에 대하여 아국으로 부터 아무런 OFFER 가 없으며 아국이 요청한 품목이 일본 국내에서는 매우 민감 품목으로서 국내업계의 설득이 곤란하였다고 함.

- 이에 아국은 UR 에서 논의하기로 합의한 내용에 대하여 양국간에 인식 차이가 큰바, 아국이 UR 에서 논의하기로 합의한 것은 UR 에서의 일본측의 긍정적 반영을 기대한 것이며 이것은 GATT RULE 의 상호주의를 전제로한 것이 아님을 지적한바,

PAGE 2

0167

일본은 동사안의 심각성을 충분히 이해한다고 하면서 자국은 동 사안을 UR 에서 논의하는 이상 UR 협상의 일반원칙, 즉 상호주의 등이 적용되어야 하므로 한국으로부터 자국의 REQUEST 에 대한 OFFER 가 있을 경우 아국의 요청사항 반영을 위한 자국 국내업계 설득에 도움이 될것이라 답변함.

- 또한 이에 아국은 현재의 관세 OFFER 를 기초로 하여 양국간의 양허 균형을 비교할 경우 아국이 오히려 더많이 양허하였으며(아국 30.5%, 일본 28.8%) 또한 그인하율이 유사하다 하더라도 아국은 보다 높은 세율에서 인하하였으므로 가격인하율이 더크게 되어 수입 증대효과가 더 크게 나타나 양국간 무역수지의 악화를 초래할 것임을 지적하였음.

- 이에 일본은 금일 제시내용은 현시점에서 일본정부가 취할수 있는 최대한의 것이라 하면서 내주에 제출될 자국의 농산물 SCHEDULE 에 아국의 REQUEST 품목중 일부 농.수산물이 포함될 가능성을 시사하고 아국의 금일 입장을 본부에 보고 하겠다고 하였음.

(GVW-0476 으로 계속)

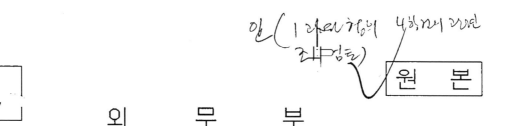

관리 번호	92 -181

외 무 부

종 별 :

번 호 : GVW-0476　　　　　　　　　　일 시 : 92 0228 1930

수 신 : 장관(통기,통일,경기원,재무부,농림수산부,상공부,경제수석) 사본:주일

발 신 : 주 제네바 대사　　　　　　　　　　대사-중계필

제 목 : GVW-0475 계속

나. 비관세

- 일본은 아국이 제시한 비관세 REQUEST 에 대하여는 내주에 제출될 SCHEDULE 에 반영되지 않을 것이며 건오징어등 수산물에 대한 쿼타철폐는 국내적인 어려움으로 인하여 불가능하고, 다만 운용면에서 경우에 따라 일부 개선될 여지가 있음을 시사하면서 '92 회계연도에는 아국으로 부터 수입되는 혁화 및 피혁제품중 혁화 20%, 소가죽(DYED) 20%, 말가죽 및 소가족(UNDYED) 16%, 염소 및 양가죽(DYED) 15%등 수량기준 쿼타를 증량시키기로 했다고 언급함.

- 인삼정제, 칡차, 쌍화차 등에 관한 아국의 요청 내용에 대한 답변은 관계부처로 부터 아직 회신이 없다함.

3. 추가의견 교환

아측은 2.28 일측을 추가로 접촉하여 아국의 16 개 우선관심품목중 9 개품목은 일본 OFFER 에 전혀 포함되어 있지 않음을 지적하고 일측이 이를 추가로 고려한다면 현지 협상 담당자로서 본부로 하여금 일본의 대현지 협상 담당자로서 본부로 하여금 일본의 대아국 REQUEST 에 대한 검토를 건의할

의사가 있다고 하였는바 일측은 동 9 개 품목은 일본의 매우 민감한 품목으로 이를 OFFER 에 포함시키기 어려울 것이라고 답변함.

4. 관찰 및 건의

- 일본은 UR 에서 논의하기로 한 아국 수출 관심품목의 관세인하에 있어 양국간 교역의 특성, 무역불균형 문제의 심각성에 대한 아국의 인식 및 기대 등을 반영함이 없이, UR 협상의 일반원칙인 상호주의 및 다자주의 등을 내세워 아국의양국간 무역불균형 개선 요구를 외면하고 별의미가 없는 최소환의 OFFER 제시로서 동사안을 종료시키고자 하는 의도로 보임.

- 따라서 계속적인 일본의 성의를 촉구하고 아국의 관심사항에 대한 추가반영을

통상국	장관	차관	1차보	2차보	통상국	분석관	청와대	안기부
경기원	재무부	농수부	상공부	중계				

PAGE 1　　　　　　예고문에 의거 2분류 1926.10. 직위 성당　　　　　　92.03.01　07:19

외신 2과 통제관 CE

0169

위하여는 일본의 UR 협상 담당자 뿐만 아니라 실질적 의사 결정권한을 가지고 있는 본부에 간으한 모든 협상창구를 동원, 양국정상회담 합의사항의 구체적 실천 의지를 재촉구할 필요성이 있다고 보여짐

4. 기타

- 또한 동일 개최된 아이슬란드와의 양자협상에서 아이슬란드는 자국이 요청한 수산물 관세인하 REQUEST 에 대한 아국 OFFER 에 만족을 표시하고, 일부 반영되지 않은 5 개품목(HS 0303.73, 0304.1010, 0304.2010, 0304.2030, 0304.2090)의 호의적 고려를 요청함. 끝

(대사 박수길-국장)

예고:92.6.30 까지

관리
번호 : 92-106

외 무 부

종 별 :

번 호 : GVW-0490

일 시 : 92 0303 2000

수 신 : 장관(통기, 경기원, 재무부, 농림수산부, 상공부)사본:박수길대사

발 신 : 주 제네바 대사대리

제 목 : UR/시장접근 협상- NATIONAL SCHEDULE 제출

연: GVW-0480

1. 표제협상그룹 공식회의가 3.5(목) 소집되었으며, 동 회의에서는 각국의 DRAFT SCHEDULE 에 대한 COMMENT 및 동제출 현황에 대한 전반적 검토가 있을 예정임.(별첨 1)

2. 미.EC 협상 동향

- 미국과 EC 의 지난주중 협상이 별다른 진전을 보지 못하였으며 3.9 주중에 재접촉할 예정인 것으로 파악되고 있음.(김차석대사 갓트 사무국 HUSSEIN 사무차장보 및 EC BECK 부대표접촉)

- 파악된 바로는 3.2 당지 케언즈그룹 대사 모임에 미국대표가 참석, 상기 요지를 설명하였고 금일 3.3 케언즈그룹 대사들이 함께 DUNKEL 사무총장을 만나 내실있는 SCHEDULE 의 조속한 제출을 위한 영향력 행사를 촉구한 것으로 알려졌음.(태국 대표부 차석대표로 부터의 전언)

3. 국별 SCHEDULE 제출 동향

- 미.EC 간의 협상이 진전을 보지 못하고 있는 가운데 동협상 타결을 기다리지 않고 불완전한 형태의 SCHEDULE 또는 자료를 제출하는 분위기로 돌아가고 있는바 당관이 현재까지 파악한 바로는 아래와 같음.(갓트 사무국측은 어느 국가가 제출하였는지 확인하는 것을 금일 오후부터 거부)

- 미국은 금 3.3(화) 농산물 SCHEDULE 과 공산품에 대한 QUALITATIVE ASSESMENT 를 제출할 것으로 알려짐.

- EC 는 금주말 또는 내주초 공산품 SCHEDULE 및 농산물 자료를 제출할것으로 보임.

- 홍콩은 농.공산품에 대한 COMPREHENSIVE SCHEDULE 를 제출

통상국	장관	차관	1차보	2차보	국기국	외정실	분석관	정와대
안기부	경기원	재무부	농수부	상공부				

PAGE 1

- 일본은 3.2(월) 오후 공산품 SCHEDULE 제출, 농산물 SCHEDULE 은 3.4(수)제출 예정

- 알려진바 의하면 금주중 아세안중 상당수 개도국으로 부터 SCHEDULE 제출이 예상됨.

4. 이상에 비추어 아국도 3.5(목) 15:00 회의전에 우선 공산품 SCHEDULE 만이라도 제출하는 것이 좋을것으로 사료됨.(HUSSEIN 차장보가 이러한 취지의 조언을 하였음)

따라서 별첨 2 와 같은 COVER NOTE 를 붙여 이를 제출코자 하는바 지급 회시바람.

첨부: 1. GATT/AIR/3297 1 부

2. COVER NOTE 초안 1 부

(GVW(F)-0147). 끝

(차석대사 김삼훈-국장)

예고: 92.6.30 까지

PAGE 2

0172

주 제 네 바 대 표 부

번 호 : GVW(F) - 0147　　　년월일 : 20303　　　시간 : 2000

수 신 : 장　　관 (통상 · 경제원 · 재무부 · 농림수산부 · 상공부)(사본 : 박수길대사)

발 신 : 주 제네바대사

제 목 : 첨부

총 3 매(표지포함)

보 안	
통 제	

외신판	
통 제	

147-3-1　　　　　　　　　　　　　　　　　　0173

1992-03-03　20:38　KOREAN MISSION GENEVA　2 022 791 0525　P.01

GATT/AIR/3297   28 FEBRUARY 1992

SUBJECT: URUGUAY ROUND NEGOTIATING GROUP ON MARKET ACCESS

1. THE NEGOTIATING GROUP ON MARKET ACCESS WILL MEET ON THURSDAY, 5 MARCH 1992 AT 3 P.M. IN THE CENTRE WILLIAM RAPPARD.

2. THE FOLLOWING AGENDA IS PROPOSED:

    (A) COMMENTS BY PARTICIPANTS ON THEIR DRAFT SCHEDULES OF CONCESSIONS AND COMMITMENTS;

    (B) GENERAL REVIEW OF THE STATE OF THE SUBMISSION OF DRAFT SCHEDULES;

    (C) OTHER BUSINESS.

3. GOVERNMENTS PARTICIPATING IN THE MULTILATERAL TRADE NEGOTIATIONS AND INTERNATIONAL ORGANIZATIONS WHICH HAVE PREVIOUSLY ATTENDED PROCEEDING OF THIS NEGOTIATING GROUP, WISHING TO BE REPRESENTED AT THIS MEETING ARE REQUESTED TO INFORM ME AS SOON AS POSSIBLE OF THE NAMES OF THEIR REPRESENTATIVES.

                                       A. DUNKEL

OBJET: NEGOCIATIONS D'URUGUAY - GROUPE DE NEGOCIATION SUR L'ACCES AUX MARCHES

1. LE GROUPE DE NEGOCIATION SUR L'ACCES AUX MARCHES SE REUNIRA LE JEUDI 5 MARS 1992 A 15 HEURES, AU CENTRE WILLIAM RAPPARD.

2. L'ORDRE DU JOUR PROPOSE EST LE SUIVANT:

    A) OBSERVATIONS DES PARTICIPANTS SUR LEURS PROJETS DE LISTES DE CONCESSIONS ET D'ENGAGEMENTS;

    B) EXAMEN GENERAL DE L'ETAT D'AVANCEMENT DE LA PROCEDURE DE PRESENTATION DES PROJETS DE LISTES;

    C) AUTRES QUESTIONS.

3. LES GOUVERNEMENTS PARTICIPANT AUX NEGOCIATIONS COMMERCIALES MULTILATERALES ET LES ORGANISATIONS INTERNATIONALES AYANT PRECEDEMMENT ASSISTE AUX DEBATS DU GROUPE DE NEGOCIATION QUI DESIRENT ETRE REPRESENTES A CETTE REUNION SONT PRIES DE ME COMMUNIQUER DES QUE POSSIBLE LES NOMS DE LEURS REPRESENTANTS.

                                       A. DUNKEL

ASUNTO: RONDA URUGUAY - GRUPO DE NEGOCIACION SOBRE EL ACCESO A LOS MERCADOS

1. EL GRUPO DE NEGOCIACION SOBRE EL ACCESO A LOS MERCADOS SE REUNIRA EL JUEVES 5 DE MARZO DE 1992 A LAS 15 H EN EL CENTRO WILLIAM RAPPARD.

2. SE PROPONE EL SIGUIENTE ORDEN DEL DIA:

    A) OBSERVACIONES DE LOS PARTICIPANTES SOBRE SUS PROYECTOS DE LISTAS DE CONCESIONES Y COMPROMISOS;

    B) EXAMEN GENERAL DE LA SITUACION EN QUE SE ENCUENTRA LA PRESENTACION DE PROYECTOS DE LISTA;

    C) OTROS ASUNTOS.

3. RUEGO A LOS GOBIERNOS PARTICIPANTES EN LAS NEGOCIACIONES COMERCIALES MULTILATERALES Y A LAS ORGANIZACIONES INTERNACIONALES QUE HAYAN ASISTIDO ANTERIORMENTE A LAS SESIONES DE ESTE GRUPO DE NEGOCIACION Y DESEEN ESTAR REPRESENTADOS EN ESTA REUNION QUE ME COMUNIQUEN LO ANTES POSIBLE LOS NOMBRES DE SUS REPRESENTANTES.

                                       A. DUNKEL

92-0256

PERMANENT MISSION OF THE REPUBLIC OF KOREA
GENEVA

4 March 1992

Dear Mr. Dunkel,

I am enclosing the Schedule of the Republic of Korea on Most-Favoured-Nation Tariff with regard to industrial products and Non-Tariff Concessions.

I would like to inform you that the Republic of Korea is also participating in several sectoral negotiations for reciprocal duty elimination or harmonization. If these sectoral negotiations produce any agreement acceptable to my authorities, this schedule will be revised accordingly.

At present, my government has some technical difficulties in preparing the national schedule on agricultural products. However, every effort will be made to submit this schedule as soon as possible.

Sincerely yours,

Sam-Hoon KIM
Ambassador
Acting Representative

Encl: as stated

H.E. Mr. Arthur DUNKEL
Director-General
GATT
Centre William Rappard
154, rue de Lausanne
1211 Geneva 21

147-3-3

0175

분류번호	보존기간

발 신 전 보

WGV-0349   920304 1847 CJ   종별 : **지급**

번 호 :

수 신 : 주   제네바   대사. *총영사*

발 신 : 장 관 (통 기)

제 목 : UR 시장접근 협상 국별 Schedule 제출

대 : GVW-0490

대호 관련, 귀관 건의대로 아국의 공산품 Schedule을 갓트사무국에 우선 제출바람.

끝.   (통상국장 김 용 규)

재랍요함 92. 6. 30

보 안 통 제	

앙 고 재	92 년 3 월 4 일 통상기구과	기안자 성명 안명수	과 장	심의관	국 장 전결	차 관	장 관	외신과통제

0176

발 신 전 보

분류번호	보존기간

번   호 : _____   종별 : _____

수   신 : 주 제네바 대사. 총영사

발   신 : 장 관(통 기)

제   목 : UR 시장접근 국별 schedule

    92.3월중 시장접근 양자 협상에 참고코자하니 각국이 기 제출 ~~또는 조만간 제출~~ 한
~~예정인~~ 국별 schedule과 90년도에 각국이 제출한 IRP~~외의 차를 할때 일바나 차이가 최시점~~
~~다는가~~ (offer의 개선정도)를 가능한 대로 파악, 보고바람.   끝.

                                 (통상국장 김 용 규)

보 안 통 제	

양고재	92년3월4일 통상2과	기안자성명 안명수	과장	국장	차관	장관

외신과통제	

0177

안(2)

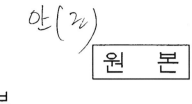

원 본

관리
번호 92-189

외 무 부

종 별 : 지 급

번 호 : GVW-0501   일 시 : 92 0304 2100

수 신 : 장관(봉기,경기원,재무부,농림수산부,상공부,경제수석) 사본:박수길대사

발 신 : 주 제네바 대사대리

제 목 : UR 협상(시장접근)   일반문서로 재분류(1992. 6. 30)

3.4(수) DENIS 의장 주재로 개최된 표제 아시아 국가 비공식회의(아국, 말련,
싱가폴, 태국, 인도네시아, 필리핀, 인도, 홍콩, 파키스탄, 스리랑카 등 10 개국
참석) 요지 아래 보고함.(김대사, 엄재무관, 최농무관 참석)

1. DENIS 의장의 협상 현황 설명

- 협상의 진전을 위해서 최대한 많은 나라가 빠른 시일내에 포괄적이고 충실한
COUNTRY SCHEDULE (C/S)을 제시하는 것이 중요함.

0 그러나 현재 일부 국가는 공산품 분야에서 LINE BY LINE 의 C/S 을 제시하지
못하고 포괄적인 QUALITATIVE ASSESSMENT 만 제출할 것으로 예상되며, 0 농산물
분야에서는 기본입장 차이 때문에 불완전한 내용(IMPERFECT PACKAGE)을 제출하는
국가가 있을 것으로 보임.

- 3.5(목) 표제 공식회의를 개최하여 국별 (C/S 제출 동향 및 전망과 현재 협상
동향에 대한 각국의 입장을 들어볼 예정임.

0 3.9 주간 후반 (3.12-13 예상)경 재차 동회의를 소집하여 보다 확정적인 각국의
평가를 청취할 계획임.(동싯점은 미국, 이씨가 표명한 10 일 - 2 주가 경과한
싯점이므로 대체적인 상황이 보다 분명해 지고, C/S 제출 국가수도 늘어날 것으로
예상되어, 보다 정확한 협상 현황 평가가 가능할 것으로 전망됨)

- 협상 진행 절차와 관련하여 각국이 제출한 C/S 을 어떻게 배포할 것인가 하는
문제가 있음.

0 기본원칙은 포괄적(농산물 공산품을 함께 제출)인 C/S 을 제출한 국가에게
상호주의에 입각하여 배포하는 것임.

0 포괄성(COMPREHENSIVENESS)여부에 대하여는 사무국이 판단할 사항이 아님.

2. 이에 대하여 각국이 자유토론 형식으로 진행되었는바, 각국의 질의 및 의장단의

통상국	장관	차관	1차보	2차보	국기국	외정실	분석관	청와대
청와대	안기부	경기원	재무부	농수부	상공부			

PAGE 1   92.03.05   06:45

답변 요지 아래와 같음.

가. COMPREHENSIVENESS 의 판단기준

- 말련, 태국등의 COMPREHENSIVENESS 판단기준의 질의에 대하여 의장은 동 기준은 사무국 및 자신등 어느누구도 명확한 기준을 판단. 제시할수 없다하였음. BROADBRIDGE 사무차장보는 그 간접적 준거로서 MTN/M.A/W/15 에 기술된 모든 CHAPTER 에 대한 LINE BY LINE SCHEDULE 을 예로 들었음. WOLTER 농업국장은 농산물 SCHEDULE 과 관련 최소한 국내 보조, 시장접근, 수출보조에 대한 기본적 TABLE 이 제시되어야 할것임을 예로 들었음.

나. 불완전한 SCHEDULE 을 제시한 국가가 COMPREHENSIVE 한 SCHEDULE 을 제시한 국가의 SCHEDULE 을 열람하는 경우의 불공정성

- 홍콩, 말련, 태국등 대부분의 참가국이 동문제를 거론하였는바, 의장은 현재의 어려운 상황에서 비록 불완전하더라도 어떤 형태의 서면제시가 있는 것이중간 과정으로 유용하며 각국의 SCHEDULE 을 최종화 하는데는 먼저 불완전한 제시가 있고 이의 보완제안을 촉구하는 2 단계 전략을 취할수 밖에 없다 답변하고 자국의 C/S 가 불완전한 C/S 를 제출한 국가와 교환 배포되는것을 반대하는 경우에는 COVERNOTE 등에 이를 명기할수 있을 것이라고 언급함.

- BROADBRIDGE 차장보는 협상의 MOMENTUM 을 유지시키는 것이 중요하며, 이런 관점에서 협상이 최되한 진전될수 있도록 가급적 각국의 C/S 를 최대한 상호 교환될수 있도록 할 생각이라고 하면서, 포괄적인 C/S 제출 필요성을 재차 강조하였음.

다. 농.공산품중 어느하나의 SCHEDULE 을 제시한 국가가 농.공산품의 SCHEDULE 을 열람할수 있는지 여부

- 의장은 COMPREHENSIVE 한 SCHEDULE 을 제시한 국가 끼리만 동 C/S 가 배포될 것이라함.

3. 각국의 C/S 제시에 대한 의견

- 인도네시아, 말레이지아, 태국, 필리핀, 인도등은 공산품에는 큰 문제가 없으나 농산품의 경우 내용면에서 뿐만 아니라 기술적인 부문에 대한 어려움으로그 제출이 다소 지연될 것임을 언급함.

- 싱가폴은 농.공산품 공히 3.15 경 C/S 를 제출할 것이라함.

4. 관찰

- 각국이 제출한 C/S 의 COMPREHENSIVE 여부를 판단하는 기준 및 어느정도까지

PAGE 2

0179

이에 합치되는 경우에는 상호 C/S 교환 열람을 허용할 것인지는 아직 명확히 결정되었다고 볼수 없으며, 금일 회의 분위기로 보아 미국.EC 등이 제출할 것으로 알려진 QUALITATIVE ASSESSMENT, BASIC INFORMATION 등을 타국 C/S 와 교환가능한 것으로 인정할 가능성이 큰것으로 보여짐. 아직 미국.EC 등의 자료가 제출되지 않았으므로 향후 이들 국가의 제출 자료의 내용 및 이에 대응하는 각국의 입장에 따라 영향을 받게 될 가능성이 있음.

- 농공산품 SCHEDULE 중 어느하나만 제출한 국가는 다른 국가의 C/S 를 교환, 열람할수 없을 것이라는 것이 갓트 사무국측의 견해이며 타국의 C/S 를 열람하기 위하여는 불완전한 형태라도 모든 분야를 제출하는 것이 도움이 될것이라는언급이 있었음.

5. 현재까지의 각국의 C/S 제출 동향
- 금일 (3.4) 오스트리아가 공산품에 대한 SCHEDULE 을 제출
- 카나다, 호주는 금일 제출예정이라 하고 일본은 농산품 SCHEDULE 을 금일밤 늦게 제출 예정이라함.
- 미국은 금주말 제출 예정으로 알려짐.
- 아국은 명일 (3.5) 오전 공산품 SCHEDULE 및 비관세 양허표를 제출 예정임. 끝
(차석대사 김삼훈-국장)
예고 92.6.30. 까지

관리 번호	92-1P2

외 무 부

종 별 :

번 호 : JAW-1272   일 시 : 92 0305 2127

수 신 : 장관(통일,통기,경일,아일,사본:주일대사,경기원 대조실장)

발 신 : 주 일 대사(일경)

제 목 : 정상회담 후속조치(경제)

　　　　연: JAW-1244

　　　당관 이재춘 공사는 3.5.(목) 주재국 외무성 다니노 아주국장을 오찬 접촉하였는바, 표제관련 협의내용을 아래 보고함.(당관 심운조 경제과장, 일측 오까다 북동아과 경제반장 배석)

　　　1. 재단설립 문제

　　　가. 이공사는 2.19. 일시귀국시의 국내분위기를 설명하면서, 재단설립과 관련하여 일정부가 민간에만 맡기려는 태도를 취하지 말고, 정책적차원에서 의지를갖고 임해줄것을 요망

　　　나. 다니노 국장은 외무성으로서도 많은 노력을 기울이고 있다고 하면서 다음 내용 언급

　　　1) 오와다차관이 재계인사 접촉시(연호 참조) 재단설립을 위한 재계의 협력을 강력히 요망하고, 민간이 재단설립시 정부도 지원할것임을 설명

　　　0 이에대해 재계인사들은 재단이 설립된다 하더라도 기술이전이 원활이 이루어질지에 대하여 의문을 표시하는등 전반적으로 미온적인 반응을 보임

　　　2) 현재의 제반 분위기로 보아 재단설립에는 어느정도 시간이 소요될것으로생각되며, 설립되더라도 소규모가 될것으로 전망

　　　다. 이에대해 이 공사는 재단설립은 아측의 주요 관심사업인바, 상호 충분한 협의를 거쳐 만족할만한 결과가 나와야 할것임을 강조

　　　2. FORUM

　　　0 다니노 국장은 일정부가 모든것을 FORUM 에 맡기고 문제를 회피하려는것이 결코 아니며 매우 진지(마지메)하게 임할 생각임을 강조

　　　3. 환경협력

통상국 외정실	장관 분석관	차관 청와대	1차보 안기부	2차보 경기원	아주국	아주국	경제국	통상국

PAGE 1   92.03.05   22:55

검 토 필 (1992.6.30.)김   외신 2과 통제관 FK
                                                          0181

O 다니노 국장은 한국측이 환경협력에 대해서는 큰관심이 없는것 같다고 하고 외무성의 경제협력 예산으로 적극 협력할 태세를 갖추고 있다고 언급

4. 주한상사 STATUS 문제

O 다니노 국장은 한국의 수출확대를 위하여는 대일본 수출뿐만 아니라 제3국에 대한 수출업무까지 허가되는것이 필요하다고 강조하고, 이에대한 한국측의 이해와 협조를 요망

5. 물질특허 문제

O 일본 재계로 부터는 동문제와 관련하여 별다른 요청이 없는 상태이나, 통산성측이 관심을 갖고 있다고 함

6. 관세인하 문제

가. 이공사는 최근 일본이 UR 에 제시한 SCHEDULE 내용은 아측의 요구에 매우 미흡한것으로 이에 유감을 표명하고, 향후 일측의 적극 반영 노력을 촉구

나. 다니노 국장 언급내용

1) 일측 SCHEDULE 내용이 아측 요구에 미흡했다는 점을 인정하면서, 현재 UR 협상의 전망이 불투명하나 3 월 후반 양국간 협상이 재개될것으로 보고 있으며 이때 한국측에 무언가 제시할수 있도록 외무성으로서는 노력하고 있음

2) 아측 관심품목은 일본으로서는 대부분 어려운 품목들이나, 정부가 업계를 설득하는데 있어서 협상의 최종단계에서 압력을 가하여 관세인하를 실현시키는것이 효과적인 PATTERN 임

다. 이에대해 이공사는 실천계획과의 시기적 관련을 감안하여, 최종 협의단계 이전이라도 일측이 예정하고 있는 관세인하 내용을 한국측에 면밀히 알려주기를 바란다고 하고, 16 개 우선 관심품목은 아측요구의 상징적 품목임을 감안하여, 일측의 적극배려를 강력 재요망

라. 다니노 국장은 16 개 품목과 관련하여 다음과 같이 일측입장 설명

1) 폴리프로필렌은 석유화학 제품 분야에서 협의될것인 바, 개인적 관측으로는 현재보다 개선 가능할것으로 전망

2) 섬유, 피혁, 의류는 가장 어려운 품목이며, 여행가방도 어렵기는 하나 동 3 개 품목에 비해서는 다소 신축성이 있을것으로 기대

3) 특히 섬유와 관련, 1/3 을 인하 OFFER 하였기 때문에 한국측 요구내용에어느정도 근접한것으로 보고있으며, 국내업계의 OFFER 철폐요구에도

PAGE 2

0182

불구하고 봉산성측에 추가인하를 설득하고 있음

4) 신발류에 있어서는 할당 관세율 적용 가능성을 검토중

마. 이와함께 다니노 국장은 향후 한국의 산업이 고도화될 전망임에 비추어한국측이 요청한 관세인하가 실현될 경우, 궁극적인 혜택은 한국이 아닌 중국및 동남아 국가가 될 가능성이 있음을 지적. 끝

(대사대리 남홍우-국장)

예고: 92.12.31. 까지

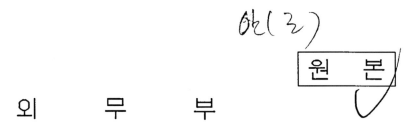

외 무 부

종 별 :

번 호 : GVW-0512   일   시 : 92 0305 2120

수 신 : 장관(봉기,경기원,재무부,농림수산부,경제수석)

발 신 : 주제네바대사대리   (사본:박수길대사)

제 목 : UR/시장접근 협상그룹 공식회의

　　　3.5(목)　　　　당지에서　　　　개최된　　　표제회의　　　　토의요지
아래보고함.(김대사,엄재무관,최농무관,강상무관 참석)

　　1. C/S 제출동향 및 각국입장

　- 미국: 금일(3.5) 농산물은 COMPREHENSIVE 한 SCHEDULE 을, 공산품은 별첨
QUALITATIVE ASSESMENT 를 제출하고 동 내용을 발언함.

　- EC: 3.4(수) 농산물에 대한 BASIC DATA(기본적인 요소인 국내보조계산, 관세화,
수출입무역 봉계등을 수록) 를 제출, 공산품은 협상 진행중이므로 추후제시

　- 일본: 공산품은 3.2(월), 농산물은 3.4(수) LINEBY LINE SCHEDULE 을 제시

　- 카나다: 3.4(수) 농산물에 대한 상세한 SCHEDULE을 공산품에 대해서는
QUALITAITVE ASSESMENT 를 제시

　- 호주 : 3.4(수) 농산물에 대한 C/S를, 공산품에 대해서는 QUALITATIVE
STATEMENT 를 제시

　- 여타 금일 현재 C/S 제출국가

　O 홍콩,페루,알젠틴,우루과이,베네주엘라

　- 아직 미제출하였으나 조만간 제시할것을 언급한 나라터어키, 브라질(3.9 예정),
코스타리카(3.6　　　　　　　　　예정),스웨덴,노르웨이,　　　　　　핀랜드,
아이슬랜드, 아세안(태국,말레이지아,싱가폴,인도네시아,필리핀),　　　　헝가리,
폴랜드,루마니아,큐바,인도,멕시코,칠레

　- 아국은 금일(3.5) 오전 공산품 SCHEDULE 을 제출하였고, 현재 진행중인
분야별접근협상의 결과가 향후 일부 반영될수 있을것이며, 농산물은 기술적인
어려움으로다소 지연되나 조만간 제출을 위해 최선을 다하고 있음을 언급함.

　　2. 배포 및 평가 문제

통상국	2차보	국기국	청와대	경기원	재무부	농수부

PAGE 1   92.03.06   07:50 DQ

外신 1과 통제관

0184

- 제출한 SCHEDULE 의 내용이 다양함에 따른 배포상의 공정성에 대한 질의에 대하여 의장 및 여타국 반응은 다음과 같음.

0 EC : BIG PACKAGE 를 추구하는 관점에서 FLEXIBILITY 가 주어져야 함.

0 의장은 원칙적으로 1-97까지의 SCHEDULE 이어야 하는바, 현시점에서 (1) 제출된 자료를 제출한 국가에 배포하는 방안(2) 완전한 SCHEDULE 을 제시할때 까지 기다리는 방안이 있을수 있으나, 어떤 방안이던 전반적인 BIG PACKAGE 의 확보를 위한 목표달성에 무엇이 유용한가 하는 차원에서 동문제가 검토되어야 하고 현재 많은나라가그들의 SCHEDULE 을 제시하지 않았으므로 동문제의 논의는 3.12(목) 개최되는 회의에서 더욱 분명히 논의될수 있을 것이라 언급함.

- 평가문제에 관하여는 의장은 많은 SCHEDULE이 제시되어야 가능할것임을 언급하고 동문제역시 3.12.회의에서 구체적으로 논의될수 있을것이라 언급함.

3. 관찰

- 금일 35개 발언국중 거의 대부분이 조만간 그들의 SCHEDULE 을 제시하 것이라언급한바 내주중에는 많은 나라로 부터 C/S 제출이 있을것으로 예상됨.

- C/S 제출이 지연되는 국가들의 그 구체적원인은 (1) 순수히 기술적인 어려움(주로 개도국)(2) 협상진행의 전략상의 이유 (3) 그내용에 대한 수용상의 어려움으로 대별할수 있으나 미국, EC, 일본등 대부분의 국가들이 조속제출을 촉구하고 기술적인 어려움에 대해서는 양자적인 기술지원도 가능함을 언급하였으며 의장 또는 내실있는 C/S의 조속한 제출을 촉구함에 따라 그내용 여부에 불구하고 전반적으로는 대부분의 참가국이 C/S 를 제출하는 방향으로 갈것으로 보임.

- 아국은 공산품 C/S 제출을 계기로 미국, EC등 주요국과 개별 접촉하여 그들의C/S를 입수하도록 노력하고 있는바, 진행상황 추보 예정임.

첨부: 미국의 QUALITATIVE ASSESMENT 1부

(GVW(F)-0157)

(차석대사 김삼훈-국장)

PAGE 2

0185

주 제 네 바 대 표 부

번 호 : GVW(F) - *0157*　　년월일 :*20305*　　시간 :*2/20*

수 신 : 장　　관 (총기, 경가원, 재무부, 농림수산부, 상공부)

발 신 : 주 제 네 바 대 사

제 목 : *GVW-512 첨부*

총 *4* 매(표지포함)

보 안 통 제	

외신관 복 재	

157-4-1

0186

첨부

UNITED STATES TRADE REPRESENTATIVE

1-3 AVENUE DE LA PAIX

1202 GENEVA, SWITZERLAND

March 5, 1992

Mr. Germain Denis
Chairman
Market Access Negotiating Group
The General Agreement on Tariffs
    and Trade
154 Rue de Lausanne
1202 Geneva, Switzerland

Dear Chairman Denis:

I am writing in reference to the note by the Secretariat issued
on 5 February 1992 on the "Preparation of the Uruguay Round
Schedules of Concessions" (MTN.GNG/MA/W/15). The note
indicates that Uruguay Round participants should send to the
secretariat by March 1 complete line-by-line draft schedules of
concessions and commitments for circulation to those
participants who have also submitted schedules.

As you are aware, the United States has continued to engage in
intensive market access negotiations with about 30 countries
since the Christmas break. We have made significant progress
with a number of these countries and believe that we will
successfully conclude negotiations with these countries in the
very near future. Unfortunately, with some other countries,
negotiations have not proceeded as quickly as we had hoped,
although I believe the chances are good that we will be able to
reach a satisfactory conclusion soon, once certain other issues
of the Round are settled. With respect to the scope and size
of the US offer, we would like to make several observations
based upon the current status of our bilateral negotiations.:

157-4-2

0187

1. Zero/Zero proposals - based upon our bilateral
    negotiations, we would expect the final package to
    contain a significant number of zero tariff offers
    with broad sectoral coverage. While we are still
    seeking broader support for some Zero/Zero sectoral
    proposals, it is clear that a large number of our
    proposals already enjoy support among our major
    trading partners. We must also note that without
    · agreement by (certain partners) to Zero/Zero proposals
    now on the table, the US is unlikely to agree to a
    final market access package. Given these
    developments, all Zero/Zero offers put forward by the
    United States remain on the table during the closing
    phase of negotiations.

2. Tariff Peaks - The US recognizes the importance of a
    significant package of peak tariff reductions to a
    successful outcome of the market access negotiations.
    In our bilateral negotiations, we have indicated a
    willingness to make reductions in key peaks of
    interest to our trading partners -- including maximum
    utilization of our 50% tariff-cutting authority --
    where reciprocal concessions are being offered. This
    means the US is willing to address the principal
    objection of our trading partners to our already low
    average tariff rate by cutting many of our remaining
    high and sensitive tariffs. This authority will only
    be utilized by us in exchange for key US requests,
    including our Zero/Zero proposals. In essence, a
    significant package of cuts in our tariff peaks .
    depends upon a "big overall package," one in which a
    large number of countries are prepared to offer major
    reductions.

3. Other Tariff Reductions -- In addition to Zero/Zero
    proposals and tariff peak offers, the United States is
    offering in our bilateral negotiations a package of
    substantial reductions on 5,700 items.

In October 1990, the United States tabled an offer which
provided for an average depth of cut of 38%, well above the
Montreal guidelines. Our final offer will reflect the results
of our negotiations with other Uruguay Round participants. In
this regard, participants should bear in mind that this final
offer is not simply a quantitative exercise, but because it
affects sensitive products it must be judged for its
qualitative elements as well. If ongoing bilateral
negotiations produce the expected results they will meet or
exceed the major objectives agreed upon for the Market Access
negotiations. The United States had intended to have a draft

151-4-3

schedule of concessions to the Secretariat by March 1; however,
this will not be possible until we have further advanced
negotiations with all partners and, in particular, have
determined the final country participation and product coverage
for our zero/zero proposals. I believe we will be in a
position to submit our draft schedule reflecting the results of
all our negotiations to the GATT in the near future.

Sincerely,

Rufus H. Yerxa
Ambassador

1992-03-05   22:17   KOREAN MISSION GENEVA   2 022 791 0525   P.04

UR(우루과이라운드)-시장접근 분야 양허협상, 1992. 전2권(V.1 1-5월) 195

03/06/92 21:04 ☎202 79━95   EMBASSY OF KOREA ━━01   016

주 미 대 사 관

USW(F) : 1343   년월일 :   시간 :

수 신 : 장 관 (통기, 통이, 통산, 경인)   보 안
발 신 : 주 미 대사 상공부, 경기관, 농수산부   봉 제

제 목 : 미 동속장관, UR 농산물 협정안 표결처리 언언 (출처 :   )
                                    (2차)   Inside U.S.
                                            Trade 3/6

MADIGAN CALLS FOR VOTE ON GATT FARM DRAFT AS U.S., EC FAIL TO BRIDGE GAP

Following a negotiating session between U.S. and European Community (EC) officials, Agriculture Secretary Ed Madigan this week spoke out in favor of an immediate international vote on a draft Uruguay Round agriculture agreement. "The sooner we vote, the better off we are," he told a March 3 meeting of state agriculture representatives. "Let's find out who wants an agreement, and who does not."

He said the U.S. would support the draft agriculture agreement even though it fell short of initial U.S. goals. He targeted the EC as the main obstacle to reaching an international farm agreement in the General Agreement on Tariffs & Trade (GATT). The issue comes down to the EC and whether it will reject the draft agreement, he said. But Madigan conceded that the U.S. will continue to negotiate because of a request made to trading partners by the top official of the General Agreement on Tariffs & Trade, to do

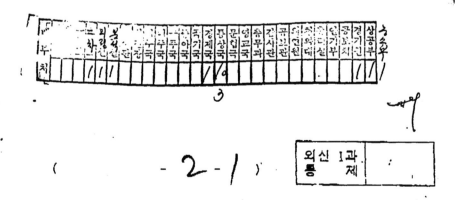

- 2 -1

외신 1과
통 제

0190

742 P16   WOIMUCOM 1   '92-03-07 11:02

SO.

In a related development, international trading partners failed to meet an important deadline in the Uruguay Round negotiations this week when no country tabled genuine draft final country schedules in agriculture and industrial sectors. At a March 5 meeting of the market access group, most countries tabled documents, but in some cases these were nothing more than initial offers, according to a GATT spokesman. As expected, the EC tabled a "qualitative assessment" (*Inside U.S. Trade*, Feb. 28, p 1) of the tariff negotiations in the industrial sector, followed by the U.S. and Canada, which in turn led other countries to hold back on revealing their final positions. In agriculture, the U.S. tabled a complete schedule, but maintained the explicit right to alter its position if other countries failed to offer sufficient concessions. The EC tabled incomplete lists after a drawn-out fight between the Commission and member states. The lists provide largely baseline data, with explicit annotations which state that the EC does not accept the draft agricultural agreement. But the EC lists show the tariff equivalents that have been calculated to replace the existing variable levy. Korea did not table any agricultural texts, but said it would do so as soon as possible, according to the GATT spokesman. Japan did not offer tariff equivalents for rice and other sensitive commodities, and its tariff cuts fall short of the target requires in the draft text. A new stock-taking meeting of the market access group is scheduled for March 12.

U.S. and EC negotiators are planning to meet again as early as next week in an effort to reach a compromise over the draft farm agreement, but that could be postponed until the following week, according to informed sources. A meeting late last week, which focused largely on how to treat internal supports, failed to bridge the gap between the U.S. and the EC. Senior U.S. officials this week said that the EC was now responsible for presenting concrete proposals on the changes it is seeking in the draft text. In addition to internal supports, the EC raised the need to have greater flexibility to apply export subsidies to product groups rather than individual commodities.

One senior U.S. official said the meeting did not reach any conclusions, while another said it did not produce a "whole lot of movement." In his March 3 speech to the National Association of State Departments of Agriculture, Madigan implicitly criticized the EC for reneging on an earlier commitment when he pointed out that the GATT draft provisions on export subsidies were patterned after a proposal made by Dutch Prime Minister Ruud Lubbers in a high-level Nov. 9 meeting aimed at striking a compromise. In that meeting, Madigan and President Bush agreed to cut roughly in half U.S. demands for reductions in export subsidies and internal supports, to be achieved in two phases. In the draft agriculture agreement, the numbers have been whittled down more than the U.S. proposed as a compromise and there is no firm assurance in the text that the reforms in the first six years would be repeated to the same extent in the following four years.

The Feb. 27 & 28 meeting among U.S. and EC negotiators did not reach a conclusion on the contentious issues of internal supports or export subsidies, according to informed sources. The EC failed to follow up on ideas it had floated in a Feb. 14 meeting and did not present any clear proposals on how it wants to exempt its direct income supports envisioned under a future reform of the Common Agriculture Policy, they said. Instead, EC negotiators focused on the difficulties they have in accommodating future CAP reforms with the GATT draft, sources said. For example, they pointed out that it is very difficult to set a fixed base area that would entitle EC farmers to support, sources said. They also demanded that export subsidy commitments not be made on individual products, but on product groups, which U.S. officials fear will lead to an erosion of the disciplines.

The U.S. in turn responded with possible ideas on how to exempt some income payments from cuts over the six-year period of the farm reform agreement in the GATT. These payments, which would not be entirely decoupled from production, are envisioned to be in a so-called safe box, which is similar to a previous U.S. proposal of a blue box made late last year, sources said. In the safe box, the amount of the payments would be capped based on an aggregate measure and the level of production that could be supported by them would have a ceiling cap. In order to be eligible for the payments, farmers would have to participate in a set-aside program, sources said.

The U.S. pressed the EC for assurances that the disciplines in the safe box would indeed be implemented, sources said. However, EC negotiators made it clear to the U.S. they could not do so for fear of upsetting member states further over the Uruguay Round and the planned CAP reform, these sources said.

On export subsidies, the EC pressed that disciplines be applied to product groups in the aggregate, sources said. This could render the disciplines on export subsidies meaningless, according to one U.S. source.

1343—2—2

2

원 본

관리 번호	92-183

외 무 부

종 별 :

번 호 : GVW-0518   일 시 : 92 0306 1800

수 신 : 장관(통기,경기원,재무부,농림수산부,상공부) 사본:박수길대사

발 신 : 주 제네바 대사대리

제 목 : UR/시장접근 협상

　　　연: GVW-0512

　　1. C/S 를 입수하기 위한 미국, EC, 일본등과의 개별접촉 결과는 3.6(금) 현재 아래와 같으며 입수된 C/S 는 금일 파편 송부함.

　　　0 미국: 아국의 공산품 SCHEDULE 과 미국의 농산물 SCHEDULE 교환은 곤란함. 아국의 농산품 SCHEDULE 과 교환 가능할 경우 재접촉

　　　0 EC: 아국의 공산품 SCHEDULE 과 EC 의 농산물 BASIC INFORMATION 을 상호교환

　　　0 일본: 아국의 공산품 SCHEDULE 과 일본의 농.공산품 SCHEDULE 을 상호교환

　　　0 카나다: 공산품에 대한 QUALITATIVE ASSESSMENT(별첨)는 먼저 입수하였으나 아국의 공산품 SCHEDULE 과 카나다의 농산품 SCHEDULE 상호 교환문제는 카나다측에서 본부와 협의후 결정할 사항이라하여 다음주 초에 재접촉키로 함.

　　2. 아직 C/S 를 입수하지 못한 국가들과 계속 개별접촉할 예정이며 상기국가들과의 개별접촉과정에서 동자료의 교환은 갓트 밖에서 이루어지는 개별차원에서의 교환이므로 상호 보안을 지켜주기로 합의하였는바 국내언론 보도등에 유의하여 주기바람.

　　　첨부: 카나다의 QUALITATIVE ASSESSMENT

　　　(GVW(F)-0163). 끝

　　　(차석대사 김삼훈-국장)

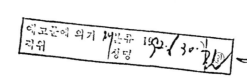

　　예고:92.6.30 까지

통상국　　2차보　　구주국　　분석관　　청와대　　경기원　　재무부　　농수부　　상공부

오눈

주 제 네 바 대 표 부

번 호 : GVW(F) - 0163   년월일 : 20306   시간 : 1800

수 신 : 장   관 (총기, 경가원, 재무부, 농림수산부, 상공부)

발 신 : 주 제네바대사   사본! 박수길대사

제 목 : 첨부

총 4 매 (표지포함)

보 안	
품 제	

의신과	
품 제	

0193

163 - 6 - 1

2 March, 1992

MTN: MARKET ACCESS

Canadian Submission on Industrial and Resource Products

INTRODUCTION:

Canada tabled its initial market access offer on industrial and resource products in March, 1990. Since then, Canada has been engaged in plurilateral and bilateral negotiations aimed at securing the largest possible result in the market access negotiations on all goods traded internationally. Canada shares the view that detailed market access negotiations must be advanced before a definitive judgement can be made on the overall balance of benefits under the Uruguay Round global package of results.

With a view to advancing the negotiations on market access on industrial and resource products, Canada is prepared to enlarge its overall offer in areas which show promise of concrete results. Canada's objective remains the achievement of across-the-board reduction of tariffs by all participants, aimed at yielding at least a one-third reduction overall, with a minimum of exceptions. In addition, Canada supports endeavours to achieve total elimination of trade barriers, deeper than one-third tariff cuts or tariff harmonization in certain sectors.

CANADA'S INITIAL OFFER:

It will be recalled that Canada's initial tariff offer was based on a harmonizing formula yielding reductions of between 33 and 38 percent, with a minimum of exceptions and envisaging a gradual phasing-in period. The proposal was conditional on mutually satisfactory results overall in the market access negotiations, including the elimination or reduction and binding of tariff and non-tariff barriers alike on as wide a range of goods as possible by all participants. Conditional offers on particular products were based on resolution, and binding, of specific non-tariff barriers which are covered by specific GATT codes or which were identified by Canada in its requests to other participants. Certain offers were also based on satisfactory outcomes to other aspects of the negotiations.

Implementation of Canada's initial proposal would have resulted in an overall reduction of about 40 percent, on a trade weighted basis, on approximately $35 billion of MFN imports (based on 1988 data). Canada's proposal included global free trade involving the elimination of tariffs and non-tariff barriers by all participants in fish and fish products, certain chemicals and petrochemicals, forest products (wood and paper) and computer and

0194

163-4-2

2

telecommunications equipment, parts and components. The proposal addressed the specific objectives agreed at Montreal, namely the elimination of tariffs and the reduction or elimination of high tariffs, tariff peaks, tariff escalation and low tariffs.

NEXT STEPS:

Whether Canada can maintain or improve its initial offer during this final intensive negotiating phase depends upon the positions adopted by other participants. Canada's preference is to negotiate further improvements in concert with improvedl offers from other countries. In this connection and conditional upon a large overall MTN outcome, Canada will be making the modifications set out below, subject to comparable action by others :

Forest products: Tariff elimination in this sector to be expanded to include downstream products in both wood and paper, including books (all of H.S. chapters 44, 47, 48 and 49).

Non ferrous metals: Barrier elimination on all non-ferrous ores, concentrates, metals and further processed products (all of H.S. chapters 26, 74, 75, 76, 78, 79, 80 and 81).

Construction and farm equipment: Barrier elimination; the precise coverage (mainly in H.S. chapter 84) to be developed in consultation with other participants.

Medical and scientific devices: Barrier elimination; the precise coverage (mainly in H.S. chapter 90) to be developed in consultation with other participants.

Pharmaceuticals: Barrier elimination on products in H.S. chapter 30 and related products in other chapters as agreed by participants.

Chemicals: Harmonized rates (generally 5.5 percent and 6.5 percent (CIF equivalent)) on products other than pharmaceuticals in H.S. chapters 28 to 39 inclusive.

Fish: Canada continues to seek the largest possible package of tariff and NTB reductions on fisheries products (mainly in H.S. chapters 3 and 16). If barrier elimination cannot be attained in this Round, Canada will be adjusting its offer (eg., to incorporate a one-third cut) to reflect the positions of others.

Canada is prepared to revise its offer further depending on developments in bilateral and plurilateral negotiations amongst participants and depending on the overall packages supported by others. On steel, for example, Canada could agree to barrier elimination the context of a major overall market access result, as long as it were to include real market access liberalization through, inter alia, national and non-discriminatory treatment in

0195

163-4-3

3

government procurement.   On <u>electronics</u>, Canada strongly favours barrier elimination in this internationally rationalized sector and would be prepared to improve its offer if others also agree.

There may need to be adjustments to Canada's offer on <u>textiles and clothing</u>, where the proposed tariff reductions range up to 38 percent, and on <u>footwear</u>, which is on offer at a 20 percent reduction.   Maintenance of these offers depends on developments in the negotiations overall, particularly in terms of achieving a balance between Canada's offer and the offers of its trading partners.   Canada's offer in these sectors is also conditional on what Canada's trading partners are prepared to offer in similar product areas.

0196

/63-4-4

원 본

외 무 부

종 별 :

번 호 : GVW-0536   일 시 : 92 0309 1900

수 신 : 장 관(봉기, 경기원, 재무부, 농림수산부, 상공부) 사본:박수길대사

발 신 : 주 제네바대사대리

제 목 : UR/시장접근 협상동향

　　- 금일(3.9) 오전 DENIS 의장 및 갓트 사무국은 COMPREHENSIVE SCHEDULE 을 제시한국가에 대하여만, 현재 제시한 모든 SCHEDULE을 배포하기로 결정하고 금일 오후부터이를 배포하기 시작하였음.

　　- 미국, 카나다등 농산물에 대한 SCHEDULE 만제시하고 공산품에 대해서는[5H]대 한 SCHEDULE 만 제시한 아국등은 COMPREHENSIVE SCHEDULE 을 제시하지 않은 것으로 간주되어 배포대상에서 제외되고 있음.끝

　　(차석대사 김삼훈-국장)

통상국　　　　경기원　　재무부　　농수부　　상공부

PAGE 1   92.03.10   08:38 WH

외신 1과 통제관

0197

원 본

04 (32)

외 무 부

종 별 :

번 호 : GVW-0557   일 시 : 92 0313 1930

수 신 : 장 관(통기,경기원,재무부,농림수산부,상공부)사본: 박수길 대사

발 신 : 주 제네바 대사대리

제 목 : UR/시장접근 협상그룹 회의

3.12(목) 개최된 표제회의 토의 요지 아래 보고함.

1. 각국의 C/S 제출현황

의장은 금일까지 18개국이 C/S를 제출하였다함.

- 금주 제출국가: 콜롬비아(농.공산품), 뉴질랜드(농.공산품), 칠레(농.공산품), 코스타리카(농산물)

- 내주중 또는 조만간 제출 예정국가 : 이집트, 베네주엘라, 싱가폴, 항가리, 브라질, 북구(스웨덴, 핀랜드, 노르웨이, 아이슬랜드), 오지리, 스위스, 볼리비아, 말레이지아등

2. 협상진전 현황에 대한 각국입장

- 미국

O EC 와의 양자협상 결과 상당한 진전이 있었으나 공산품에 대한 LINE BY LINE SCHEDULE을 제시할 단계는 아님.

O 농산물은 많은 국가가 SCHEDULE 을 아직 제시하지 아니하였고 제출한 국가도 그 내용이 부실한바(예, TE 에서의 예외, 감축율의 생략등) 제출하지 아니한 국가는 조속 제출하고 내용이 부실한 SCHEDULE 은 DUNKEL TEXT 어일치하도록 수정 촉구

- 일본

O C/S 미제출 국가 조속 제출 촉구

O 자국 SCHEDULE 은 자국의 어려운 상황을 감안한 의미있는 SCHEDULE 이며 일부예외문제등은 TRACK 4 에서 다루어질 사항임.

- EC

자국이 제출한 기초자료는 DUNKEL TEXT 에 대한EC의 기본입장에 따라 작성 ,제출된 것이며 동자료에서 누락된 부분은 앞으로의 협상진행 결과에 따라 적절히 추가될 것

통상국   경기원   재무부   농수부   상공부   국기축

PAGE 1   92.03.13   05:48 FN

외신 1과 통제관

0198

임.

   - 호주, 뉴질랜드, 우루과이, 홍콩, 알젠틴

   0 현재의 협상진행상황(다수국이 미제출) 및 제출된 SCHEDULE 의 내용에 실망표시

   0 현재의 진전상황으로 보아 시한(부활절 이전)이지 켜질지 의문시되며 시한의 계
속적인 불이행은 협상그룹의 책임 및 신뢰성을 크게 훼손

   0 많은 나라의 조속제출 촉구

   3. 제출된 SCHEDULE 의 평가

   - 현 상황에서 평가(EVALUTION) 가 불가능하므로 차기회의 재론

   4. 차기회의

   - 3.19(목)경 재회합키로 함.끝
   (차석대사 김삼훈-국장)

AIRGRA⌐   AÉR━RAMME

GATT/AIR/3307   18 MARCH 1992

SUBJECT: URUGUAY ROUND NEGOTIATING GROUP ON MARKET ACCESS

1.   THE NEGOTIATING GROUP ON MARKET ACCESS WILL MEET ON THURSDAY,
26 MARCH 1992 AT 10 A.M. IN THE CENTRE WILLIAM RAPPARD.

2.   THE FOLLOWING AGENDA IS PROPOSED:

     (A)   STATE OF THE SUBMISSION OF DRAFT SCHEDULES;

     (B)   STATE OF THE SECRETARIAT'S EVALUATION OF MARKET ACCESS SCHEDULES;

     (C)   OTHER BUSINESS.

3.   GOVERNMENTS PARTICIPATING IN THE MULTILATERAL TRADE NEGOTIATIONS, AND
INTERNATIONAL ORGANIZATIONS WHICH HAVE PREVIOUSLY ATTENDED PROCEEDINGS OF
THIS NEGOTIATING GROUP, WISHING TO BE REPRESENTED AT THIS MEETING ARE
REQUESTED TO INFORM ME AS SOON AS POSSIBLE OF THE NAMES OF THEIR
REPRESENTATIVES.

                                              A. DUNKEL

92-0347

0200

SENT BY: Director-General, GATT, Tel. address: GATT GENEVA
ENVOYÉ PAR: Directeu

신(안)#

원 본

외 무 부

종   별 :

번   호 : GVW-0612   일   시 : 92 0319 1800

수   신 : 장 관(통기, 경기원, 재무부, 농림수산부, 상공부)

발   신 : 주 제네바 대사

제   목 : UR/시장접근 협상 그룹 비공식 회의

　　　3.19(목) 당지에서 개최된 표제회의 토의요지 아래 보고함.(본직, 엄재무관, 최농무관, 강상무관 참석)

　　　1. DENIS 의장은 지난주 공식회의(3.12) 때까지 18개국이 스케쥴을 제시했음을 상기시키고 이후 오늘까지 9개국이 스케쥴을 제시하였음을 언급하면서 미제출 국의 조속 제출과 부실한 OFFER 의 개선을 재차 촉구함.

　　　2. 각국의 스케쥴 제출 동향

　　　- 3.12 이후 제출 국가

　　　0 모로코: 공산품 제출, 농산물 곧 제출

　　　0 노르웨이: 농산물 제출

　　　0 루마니아: 공산품 제출, 농산물 곧 제출(내주중)

　　　0 항가리: 공산품 제출, 농산물 곧 제출(내주중)

　　　- 내주중 제출 예정국가

　　　0 오지리, 싱가폴, 핀랜드, 체코, 필리핀, 스웨덴, 멕시코, 아이슬랜드, 스위스

　　　- 아국은 공산품 스케쥴은 기 제출하였으며, 농산물 스케쥴은 본부에서 작성중인바, 그 작성이 완료되는 대로 조속 제출 예정임을 언급함.

　　　3. 의장은 다음 공식회의를 3.26(목) 개최키로 함.

　　　(대사 박수길-국장)

통상국　　2차보　　외정실　　분석관　　경기원　　재무부　　농수부　　상공부

PAGE 1

외 무 부

원 본

종 별 :

번 호 : GVW-0613   일 시 : 92 0319 1800

수 신 : 장 관(통기,재무부)

발 신 : 주 제네바 대사

제 목 : UR/시장접근 협상 REQUEST LIST 송부

  필리핀으로 부터의 수정 REQUEST LIST 를 별첨송부함.
  첨부: 수정 REQUEST LIST 1부. (GVW(F)-194)

  (대사 박수길-국장)

통상국   재무부

PAGE 1   92.03.20   21:41 DS

                                             외신 1과 통제관

                                             0202

주 제 네 바 대 표 부

번　호　:　GVW(F) - 0194　　　년월일 : 2031A　　시간 : 1800

수　신　:　장　　관(등기, ~~경제기획원~~, 상공부, 재무부, ~~농림수산부~~)

발　신　:　주 제 네 바 대 사

제　목　:

총　2　매(표지포함)

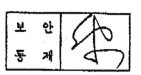

보　안	
동　재	

외신과	
봉　재	

1P4-2-1

0203

**PHILIPPINE MISSION TO THE UNITED NATIONS
AND OTHER INTERNATIONAL ORGANIZATIONS**

OFFICE OF THE COMMERCIAL ATTACHE

47, AVENUE BLANC, 1202 GENEVA
SWITZERLAND
TEL. (022) 732 59 64   TLX 412658   TELEFAX (022) 731 79 79

18 March 1992

Mr. Rak Yong Uhm
Attache (Financial Affairs)
Permanent Mission of the
Republic of Korea
Route de Pre-Bois 20
1216 Cointrin

Dear Mr. Uhm,

Please refer to Mr. Buencamino's letter of 27 February 1992 wherein he enclosed our request list on market access.

I wish to inform you that our tariff request on HS 0306.73.9000 should read as zero per cent (0%) instead of ten per cent (10%). Sorry for this typographical error.

I look forward to a meeting with you as soon as possible to discuss our request list.

Very truly yours,

LOURDES A. BERRIG

0204

rP4-2-2

신(외)

원/본

관리
번호 *72-237*

외 무 부

종 별 :

번 호 : GVW-0644   일 시 : 92 0324 1100

수 신 : 장관(봉기,경기원,재무부,농림수산부,상공부)

발 신 : 주 제네바대사

제 목 : UR 시장접근 협상(EC 협의)

3.23.12:00-14:00 EC 대표부에서 개최된 표제 협의에는 아국, 인도, 파기스탄, 홍콩등 4 개국 대표가 초청되었으며, 미- 이씨 양자 협의 추진 현황등 최근 협상 동향에 관한 EC 측의 설명이 있었는바 요지 하기 보고함.(엄재무관, 최농무관 참석)

1. 미, 이씨 양자 협의에 관한 이씨측 언급 요지

가. 공산품 분야

- 이씨는 기존입장인 FORMULA 접근법을 계속 견지하고 있으나 미국과의 입장 차이 때문에 각국의 REQUEST 와 OFFER 를 기초로 하여 다소의 입장 조정을 추진중에 있음.

- 분야별 협상관련

0 화학제품은 관세를 0%, 5.5%, 6.5% 로 조화하는 방식으로 상당히 의견 접근되었음. 이행기간은 5-10 년(일부는 15 년) 정도임.

미국은 당초 84 개 품목의 예외를 주장하였지만 이씨의 반대로 예외 품목을 축소할 것으로 예상되며, 일본도 일부 예외품목을 제시할 것으로 예상됨. 화학제품의 관세조화에 한국의 참여가 중요함.

0 의약품과 철강분야의 무세화에 대체적 합의를 이루었음.

0 건설장비와 의료기기는 원칙적으로 무세화에 합의하지만 대상품목 범위에이견이 있음. 기타 무세화 제안분야는 현재 미.EC 간에 실질적 토의가 진행중이 있으나 아직 해결의 실마리를 찾지 못하고 있는바 가급적 많은 나라가 이씨의섬유제품 관세조화 방안에 동조하여 미국에 최대한의 압력을 행사할 수 있기를희망

나. 농산물 분야

- AMS, TE, MMA 등 기초자료를 이미 제시하였음.

다만, T-4 와 관련 삭감 약속은 공란으로 두었는바 삭감폭등 협상 원칙에 대한 합의가 이루어지면 바로 삭감 약속을 하게 될것임.

통상국	장관	차관	1차보	2차보	외정실	분석관	청와대	안기부
경기원	재무부	농수부	상공부					

PAGE 1

예고문에 의기 분류 19*2-6.30.* 성당

92.03.24   21:06

외신 2과 롱제관 FK

0205

~~- 던켈 초안관련 현재 미-이씨간 주된 입장차이가 하게 될것임.~~

- 던켈 초안관련 현재 미-이씨간 주된 입장차이가 있는 부분은

① 국내보조 분야에서 CAP 개혁 추진과 관련 소득 보상 직접 보조의 허용정책 분류 문제인바 미측이 다소의 융통성(조건부 허용)을 보이고 있음

0 수출보조 분야에서 물량기준 삭감 약속의 문제는 곡물 대체품과 연계되어협상이 진행중이나 아직 해결책을 찾지 못하고 있음.

0 시장접근 분야의 바나나 문제는 주요쟁점이 아님

다. 부시-콜 정상회담

- 정상회담의 구체적 내용은 아직 알려지지 않았으나 뚜렷한 해결책이 마련되지 못한 것으로 알고 있음.

- 정상회담과 별도로 각료급 양자 협의가 지난주 미국에서 개최되었으나, 현재까지 양국간 협의에서 구체적 합의는 이루어지지 못하였음. 미-이씨간 양자 협의는 금주에도 계속 되야 할것이나 현재로서는 확정된 계획이었음.

라. 협상 타결싯점

- 부활절 시한까지 협상을 종결시킨다는 입장에 변화가 없으며, 이를 위해 계속 노력하고 있지만, 미국과의 합의가 금주중 늦어도 내주까지 이루어지지 않을 경우 시한을 맞추기 어려워 질 것으로 봄.

0 금주중 미국과 합의가 되면 내주중 일본, 카나다 및 기타 선진국과, 그다음주에는 여타국과의 협상을 통해서 부활절까지 타결을 지을 수가 있을 것임.

0 동 시한을 맞추지 못할 경우 미국 선거와 관련하여 금년내에 미의회의 승인을 얻기가 어려워질 것이며 따라서 의회승인 절차가 내년초로 넘어갈 가능성이큼. 그러하더라도 협상의 IMPETUS 를 잃지 않도록 해야 함.

2. 기타

가. 인도, 파키스탄, 홍콩등은 미국에서 논의되고 있는 관세인하와 MFA 철폐기간과의 연계성을 언급하면서 이씨측 입장이 중.단기적으로는 자국에 별도움이 되지 않는다고 하였음.

나. 아국은 화학제품 무세화 제안이 아직 관계국 정부의 공식제안이 아니라는 점과 현재 관세율이 높은 국가만 조화세율로의 인하를 요구하고 현재의 조화세율 수준에 도달한 국가에 대하여는 언급이 없는것은 불합리 하다고 주장하였음.

농산물과 관련해서는 T-4 의 조속한 가동이 필요하며, 특히 예외없는 관세화문제와

PAGE 2

같이 상당수 국가에게 극히 중요한 문제에 대하여는 미국 이씨등 주요국이 협상의
성공적 타결을 위해 적극적으로 해결책을 찾아볼 필요가 있다고 하였음.

0 이에 대하여 이씨는 예외없는 관세화에 대한 기존입장을 되풀이하면서, 아국이
미국 및 케언즈그룹과 먼저 협의하는 것이 좋을 것이라고 하였음. 끝

  (대사 박수길-국장)

  예고:92.6.30 까지

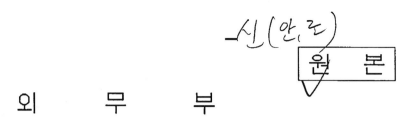

외 무 부

종 별 :

번 호 : GVW-0664   일 시 : 92 0325 1830

수 신 : 장관(통기, 경기원, 재무부, 농림수산부, 상공부)

발 신 : 주 제네바 대사

제 목 : UR/시장 접근 그룹 비공식협의

연: GVW-0652

3.25(수) DENIS 의장은 주요개도국(아국, 홍콩, 싱가폴, 말레이지아, 태국, 모로코, 브라질, 알젠틴, 콜롬비아, 우루과이, 칠레, 코스타리카, 베네주엘라, 인도, 세네갈등)을 초청하여 3.26(목) 개최예정인 공식 회의의 진행 방향과 향후 협상진행 방향등에 대한 비공식 협의를 가졌음.(김대사, 엄재무관, 최농무관 참석) 금일 오전에는 주요 선진국을 초청 비공식 협의가 있었음.

1. 의장은 현재의 협상 진행 상황이 매우 어려운 딜레마에 봉착되어 있음을 시인하면서

0 내일 공식 회의 의제는 C/S 제출 상황점검과 제출된 C/S 의 평가이나 C/S 의 평가는 아직 시기상조라는 생각을 가지고 있으며

0 앞으로의 협상 진행 방향은 무엇보다도 먼저 각국이 모든 물품에 대한 C/S 를 제출하거나 기제출된 C/S 를 개선시키는 것이 중요함을 강조하고, 현재 의장 자신으로서는 T-1 협상의 중요 진행상황을 TNC 의장에게 보고할수밖에 없는 상황이라고 하고, 협상 시한등에 대해 언급할 입장이 아닌바, 현재로서는 기설정된 협상 시한에따라 추진할수 밖에 없다고 말함.

2. 말레이지아, 칠레, 알젠틴, 브라질, 우루과이, 홍콩등 대부분의 협의 참가국은공통적으로 현재의 협상 진행 상황에 실망과 우려를 표명하고 특히 미국, EC 의 주요 교역국이 갓트밖에서 협상 시한 준수등의 약속을 어기면서까지 타협의 전기를 마련하지 못하는 것은 협상 참가국간의 신뢰성을 훼손시키고 있음을 지적함. 또한 내일회의에서 중요한 것은 현재의 협상 진전 상황이 어디에 와 있는지에 대한 솔직한 보고와 평가가 있어야 하고 특히 의장의 적극적인 역할을 강조하면서 이러한 상황에서TNC 의 소집등 가능한 모든 방안과 노력이 있어야 함을 지적함.

통상국   2차보   경기원   재무부   농수부   상공부

PAGE 1   92.03.26   07:44 DQ

외신 1과 통제관

0208

3. 아국은 공산품 C/S 는 3월초에 이미 제출하였으며, 농산물 C/S 는 본국에서 거의 작업이 완료되었는바 국내적 절차로 다소 그 제출이 늦어지고 있긴 하나 조만간제출할 예정임을 언급함.

또한 UR 은 반드시 성공적으로 조기 타결되어야하며, 이를 위해서는 모든 참가국이 자신의 위치에서 최선을 다하여 자신의 역할과 몫을 다하는 것이 중요함을 강조함.

4. 의장은 내일 회의에서 향후 협상 진행방향등에 대한 구체적인 결론은 없을 것이나, 한국이 개진한 긍정적 의견등은 향후 협상진행에 유익할 것인바, 각국이 솔직하고 긍정적인 의견 개진과 특히 조속한 C/S 제출을 재차 강조하였음.

5. 현재의 C/S 제출 상황과 제출된 C/S 의 내용에 대한 보고가 있어야 한다는 요청에 대하여 의장은 내일 공식회의에서 이를 보고할 것이라 하였음. 끝

(대사 박수길-국장)

MULTILATERAL TRADE

NEGOTIATIONS

THE URUGUAY ROUND

R■■ICTED

MTN.GNG/MA/7
26 March 1992

Special Distribution

Group of Negotiations on Goods (GATT)
Negotiating Group on Market Access

MEETING OF 5 MARCH 1992

Note by the Secretariat

1.   The seventh meeting of the Negotiating Group on Market Access was convened by GATT/AIR/3297 of 28 February 1992 and chaired by Mr. G. Denis. The Group adopted the following agenda:

(a)   Comments by participants on their draft Schedules of concessions and commitments;
(b)   General review of the state of the submission of draft Schedules;
(c)   Other business.

2.   The **Chairman** proposed to take up under the agenda item "Other business", matters related to the circulation of draft Schedules, the evaluation of market access offers and the date of the next meeting.

3.   He recalled that at the Trade Negotiations Committee meeting of 13 January 1992, the Group had been given the task to engage in a process of submission of Schedules of concessions and commitments necessary to complete the market access negotiations in time for the overall outcome of the Uruguay Round before Easter this year.

(a)   **Comments by participants on their draft Schedules of concessions and commitments**

4.   The **Chairman** referred to two Secretariat notes that had been prepared with a view to facilitating the negotiating process. The first related to the preparation of the Uruguay Round Schedules of Concessions (document MTN.GNG/MA/W/15), and the second to the preparation of the lists of specific binding commitments under the agriculture reform programme. He emphasized the importance of the timely submission of comprehensive market access concessions and commitments, so that a substantial and balanced Uruguay Round package could be achieved within the time-frame envisaged.

5.   The Group heard statements by various delegations on the current situation regarding submission of their country draft Schedules. Some participants stated that their authorities had submitted comprehensive draft Schedules in accordance with the procedures and modalities outlined in document MTN.GNG/MA/W/15 and the Draft Final Act. With respect to industrial products, the draft Schedules consisted of either the original offer made in 1990, or of an improved offer which in some cases went beyond the Montreal target, or of an offer adapted in the light of

GATT SECRETARIAT
UR-92-0056

0210

negotiations with other participants. Some participants stated that they
had not yet been in a position to table comprehensive draft Schedules
either because key bilateral negotiations with their main trading partners
were still underway or because they were waiting for the outcome of other
major participants' offers.

6.   Other participants expressed their governments' intention to submit
comprehensive draft Schedules in accordance with the modalities set out in
the draft Final Act in the very near future. Reasons mentioned for the
delay of the submission of these Schedules included technical
difficulties, especially with respect to the preparation of the lists of
specific binding commitments under the agriculture reform programme;
negotiating concerns, such as the uncertain outcome of the negotiations in
certain product areas; or broader substantive political issues which
required further discussion under Track Four. One participant stated that
his authorities felt that they were not in a position to submit a draft
Schedule at this juncture. The on-going consultations between his
authorities and a major trading partner had yet to be concluded, and such
a draft Schedule would have projected an inaccurate picture of the
next-to-final offer.

7.   Many participants pointed out that their draft Schedules were
conditional, and might have to be revised in the light of results reached
in the sectoral negotiations as well as the market access area in general.

(b) **General review of the state of the submission of draft Schedules**

8.   The **Chairman** invited participants to provide their preliminary
substantive reactions to the comments made under agenda item one. In his
view, there was a mixed picture emerging. On the one hand, progress was
being made on key issues and it was encouraging that many participants
intended to follow fully the modalities of the Draft Final Act. On the
other hand, there were apparent disparities, at this stage, between the
stated intentions of a number of participants and various elements of the
Draft Final Act.

9.   Many participants expressed disappointment at the fact that a number
of participants had either submitted non-comprehensive draft Schedules, or
had not as yet submitted any such documentation; a timely submission
would have allowed the necessary evaluation exercise of the next-to-final
offers to take place. In addition, the uncertainty surrounding the
outcome of the negotiations between the two major trading partners and the
sectoral negotiations had contributed to this delay. One participant,
however, noted the importance of maintaining flexibility in the process.

(c) **Other business**

-    Circulation of Schedules

10. The **Chairman** stated that part of the process of the final stage of
the market access negotiations involved the circulation of the draft
Schedules which would allow for a final balancing of commitments. While

0211

in principle all participants should have been exchanging equally complete Schedules, in practice at this stage, there appeared to be a difference in the way in which the various national submissions had been prepared. He stressed that in order to be complete the draft Schedules needed to be comprehensive in their coverage, which meant that both the agricultural and industrial products within chapters 1 to 97 of the Harmonized System Nomenclature or chapters 1 to 99 of the Customs Co-operation Council Nomenclature should be covered. Only participants which had tabled comprehensive draft Schedules could expect to participate in the circulation of draft Schedules and receive the submissions made by other participants.

11. A few delegations stated that in their view "comprehensive" submission meant draft Schedules covering on a tariff line basis offers on both agricultural and non-agricultural products. Only such submissions would qualify for participation in the circulation of draft Schedules. They were, however, prepared to leave the decision on circulation to the judgement of the Chairman.

- Review and assessment of the market access negotiations

12. The **Chairman** stated that this issue was of great importance, and the Secretariat would undertake the technical analysis as soon as a sufficient number of submissions were available. The Group **agreed** to return to this matter at the next meeting.

- Date of next meeting

13. The Group **agreed** that the next meeting of the Group would take place on 12 March 1992.

- Conclusion

14. The **Chairman** in his concluding remarks stated that it was clear that serious and good faith efforts to move the market access negotiating process forward were underway. In agriculture, the task ahead included the need to complete the draft Schedules where there were gaps. In this context, he added that, without prejudice to any developments that could take place under Track Four, the Draft Final Act set the framework for the work in the Group. On non-agricultural products, the various tariff and non-tariff negotiations should be brought to a speedy conclusion. Participants who had not yet submitted their draft Schedules should do so expeditiously.

0212

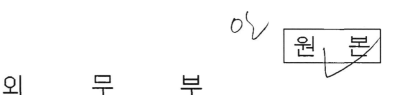

외 무 부

종   별 :

번   호 : GVW-0676   일   시 : 92 0326 1830

수   신 : 장관(봉기,경기원,재무부,농림수산부,상공부)

발   신 : 주제네바대사

제   목 : UR 시장접근 협상 그룹회의

3.26(목)   당지에서   개최된   표제회의   토의   요지   아래
보고함.(김대사,엄재무관,최농무관 참석)

1. C/S 제출 현황,

- 의장은 사무국이 작성한 현재까지의 C/S 제출현황 자료(별첨)를 배포하고
현재까지 30개국이 C/S 를 제출하였다고 함.

- ~~미국과 EC 는 양자 협상이 고위급에서 진행되고 있으며 앞으로도 계속될 것이라~~
~~함.~~

- 호주, 뉴질랜드등 많은 국가가 포괄적 C/S 를 제출했다고 분류한 카테고리 1에
농산물인 경우 일부 자료만 제출하거나, 공산품인 경우 QUALITAIVE ASSESSMENT
만제출한 국가까지 포함시킨 것은 불합리하며 미국,EC 의 양국이 3.1. 제출 시한을
연기하면서까지 협상을 진행한 현시점에서 구체적인 타협이 없다는데 불만과
실망을표시하면서 조속한 C/S 제출과 개선을 촉구하면서, 4대 주종교역국이 카테고리
1에포함된 사실에 불만을 표시함.

- 브라질, 알젠틴, 말레이지아,콜롬비아,우루과이,홍콩등도 협상진전 상황에
실망을 표시하고 호주,뉴질랜드 의견에 동의함.

- 아국은 협상 타협을 위해 금번 회의가 현재의 협상이 어디어 와 있고 어떠한
타협점이 모색되어야 하는가에 대한 정확한 인식 차원에서 특히 중요하다고 하고
아국은 MONTREAL 목표를 달성한 공산품 C/S 는 이미 제출하였고 농산물 C/S는 거의
작업이 종료단계에 있어 조만간 제출예정임을 설명함.

또한 아국은 사무국이 제시한 C/S 제출 현황자료가 다소 과장되어 있고 수정이
필요다하다는 의견에 공감을 표시하면서 아국도 농산물 부문에 간단히 입장을
설명하는 자료만 제출했을 경우 카테고리 1에 게재될 수 있겠지만 각국이 협상의

통상국   2차보   경기원   재무부   농수부   상공부

외신 1과 통제관
0213

신뢰성을 높이는데 성의를 갖는 것이 중요하며, UR 의 조속한 성공적 타결을 위하여 특히 주요 2개국이 타협점 모색에 최선을 다해줄것을 촉구함.

- 파키스탄, 스리랑카, 스위스, 인도네시아, 세네갈, 짐바웨, 모로코, 이스라엘, 체코등도 조만간 C/S 를 제출할 것이라고 함.

2. C/S 의 국별 평가문제

- 의장은 지난회의 이후 상황변화가 없고 참가국간 합의가 아직 없으므로 C/S 를평가에는 시기 상조라고 함.

3. 의장은 현재의 상황을 긍정적인 요인보다는 부정적인 요인이 많다고 다음과 같이 평가함.

0 긍정적인 요인으로는

1) 지난회의 이후 많은 나라가 C/S를 제출하였고 앞으로 계속 많은 나라로 부터 C/S 제출이 기대되며

2) 공산품인 경우 주요 교역국의 C/S 가 LINE BY LINE OFFER 가 아니며

3) 주요교역국간 협상 타결에 대한 정치적 결정이 구체적으로 가시화 되고 있지않는듯 하고

4) 협상 절차면에서도 UR 은 다자간 협상인바 사실상 양자간 협상으로 진행되는상황이라 협상 절차면의 불균형된 부분이 있으며

5) 국별 C/S 의 평가를 할수 없는 상황이 계속되는 점을 열거함.

4. 또한 의장은 3.31.까지 각국의 SCHEDULE 을 최종화 하고자 하는 당초의 시한이 몇일 앞으로 다가오고 있음을 상기시키고 차기 회의는 ON CALL상태에서 언제든지 필요시 개최할 것임을 언급함.

첨부: C/S 제출 현황 자료 1부

(GVW(F)-0216).끝

(대사 박수길-국장)

주 제 네 바 대 표 부

번 호 : GVW(F) - 0216   년월일 : 20326   시간 : 1800
수 신 : 장   관 (통기·경기원·재무부·농림수산부·상공부)
발 신 : 주 제 네 바 대 사
제 목 : GVW3,-696 첨부

총 2 매(표지포함)

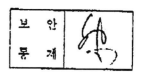

보 안 통 제	
외신관 통 제	

216-2-1

26 March 1992

Market Access

1. **List of participants having submitted comprehensive draft schedules**[*]
   (agricultural and non-agricultural)

1.	Hong Kong	11.	Costa Rica
2.	Japan	12.	Sweden
3.	Peru	13.	Chile
4.	Canada	14.	Finland
5.	Argentina	15.	Colombia
6.	Australia	16.	El Salvador
7.	Uruguay	17.	Norway
8.	EEC	18.	Singapore
9.	United States	19.	Austria
10.	New Zealand	20.	Mexico

2. **List of participants having submitted non-comprehensive draft schedules**[*]

   1. Korea
   2. Paraguay
   3. Venezuela
   4. Malaysia
   5. Iceland
   6. Hungary
   7. Thailand
   8. Morocco
   9. Romania
   10. Brazil

3. **List of participants having indicated their intention to submit draft schedules**

   1. Bolivia
   2. Cuba
   3. Czech and Slovak Federal Republic
   4. Egypt
   5. Guatemala
   6. Honduras
   7. India
   8. Indonesia
   9. Jamaica
   10. Nicaragua
   11. Pakistan
   12. Philippines
   13. Poland
   14. Senegal
   15. Switzerland
   16. Turkey
   17. Yugoslavia

---

[*] In order of receipt of submissions.

주 미 대 사 관

USN(F) : 1887   년월일 :   시간 :

수 신 : 장 관 (통기, 통미, 통상, 경미) 상공부,경제긴   보 안
                                           몽 제

발 신 : 주미대사

제 목 : UR 추진동향 ((애)   (출처 政, 3/27/92)

- -

US, EC Cited As Obstacles In GATT Tariff Reduction Talks

By JOHN ZAROCOSTAS
Journal of Commerce Special

GENEVA — The United States and the European Community came under fire Thursday from other trading nations for blocking progress in the global tariff reduction talks.

High-level trade sources said that during a heated session of the Market Access Negotiating Group of the General Agreement on Tariffs and Trade, the assessment by most delegations was that the March 31 deadline set by GATT Director-General Arthur Dunkel for presenting all draft tariff reduction schedules would not be met.

"The timetable no longer serves any relevance," remarked one Western negotiator.

This puts in serious jeopardy the likelihood that the 108 nations taking part in the five-and-a-half-year "Uruguay Round" talks will be in a position to clinch a deal before mid-April as initially hoped by Mr. Dunkel, inside GATT sources said.

Several nations, including Japan, Canada, Brazil, Argentina, India, Australia, and the Southeast Asian nations, said they were frustrated that the United States and the EC appeared not to be having serious bilateral negotiations and expressed concern that their own interests were seen to be less important than those of the two major trading powers.

A senior U.S. official acknowledged in an interview that the slowness in the tariff talks was largely due to the continuing "agriculture deadlock" between Washington and Brussels.

"We need a result on agriculture before we get the green light to come up with a package deal," he told the Journal of Commerce.

To date, 41 countries have presented detailed tariff schedules, but only about 20 of these schedules are considered comprehensive.

Germain Denis, Canada's Deputy Minister for Multilateral Trade Negotiations who chairs the market access talks, said too many of the schedules were "incomplete" and fell short of the agreed guidelines. He added that delegations will have to make some "hard and frank assessments" over the next few weeks.

(1887 - 1 - 1)

의신 1과
통 제

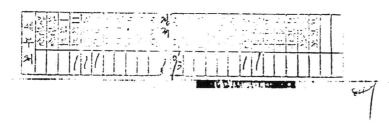

0217

주 미 대 사 관 신

USR(F) : 2137   년월인 :   시간 :
수 신 : 장 관 (통애, 통상, 통기) 상공부, 농기원   보   안
                                              통   제
발 신 : 주 미 대 사 농무산부   INSIDE U.S. TRADE - Special Report - May 1, 1992
제 목 : 미-EC간 oilseeds 문제 관련 (1내)   (출처 :   )

DOLE JOINS 25 SENATORS IN URGING RETALIATION AGAINST EC OILSEED SUBSIDIES

Senate Minority Leader Robert Dole (R-KS) this week joined more than 20 senators in warning the Administration that its failure to act against the European Community in a dispute over oilseed subsidies could endanger congressional support for a future Uruguay Round agreement. If the U.S. does not react to the EC's unwillingness to lower its oilseeds subsidies as requested by international dispute settlement panels, the integrity of the existing dispute settlement authority will be "completely undermined," the senators told U.S. Trade Representative Carla Hills and Agriculture Secretary Ed Madigan in an April 28 letter.

The letter, initiated by Sen. Kit Bond (R-MO), was an effort to step up pressure on the Administration, which this week wrestled with a response to the EC's refusal to further cuts its oilseeds subsidies. The U.S.-EC oilseeds dispute was scheduled to be taken up in an April 30 council meeting of the General Agreement on Tariffs & Trade, but an Administration request to retaliate against EC exports in the value of $1-billion did not go to President Bush until April 29, according to sources. On April 30, the U.S. announced that it was setting the stage for retaliation by suspending tariff bindings on $1 billion worth of EC exports (see related story). An April 27 recommendation by the Trade Policy Review Group to retaliate was delayed because of opposition from the Office of Management & Budget and the Council of Economic Advisers, they said.

The Senate letter urged the Administration to take action against the EC now if it wants to maintain a meaningful congressional commitment to multilateral trade reform in the Uruguay Round negotiations. "In our opinion, there is absolutely no value to a new GATT agreement if contracting parties fail to abide by the current guidelines," the letter said. It points out that the dispute has been going on for five years, since the U.S. industry first filed a section 301 case, and has generated two panel findings against the EC, which members states have rejected. "In short, the Europeans continue to thwart the GATT process and refuse to honor their GATT commitments," the letter said. It also pointed out that the Senate last year passed a resolution with a 97 to 0 vote urging retaliation if necessary to achieve compliance.

In addition to Dole and Bond, it was signed by David Boren (D-OK), Thomas Daschle (D-SD), Dave Durenberger (R-MN), Larry Pressler (R-SD), J. Bennett Johnston (D-LA), Paul Wellstone (D-MN), Nancy Kassebaum (R-KS), Quentin Burdick (D-ND), Conrad Burns (R-MT), Brock Adams (D-WA), Alan Simpson (R-WY), David Pryor (D-AR), Charles Grassley (R-IA), John Danforth (R-MO), Paul Simon (D-IL), Dan Coats (R-IN), Thad Cochran (R-MS), Don Nickles (R-OK), Mitch McConnell (R-KY), Robert Kasten (R-WI), Dale Bumpers (D-AR), Bob Kerrey (D-NE), John Seymour (R-CA), and Jesse Helms (R-NC).

(2137 - 1 - 1)

외신 1과
봉   제

USW(F) : 2746   년월일 :   시간 :

수 신 : 장 관 (통기, 통이, 통상, 경이) 상공부, 경기원   발 등 안 제

발 신 : 주 미 대 사

제 목 : UR 시장접근분야 협상 동향 (2머)   (출처 :   )

INSIDE U.S. TRADE - May 1, 1992

U.S. NEGOTIATORS BACK AWAY FROM ZERO FOR ZERO DEMAND IN ELECTRONICS

U.S. negotiators in the market access talks of the Uruguay Round have backed away from the original Administration demand for an across-the-board elimination of tariffs in the electronics sector, which has been a contentious issue in negotiations with the European Community, according to informed U.S. and EC sources. Instead, the U.S. seems to be adopting an EC approach that offers cuts only in particular products that would benefit U.S. but not Japanese exporters to the EC market, they said.

The shift in position represents a major change from the U.S. demand in the General Agreement on Tariffs & Trade negotiations for a "zero for zero" elimination of tariffs in electronics and selected other sectors. The U.S. decision has met with opposition from U.S. semiconductor producers.

U.S. industry sources charge that cutting tariffs only on those products in which the Japanese are not principal suppliers will hurt the U.S. industry by excluding large cuts in the key areas of semiconductors and computer parts. European tariffs on semiconductors are currently 14 percent, and the tariff on computer parts is currently 4.9 percent. These sources insist that U.S negotiators have made a premature and mistaken concession by dropping the U.S. demand for tariff elimination in the entire electronics sector.

While the U.S. is still calling for the elimination of tariffs on these selected products, the EC is offering an average cut in these products of between 30 and 50 percent, with consumer electronics excluded entirely from tariff cuts, according to U.S. and EC government sources. This cut in selected products would be the average of individual product-by-product reductions, in which higher tariffs on sensitive products would be offset by greater cuts on other items, according to a senior EC official. The official said that the two sides had not yet discussed the size of the tariff cuts they would consider in each product, nor exactly which products will be included on the list. But he stressed that the result would not be zero for zero in these products either.

In addition, the EC official said that the actual offer made by the EC on the size of the average cut will depend on the U.S. offer to cut high tariffs in the sensitive textile sector. The EC has demanded that these so-called tariff peaks be defined as any tariff of 15 percent or greater, and that these tariffs be cut by half. If this demand is met, the EC official said, the EC would likely offer a 50 percent cut in electronics. The U.S., however, earlier this year offered to cut the tariff peaks for some import-sensitive products by one-third, defining peaks as tariffs of 25 percent. The informal U.S. offer was lower for textile tariffs, where the U.S. offered to cut tariff peaks by 15 percent (*Inside U.S. Trade*, March 13, p 21). The EC is particularly interested in textile wool fabrics, where U.S. tariffs are in the 36 percent range and in wool apparel, where the tariffs are in the 20 percent range.

The EC made a formal offer last year to cut tariffs in the electronics sector by one-third across the board, while the U.S. was demanding zero for zero, and neither side has made any new formal offers.

(2746 - 2 - 1)   롱 제

U.S. government source, confirmed, however, that the U.S. is now willing to discuss tariff reductions only in critical products, rather than continuing to press for an across-the-board elimination of tariffs. This willingness by the U.S. to accept a product-by-product approach has emerged in informal discussions between the two sides over the last couple of months, sources say. A U.S. trade official said that the U.S. has accepted that it is unlikely to receive an across-the-board reduction to zero because of European fears about competition from Japanese suppliers. The official said that the U.S. is not interested in negotiating reductions in products where Japan is the primary supplier. Japan is the primary supplier of dynamic random access memory chips to the European market, but the official said that tariff reduction in chips would be one of the products on the list.

Those products which are not on this list, the U.S. official said, are not of interest to the U.S., and he said it would be up to the Japanese and other Asian countries to push themselves for tariff reductions in these areas. "The EC argued that the primary beneficiary of zero-for-zero would be the Japanese, and statistically that's right," the official said. "The last thing we want to do is negotiate for the Japanese."

The U.S. is in the process of identifying products in which U.S. companies are the primary or secondary suppliers to the European market, and pressing for zero in these products. The Administration has also asked U.S. industry to comment on this product list, and will refine the list following these consultations. Even on these products, however, the official conceded, the U.S. and the EC will have to agree on some number between zero and the EC proposal of a 30 and 50 percent average cut.

European semiconductor manufacturers, represented by the European Electronic Computer Association (EECA), have staunchly resisted any tariff cuts in semiconductors. They argue that EC chip manufacturers could not survive without the high tariff on semiconductors because they face higher cost of production than their foreign competitors. Sources say that EECA has favored the approach of splitting tariff reductions, and offering concessions in products such as microprocessors in exchange for maintaining higher tariffs on semiconductors. A European industry source described this as a "model approach," and said that the two sides would be wise to devise strategies that would help U.S. and European manufacturers without helping Japanese companies.

But U.S industry sources argue that the present tariff in fact benefits the large Japanese producers more, because it is easier for them to develop subsidiaries in Europe than it is for small and mid-sized American companies. The Japanese have been willing to bear the costs of building excess capacity in Europe behind the tariff wall, though large U.S. companies such as Intel and Texas Instruments have established manufacturing facilities in Europe. These sources also argue that the Japanese industry is better positioned to withstand the costs of the high tariff than are more financially troubled U.S. companies. One industry source argued that U.S. companies lose more than $500 million annually in semiconductor and computer parts sales to Europe as a result of the tariffs.

More fundamentally, these sources say, with the extent of global sourcing in the electronics industry, it will be very difficult to identify particular products in which the cuts will chiefly benefit U.S. manufacturers without also benefiting Japanese and other Asian suppliers. In particular, cuts in semiconductors and computer parts, which the U.S. industry has been pushing, will greatly benefit Japanese companies. Industry sources say they have reiterated their support for an across-the-board cut to zero in discussions with Deputy U.S. Trade Representative Julius Katz, and are considering a letter to U.S. Trade Representative Carla Hills on the subject.

In a letter to Hills April 13, the Semiconductor Industry Association (SIA) also called on the U.S. to demand elimination of duties on semiconductor manufacturing equipment, which currently average 5.9 percent in Europe. An industry source said that SIA's endorsement of a zero tariff on manufacturing equipment was "a further attempt to isolate" the European industry.

European semiconductor users, organized in the European Association of Information Technology Manufacturers (EUROBIT), have supported U.S. zero for zero efforts in electronics. EUROBIT has told the EC that the European computer industry, which remains heavily dependent on imported memory chips, will suffer if the high duty on semiconductors, and to a lesser extent on parts, remains. EUROBIT has also been pressing the U.S. government to maintain its demand for the elimination of tariffs. A source said that EUROBIT had been approached by the EC in December 1991 to support such a product-by-product approach, but that the association rejected the approach.

A European industry source said that acceptance by the U.S. of the European position that cuts should only be made in products which would not benefit the Japanese and other Asian suppliers would undercut the isolation of the European Community and the European semiconductor manufacturers on the tariff issue. He described the tactic as a "Metternich-like" effort by the EC to split the U.S. and Japan on the issue. "I didn't believe the U.S. would be so stupid as to fall for this," the source said. *By Edward Alden*

2746 -2-2

MULTILATERAL TRADE

NEGOTIATIONS

THE URUGUAY ROUND

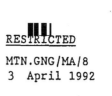

RESTRICTED

MTN.GNG/MA/8

3 April 1992

Special Distribution

Group of Negotiations on Goods (GATT)

Negotiating Group on Market Access

MEETING OF 12 MARCH 1992

Note by the Secretariat

1.   The eighth meeting of the Negotiating Group on Market Access was convened by GATT/AIR/3302 of 9 March 1992 and chaired by Mr. G. Denis. The Group adopted the following agenda:

   (a)   Comments by participants on their draft Schedules of concessions and commitments;

   (b)   General review of the state of the submission of draft Schedules;

   (c)   State of the Secretariat's evaluation of market access Schedules;

   (d)   Other business.

2.   The **Chairman** proposed to take up under the agenda item "Other business", the question of the date of the next meeting.

   (a)   **Comments by participants on their draft Schedules of concessions and commitments**

3.   The **Chairman** recalled that at the market access meeting of 5 March 1992, some fifty-one participants had indicated that they had either already done so or were intending to table their submissions within the shortest possible delay. To date, eighteen submissions had been received. Certain delegations had submitted comprehensive line-by-line draft Schedules on agricultural and non-agricultural products; others had provided such Schedules only with respect to one of these two areas; others had submitted Schedules on agricultural products, but only qualitative assessments as concerned non-agricultural products on the basis that the detailed line-by-line industrial Schedules would be submitted at an early date when the state of their bilateral negotiations could be better reflected.

4.   While recognizing the intensive work that was being undertaken by delegations to put together the necessary material for comprehensive submissions, it was also important to note that the earlier all the submissions of full line-by-line draft Schedules were completed, the more likely the Group would be in a position to conclude the market access negotiations on time.

GATT SECRETARIAT
UR-92-0064

0221

5.   The Group heard statements by various delegations on the current
situation regarding the submission of their draft Schedules. Some
participants stated that their authorities had already submitted or
intended to submit comprehensive draft Schedules in accordance with the
procedures and modalities set out in the Draft Final Act. Delays in the
submission of these comprehensive draft Schedules were attributed to the
technical complexity of the work involved, especially with respect to the
preparation of the lists of specific commitments concerning the
agriculture reform programme.

6.   A certain number of participants informed the Group that with respect
to industrial products, their authorities intended to either submit
detailed improved line-by-line offers which in some cases went beyond the
Montreal target, or confirm the initial and/or revised offer made in 1990,
or submit a qualitative assessment on the state of the negotiations. With
respect to agricultural products, some participants stated that their
draft Schedules would contain either detailed tables concerning the areas
of market access, internal support and export commitments, or only the
basic data.

7.   Participants who had submitted draft Schedules in either agricultural
or non-agricultural products only, stated that it had not been possible to
submit comprehensive draft Schedules at this stage of the negotiations
due to the fact that either key bilateral negotiations with their main
trading partners were still underway, or they were waiting for other major
participants' offers. In some cases the unresolved broader substantive
political issues, or the uncertainty surrounding the negotiations in
certain product areas had also prevented the tabling of comprehensive
draft Schedules. A few participants emphasized the importance of
achieving balanced results in the area of fish and fishery products. One
participant said that while the present state of sectoral negotiations did
not justify the inclusion of such results in his country's draft Schedule,
the inclusion of results pertaining to harmonization in the chemicals
sector was envisaged.

8.   Many participants emphasized that their draft Schedules were
conditional and could be revised in the light of results reached in the
market access area.

    b)   **General review of the state of the submission of draft Schedules**

9.   The **Chairman** invited participants to provide their preliminary
substantive reactions to the comments made under agenda item one and to
the state of market access submissions in general. He added that this
should take into account the understanding that access to the substantive
elements of submissions should be on a reciprocal basis only.

10. Many participants expressed disappointment at the fact that a number
of participants had either submitted non-comprehensive draft Schedules, or
had not as yet submitted any such documentation. Concern was also voiced
at the quality of some of the submissions made. In this regard and with

0222

respect to agricultural draft Schedules, it was pointed out that some of the submissions were not in conformity with the provisions of the Draft Final Act. According to one participant, the variation in quality among the different submissions could be attributed to the fact that the agricultural text contained in the Draft Final Act was a Chairman's compromise and not a negotiated agreement. The point was also made that the absence of detailed line-by-line submissions on industrial products made the necessary evaluation and balancing of concessions difficult.

11. Participants still engaged in bilateral or sectoral negotiations were urged to conclude their discussions as soon as possible so that the process could move forward. However, a number of participants expressed doubts as to whether the original timetable elaborated for the concluding stages of the market access negotiations could still be met in view of the present state of submissions.

12. The **Chairman** noted that submissions were continuing to be made, although there had been certain delays. However, the quality of the draft Schedules still needed to be improved so that the basis for the final decisions could be established. While he could understand the concerns expressed regarding the prospects of meeting the established time-frames, he felt that it was too early to make any kind of judgement on this matter.

c) **State of the Secretariat's evaluation of market access Schedules**

13. The **Chairman** stated that the Schedules of concessions and commitments received thus far varied in terms of coverage and detail. Eighteen participants had submitted information to the Secretariat. Of these, eight participants had submitted comprehensive line-by-line draft Schedules covering agricultural and non-agricultural products; another three had tabled comprehensive draft Schedules which in addition to agriculture, covered non-agricultural products in a qualitative assessment; seven other participants had submitted not fully comprehensive Schedules.

14. While the Secretariat had started work on the data provided so far, the information received was not complete enough to permit a meaningful overall review and assessment of the offers made. He added that the evaluation exercise could only proceed in line with the submissions tabled. In order to make the exercise meaningful, there had to be a representative number of contributions in the agreed format. Furthermore, since only a few participants had submitted their detailed Schedules on diskette as requested, information that had not been submitted in that manner needed to be entered manually and verified line-by-line. He pointed out that manual processing was extremely time-consuming, and all participants were urged to provide their data on diskette. He informed the Group that it would take approximately one week to produce the overall review and assessment from the time that the line-by-line information had been received on diskette. A further point to be considered was that if the tables foreseen under the evaluation exercise were to be circulated now, those participants who had already made their submissions would be put at a disadvantage vis-a-vis those who had not.

0223

15. He expressed concern about the difficulty of moving ahead expeditiously on the important evaluation exercise, particularly in view of the need to allow further adjustments to be made to individual submissions in the light of that evaluation.

16. The Group **agreed** to revert to this matter at the next meeting.

d) **Other business**

- Date of next meeting

17. The Group **agreed** that the next meeting of the Group would take place on 19 March 1992.

0224

MULTILATERAL TRADE
NEGOTIATIONS
THE URUGUAY ROUND

RESTRICTED

MTN.GNG/MA/9
15 April 1992

Special Distribution

Group of Negotiations on Goods (GATT)
Negotiating Group on Market Access

MEETING OF 26 MARCH

Note by the Secretariat

1.   The ninth meeting of the Negotiating Group on Market Access was convened by GATT/AIR/3307 of 18 March 1992 and chaired by Mr. G. Denis. The Group adopted the following agenda:

(a)   State of the submission of draft Schedules;

(b)   State of the Secretariat's evaluation of market access Schedules;

(c)   Other business.

a)   **State of the submission of draft Schedules**

2.   The **Chairman** indicated that since the last meeting of the Group, thirty participants had submitted draft Schedules of commitments or concessions. In addition, seventeen other delegations had stated that they intended to submit draft Schedules as early as possible. A list of participants that had submitted draft Schedules or had indicated their intention to do so was circulated.

3.   Two participants reported that they were carrying out intensive negotiations at the highest levels with a view to resolving the remaining problems and achieving substantial results.

4.   One participant said that he was not encouraged by the number of draft Schedules submitted to date, especially in light of the total number of participants in the Uruguay Round. Moreover, some of the draft Schedules tabled by the major trading partners contained gaps and did not conform to the provisions of the Draft Final Act. Also, several participants had provided only qualitative assessments on non-agricultural products which, in his view, did not provide a sufficient basis for further bilateral negotiations. He also expressed concern at the fact that major trading partners had so far failed to resolve their problems in their bilateral negotiations and their non-compliance with the agreed timetable had had serious consequences. Other participants in the Round had tabled industrial offers but nothing on agriculture; some others had submitted detailed tables on agricultural products but only qualitative assessments on industrial products or, in a number of cases, not more than short statements on ceiling bindings; moreover, a large number of participants had not submitted any schedules. He added that a clear statement by major

GATT SECRETARIAT
UR-92-0078

./.

0225

participants about their intentions concerning the tabling of complete Schedules would be conducive to stimulating the final phase in the access negotiations.

5.   Several participants who had submitted comprehensive Schedules agreed with the above statement and emphasized their concern about the qualitative content of certain draft Schedules that had been submitted. They expressed their disappointment and frustration over the lack of concrete results at this late stage of the negotiations, especially on the part of certain key participants. One participant added that the credibility of the whole process was at stake.

6.   A number of participants stated that they were working intensively on the preparation of their draft Schedules and were expecting to submit these very shortly. Some participants explained that technical difficulties, especially in relation to the preparation of the lists of agricultural commitments, had delayed the submission of their comprehensive Schedules.

b)   **State of the Secretariat's evaluation of market access Schedules**

7.   The **Chairman** pointed out that it appeared that the situation had not changed much since the last meeting, and that the submissions made to date did not provide sufficient data to carry out a meaningful evaluation exercise.

c)   **Other business**

-    **Conclusion**

8.   In his concluding remarks, the **Chairman** noted that considerable efforts had been made by participants which were evident from the number of submissions made. Some participants had indicated that they were trying hard to solve their differences. He expressed serious concern at the market access process in general and felt that progress was being impeded by a number of major factors including: (1) the absence of a number of complete draft Schedules of concessions and commitments on agriculture and the existence of major gaps in a number of submissions in the light of the Final Act; (2) the absence of line-by-line draft Schedules of concessions on non-agricultural products particularly on the part of major participants; (3) the unsuccessful attempts to produce political breakthroughs in a number of major bilateral market access negotiations; (4) doubts about the appropriate balance between the bilateral and the multilateral aspects of the negotiating process; (5) the continuing absence of adequate data for the Secretariat to carry out a meaningful evaluation of the emerging market access results. He considered it disappointing that the work of the Group was falling behind schedule and that the momentum needed to have a market access deal was still missing at this stage. He intended to continue his consultations in order to move the process forward. In his view, at some stage in the near future, it would be necessary to have a frank and honest assessment of the situation and draw the necessary conclusions.

-    **Date of next meeting**

The **Chairman** stated that the date for the next meeting had not been fixed, but that the Group remained on call.

0226

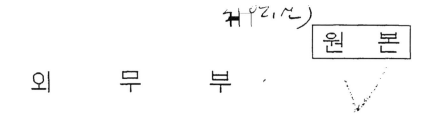

원 본

외 무 부

종 별 :

번 호 : GVW-0913 　　　　　　　일 시 : 92 0501 1200

수 신 : 장 관(통기,경기원,재무부,농수산부,상공부)

발 신 : 주 제네바 대사

제 목 : 갓트 이사회

　　　표제 회의가 4.30 ZUTSHI 의장 주재로 개최되어 에집트의 관세 양허(제 2조)에 대한 웨이버 요청,미국의 참치 수입제한 조치, EC OILSEEDS 제 2차패널 보고서등의제사항에 대한 논의에 이어 기타 의제로 차기 사무총장 선임을 위한 갓트 회원국간의협의 개시에 대한 ANELL 총회 의장의 발표등이 있었는바, 요지 아래보고함.(본직, 이참사관, 신서기관 참석)

　　1. 에집트의 제 2조 관세양허에 대한 웨이버 요청(의제 3)

　　0 에집트는 웨이버 요청 설명에 동 웨이버는 93.6.30 까지 한시적이고 92.3 이사회에서 각국이요청한 웨이버 관련 자료를 이미 제출하였으며,웨이버가 부여된후 이해 관계국과 제 28조에 의한양허 교섭에 성실히 임할 것을 표명한데 대해

　　- 아국, 모로코, 파키스탄 등 20 여국이 웨이버 부여를 지지한 반면, 뉴질랜드,카나다, 미국, 스위스, EC 등은 에집트가 제출한 관세양허 수정안에 자국의 관심품목이 포함되어 있으므로 충분히 검토할 시간이 필요하다는 (EC 는 에집트의 제출자료에 비관세 조치에 관한 사항이 포함되지 않았음을 지적함) 입장을 제시하면서 차기 이사회에서 논의할 것을 제의함.

　　0 상기의 논의 연기 제의에 대해 에집트는 다수국이 웨이버 부여를 지지하고 있음을 언급한 다음, 추가 필요한 자료는 웨이버 부여후 28조 협상과정에서 제출하겠다고 약속하면서 웨이버부여 여부를 금번 이사회에서 25조 5항에 따라 투표로 결정할것을 요청한바

　　- 미국, EC, 카나다, 호주, 홍콩, 멕시코,콜롬비아등 다수국이 이에 반대하면서이사회의 콘센서스에 의한 결정방식은 유지되어야 한다는 입장을 개진함.

　　- 한편 JAMAICA 는 이집트의 투표 요청이 부당한 요구는 아니며, CONSENSUS 관행에 전혀 문제가 없는 것은 아니나, 과거의 관행에 미칠 영향을 고려 투표 요청은

통상국　　2차보　　경기원　　재무부　　농수부　　상공부

0227

신중히 검토되어야 할것이라는 중도적 의견 표명

  - 의장은 동건의 토의를 일단 오후로 연기한뒤,동건은 차기 이사회에서 재론하되차기 이사회에서는 동건에 대한 콘센서스 도출이 가능토록 사전에 비공식 협의를 갖는 것으로 이집트를 설득, 오후회의에서 이와같이 합의함.(에집트는 자국의 사정이급박 하므로 특별이사회 개최를 희망하였으나 의장은 당초 차기 이사회를 6.16개최할 것을 염두에 두고 있으나 이집트의 요청을 감안하여 비공식 협의 과정에서 동 이사회 개최시기를 앞당기는 문제도 아울러 검토하겠다함.)

  2. 미국의 참치 수입제한 관련 패널 보고서(의제 5)

  0 미국과 멕시코는 동건의 해결을 위한 양자협의와 국내법 개정을 위한 노력이 진전이 있음에 비추어 금번 이사회에서 패널 보고서 채택에 동의하기 어렵다는 입장을표명

  0 이에 대해, 베네주엘라, 카나다, 아르헨티나, 일본,스웨덴등 20여국이 패널 보고서 채택을 지지함.

  - EC 는 미국의 논의 연기 요청에 대해 차기 이사회에서도 보고서가 채택되지 않는 경우에는 별도 패널 설치를 요청할 계획임을 언급한바,카나다, 아르헨티나가 EC입장에 동조함.

  3. EC 의 OILSEEDS 패널 보고서 이행에 대한 패널 보고서(의제 7)

  0 의장의 동 패널 경위에 대한 설명에 이어 미국이 EC 에게 동 패널의 권고 사항이행에 대한 입장을 문의한바, EC 는 금번 이사회에서 보고서 채택에 수락할수 없으나 차기 이사회에서 구체적인 해결 방안을 제시하겠다고 발언함.

  - 이에 대해 동 패널에 이해 관계국으로 참가한 브라질, 카나다, 아르헨티나, 호주외에 콜롬비아,칠레등이 보고서 채택등 보고서 권고사항의 조속한 이행을 지지함.

  0 미국은 동건이 원만하게 해결되길 희망하고 있으나 동건은 88년 부터 4년이상끌어온 사항으로(OILSEEDS 패널은 90.1 에 채택) OILSEEDS 에 대한 EC 의 보조금 지원으로 년 10억불에 달하는 손해를 입고 있으며, EC 가 계속 문제해결을 지연시키고있다 고 판단할수 밖에 없으므로 새로운 패널 보고서가 권고한 보복 조치를 조만간집행할 의사가 있음을 표명한바, EC는 차기 이사회때 해결 방안을 제시하겠다는 입장을 재강조 한뒤 미국이 시사한 일방적인 보복조치에 대해 강한 반대입장을 개진함.

  - 이에 대해 카나다, 스위스, 콜롬비아, 인도등 다수국이 EC의 조속한 패널 보고서

PAGE 2

0228

이행과 이를위한 양국의 협의를 권고하면서도 미국의 보복조치는 보고서 92항에명 시되어 있는바와 같이 갓트절차에 따라야 한다는점(이사회의 승인)을 강조함으로써 일방적 보복조치는 반대한다는 입장을 표명함.

4. 미.브라질 비고무화 패널 보고서(의제 4)

0 브라질이 보고서 채택을 강력히 요청한바(년100만불 상당의 이자손해), 미국은동건과 관련한 국내 제소등에 대한 해결 방안이 강구되고 있으며, 또한 상당한 진전이 있으므로 차기 이사회에서 해결 방안을 제시할수 있기를 희망하면서 보고서 채택에 반대함.

- 아르헨티나, 우루과이, 콜롬비아, 브라질등이 보고서 채택을 지지함.

⑤ 미.카 주류 패널 보고서(의제 6)

0 LACARTE 패널 위원장(우루과이대사)의 패널경위 및 설명에 이어 카나다는 분쟁해결 절차에관한 1989년 결정 (BISD 45/61)을 원용, 보고서가 나온지 30일이 지났으며, 패널이 설치된지 15개월이 이미 지났으므로 패널 보고서가 채택되어야 한다고 요구한바

0 미국은 동 보고서는 연방법 뿐만 아니라 주정부의 조치도 대상으로 하여 그 내용이 복잡하고 국내업계에 미치는 영향이 큼에 비추어 충분한 검토가 필요하므로(미국은 본건은 문제의 복잡성에 비하면 상업적 INTEREST 는 크지않다는 점도 언급) 보고서가 처음 상정된 금번이사회에서 채택에 동의할수 없다는 입장표명으로 차기 이사회에서 재론키로 함.

- 이에 대해 호주, 뉴질랜드, EC 등이 보고서 채택을 지지함.

6. 한편 의제 1의 인도, 파키스탄, 스리랑카등에 대한 BOP 협의 결과 및 3.19 BOP 위원회 결정사항(92년도 BOP 협의 일정등)에 관해서는 BOP 위원회 의장의 설명을 청취하였으며, 의제 2 관세 동맹 및 자유무역지대에 대해서는 92.4.14 비공식 협의에따라 EFTA와 EEC 별로 2개의 검토 작업반을 설치하여 갓트에 기 봉보된 자유무역 협정을 검토하되, 추후 봉보하는 협정에 대한 작업반 설치문제는 그때에 가서 결정키로 함.

7. 기타 사항

가. 유고의 갓트상 법적 지위

- 유고대표는 92.4.27 유고 국회가 세르비아와 몬테네그로의 연합체인 FEDERAL REPUBLIC OFYUGOSLAVIA 헌법을 발표하였음을 상기시키면서 동연합체가 갓트를

PAGE 3

0229

포함한국제법상의   권리의무에관해   과거의   SOCIALIST   FEDERAL   REPUBLIC   OF
YUGOSLAVIA을 승계 했다고 롱보함.

(L/7000 참조)

- 이에 대해 미국, EC, 오지리 3국이 유고 연방의사회주의 유고 연방의 승계
주장에 대한 자국의 입장을 유보함.

- 특히 EC 는 92. 3월 이사회에서 결정된 EC.유고간의 패널 설치는 유고
연방의지위가 결정될때까지 중단되어야 한다는 입장을 제시한바, 유고는 세르비아가
유고연방의 일부이므로 지난 이사회 결정은 유효하다는 입장 개진

나. 카나다 주류 패널에 대한 후속조치

- EC 는 카나다의 주류 판매에 대한 패널 보고서(88.3 채택)의 후속조치와
관련,카나다의 조치에 대해 불만(미국과만 중점 협의를 가짐으로써 EC차별)을
제기한바, (미국등이 이해 관계국으로 참가했으나, 카나다는 92.4.27. 미국과만 주류
협정체결FT. 4.28 보도)

- 카나다는 92.3.31. 자로 갓트 사무국을 롱해(DS 17/5)이하 관계국과의 협의
용의를 표명한바 있으며, 이에 대한 미국의 요청에 근거해서,미국과의 협정이
체결되었음을 설명함.

다. 차기 사무총장 및 ITC 사무총장 선임을 위한 협의 개시 발표

- ANELL 총회의장은 현 사무총장의 임기가 92년말에 끝나므로 사무총장 선임에
관한 1986 년 결정에 근거하여 92.7월초 부터 후임 선임을 위한 교섭을 개시할
예정임을 발표(임기 6개월 전인6월 이사회에서 ANELL 의장의 참석 곤란 언급)

- 또한 ITC 사무총장의 선임협의 진행상황에 대한 ANELL 의장의 설명에 이어
ITC사무총장의 중요성에 비추어 후보자 물색등을 위한 협의를 ZUTSHI 이사회 의장을
중심으로 적극 진행키로 함.

라. 한편, 페루는 자국의 양허 관세 체제를 CCC체제에서 HS 체제로 전환시킬
예정임을 롱고함.

마) 항가리는 폴랜드, 체코를 대표하여 3국간에 CENTRE OF EUROPEAN
COOPERATIONCOMMITTEE 를 설치하였음을 롱고하면서 92.3.1 에 제 1차 모임을갖고
92년내로 3국간 자유무역 협정을 체결키로 합의하였음을 언급함.

바. ZUTSHI 의장은 독일 롱일 검토작업반의 의장이던 ESCALER 필리핀 대사의 본부
귀임에따라 동 후임자로 CARLISLE 사무차장이 승계한다고 발표하면서 이는 동 작업반

PAGE 4

0230

의 임무가 거의 종료된 상황임을 감안한 인선임을 지적함.

　　첨부: L/7000, DS/17/5 FT 92.4.28 보도 각 1부. 끝

　　(GVW(F)-291)

　　(대사 박수길-국장)

주 제 네 바 대 표 부

번 호 : GVW(Ⅱ) - 02 / ／   년원일 : 20 5 01   시간 : 1200

수 신 : 장   관 (동기, 경기영, 재무부, 농림수산부, 상공부,   )

발 신 : 주 제네바대사

제 목 : GVW - 02 / ／ 첨부

총 6 매 (표지포함)

외신판
동 제

0232

2 / / - / - /

Financial Ti , 28 April 1992

'Textbook' pact cuts US-Canada beer trade curbs

By Bernard Simon in Toronto

THE North American beer market is expected to become more competitive and more integrated, after a landmark US-Canada agreement to dismantle several long-standing trade barriers.

The agreement, the culmination of years of wrangling, is widely seen as a textbook example of the potential benefits of liberalised trade to business and consumers. The compromise was reached last weekend after each country had threatened to impose stiff duties on beer imports from the other. Mr Peter Clark, an adviser to the Brewers' Association of Canada, said yesterday the changes would mean significant economies of scale in the Canadian industry.

By giving US brewers easier access to the Canadian market, the agreement steps up pressure on Canadian provinces to drop restrictive practices which have contributed to high costs for Canadian brewers. Lower production costs would enable the industry to bring down domestic prices, and spur it to expand export markets.

Under the agreement, Canadian provinces will drop discriminatory mark-ups on US beer by June 30. British Columbia, Ontario, New Brunswick and Newfoundland will also no longer set a minimum price for beer imports, linked to the minimum for domestic brands. Ontario is to rescind its requirement that US beer be sold only in six-packs. A key element of the pact will require beer stores in Ontario and British Columbia, and grocery stores in Quebec, to start stocking US beer by September 30, 1993. Imported beer is now sold only through provincially owned liquor outlets.

US brewers have only a 3 per cent share of Canadian consumption, but US beer is about 30 per cent cheaper in the key Ontario market than Canadian brands. By gaining access to beer stores, the US makers will be able to compete more directly against Canadian beer.

The cost discrepancy is largely due to provincial rules barring sales of any domestic beers not produced in the province. These curbs are expected to end on July 1. Meanwhile, the industry is pressing for permission to rationalise production of individual brands across the country. Brewers are also pressing barley producers for lower prices, and asking the federal government to improve their cash flows by changing the point at which excise taxes are levied.

The Canadian industry hopes the accord will speed talks to end US federal and state curbs against foreign beers. These include discriminatory excise taxes and onerous distribution requirements. A Gatt panel, responding to complaints by the EC and Canada, has called for these barriers to be scrapped.

2P1-6-2

0233

RESTRICTED

DS17/5
6 April 1992
Limited Distribution

Original: English/
French

CANADA - IMPORT, DISTRIBUTION AND SALE OF CERTAIN ALCOHOLIC DRINKS BY PROVINCIAL MARKETING AGENCIES

Follow-up on the Panel Report

Communication from Canada

The following communication, dated 31 March 1992, has been received from the Permanent Mission of Canada with the request that it be circulated to contracting parties.

Further to the decision of the GATT Council of 18 February 1992 to adopt the Panel report on "Canada - Import, Distribution and Sale of Certain Alcoholic Drinks by Provincial Marketing Agencies", the Government of Canada wishes to advise the CONTRACTING PARTIES of the measures taken, pursuant to the recommendations of the Panel, to ensure observance of the provisions of the General Agreement by the Canadian provincial governments. This document addresses all issues on which Canada was to report as recommended by the Panel, by 31 March 1992 and 31 July 1992.

Following extensive consultations between the Government of Canada and the Canadian provincial governments, the provinces have undertaken to introduce a comprehensive series of measures to bring those practices found by the Panel to be contrary to GATT into line with Canada's international trade obligations. Canada will meet its obligations through major adjustments to the current provincial systems, which constitute import monopolies within the provisions of Article XVII of the General Agreement. These adjustments are intended to ensure the provision of national treatment to imported beer products within each provincial jurisdiction. A number of these measures will require legislative action to bring the necessary changes into effect.

The development of a more open and competitive domestic market, which is being built upon the elimination of interprovincial barriers to trade in beer, will necessitate a period of transition before all elements of the report are fully implemented. Canada considers that a period of transition is both reasonable and essential. All changes will be provided on a most-favoured-nation basis and will be implemented as soon as possible but no later than 31 March 1995. Canada is committed to a GATT-consistent and open market for beer products at the end of this period.

92-0406

0234

$2 P / - 6 - 3$

The following are the planned changes on a province-by-province basis:

- In the province of Ontario, imported beer will be accorded national treatment. In the future there will be no prohibition on imported beer being sold in larger package sizes where that right is accorded to domestic products;

- The provinces of British Columbia, Alberta, Saskatchewan, Manitoba, Ontario, Quebec, Nova Scotia and Newfoundland will ensure that any differential mark-ups, including cost-of-service charges, will include only those differential costs which are "necessarily associated with marketing of the imported products" as outlined in the Panel's findings. This will include the removal of the differential in the general and administrative components of the cost of service;

- The provinces of British Columbia, Alberta, Manitoba, Ontario, Quebec and Nova Scotia will provide equivalent competitive opportunities with respect to access to retail points of sale for both imported and provincially produced beer;

- In the provinces of British Columbia, Alberta, Manitoba, Ontario, Quebec and Newfoundland, both imported and provincially produced beer will be provided equal opportunity with respect to delivery from in-province warehousing to retail points of sale;

- In exercising their right to regulate the consumption of alcohol through the use of minimum pricing, the provinces of British Columbia, Ontario and Newfoundland will ensure their pricing systems conform to the Panel's conclusion that minimum prices not be fixed in relation to the prices at which domestic beer is supplied.

Canada considers that in taking this action it has fully met the requirements of Article XXIV:12 of the General Agreement. Canada is willing to consult with any interested contracting party on the implementation of the Panel's recommendations.

0235

GENERAL AGREEMENT ON

TARIFFS AND TRADE

RESTRICTED

L/7000
29 April 1992
Limited Distribution

Original: English

YUGOSLAVIA

The following communication, dated 27 April 1992, has been received by the secretariat.

The Assembly of the Socialist Federal Republic of Yugoslavia at its session held on 27 April 1992 promulgated the Constitution of the Federal Republic of Yugoslavia. Under the Constitution, on the basis of a continuing personality of Yugoslavia and the legitimate decisions by Serbia and Montenegro to continue to live together in Yugoslavia, the Socialist Federal Republic of Yugoslavia is transformed into the Federal Republic of Yugoslavia consisting of the Republic of Serbia and the Republic of Montenegro.

Strictly respecting the continuity of the international personality of Yugoslavia, the Federal Republic of Yugoslavia shall continue to fulfil all the rights conferred to and obligations assumed by the Socialist Federal Republic of Yugoslavia in international relations, including its membership in all international organizations and participation in international treaties ratified or acceded to by Yugoslavia. The Federal Republic of Yugoslavia as a founding member of the United Nations acknowledges its full commitment to the world organization, the United Nations Charter and to the Conference on Security and Cooperation in Europe (CSCE), as its founding participating State and all CSCE documents, in particular the Helsinki Final Act and the Charter of Paris. The Federal Republic of Yugoslavia shall continue to pursue Yugoslavia's foreign policy of the broadest possible equitable cooperation with all international factors, including its activities in the Non-Aligned Movement as a founder member State.

The Federal Republic of Yugoslavia shall cooperate with other participants of the Conference on Yugoslavia in order, inter alia, to ensure a speedy and just distribution of the rights and responsibilities of the Socialist Federal Republic of Yugoslavia between the Federal Republic of Yugoslavia and the other republics. At the same time, it shall enable these republics, if they wish it, to continue an independent membership in international organizations and participation in international treaties.

In accordance with the above, the diplomatic missions and consular posts and other offices of Yugoslavia will continue to operate and represent the interests of the Federal Republic of Yugoslavia. The

92-0557

2 P/-6-5

0236

diplomatic missions and consular posts and other offices of foreign States and international organizations accredited to Yugoslavia will continue to be accorded the same status by the Federal Republic of Yugoslavia as well.

Until the completion of the Conference on Yugoslavia, i.e. the reaching of an agreement with the republics which have declared their independence, the diplomatic missions and consular posts of the Federal Republic of Yugoslavia will provide consular assistance and perform other functions with respect to the natural and juridical persons from these republics whenever they request it.

Under the enacted Constitution of the Federal Republic of Yugoslavia, the new federal authorities shall be: Federal Parliament, President of the Republic, Federal Government and Federal Ministries.

Multi-party elections to choose parliamentary representatives on the federal level will be held by 30 June 1992. Until election of the President of the Republic, this office will be discharged by the Presidency of the SFR of Yugoslavia, in compliance with the provisions of the Constitutional Law. Until the time the federal government has been formed following the multi-party elections for the Federal Parliament, its functions will be performed by the Federal Executive Council. The Federal Secretariat for Foreign Affairs and other federal governmental agencies will carry out the tasks entrusted to them until they are transformed into new federal ministries, after the installation of the Federal Republic of Yugoslavia's Government.

2 P/ - 6 - 6

외 무 부

원 본

종 별 :

번 호 : GVW-1057
일 시 : 92 0525 1200

수 신 : 장 관(통기, 경기원, 재무부, 농림수산부, 상공부)

발 신 : 주 제네바 대사

제 목 : 일본 C/S 수정보완상황 송부

사본:통1
(대인도청과영연결로)

92.5.22 일본으로 부터 접수한 수정 C/S 를 별첨송부함.

첨부: 수정 C/S LIST 1 부. 끝

(GVW(F)-332)

(대사 박수길-국장)   \/

통상국   경기원   재무부   농수부   상공부

PAGE 1

주 제 네 바 대 표 부

번호 : GVW(F) - 0332   년월일 : 2·5·25   시간 : 1200

수신 : 장   관(통기, 정기천, 재무부, 농림수산부, 상공부)

발신 : 주제네바대사

제목 : GVW-1057 회복

총   25 매 (표지포함)

SECRET

JAPAN

DRAFT SCHEDULE OF

TARIFF CONCESSIONS

CORRIGENDUM

The attached is a corrigendum of Japan's draft schedule of
tariff concessions on non-agricultural products which was
submitted to the GATT Secretariat on March 2, 1992. Changes from
the original submission of March 2 are indicated by underlining.

332-2 5-2

1. page. 1

ex 0208.90	- Other Of whale	F	Free	Free

2. page. 2

0301.10	- Ornamental fish			
	Carp and gold-fish	B	5%	3.5%
	Other	B	2.5%	1.7%

3. page. 2 (Insert new tariff lines as follows.)

0301.91	-- Trout (Salmo trutta, Salmo gairdneri, Salmo clarki, Salmo aguabonita, Salmo gilae):			
	Fry for fish culture	U	Free	Free
	Other	B	5%	3.5%
0301.92	-- Eels (Anguilla spp.):			
	Fry for fish culture	U	Free	Free
	Other	B	5%	5%

4. page. 2

ex 0301.99	-- Other:			
	Fry for fish culture			
	Buri (Seriola spp.)	U	Free	Free
	Other	U	Free	Free
ex	Other			
	Other than Nishin (Clupea spp.), Tara (Gadus spp., Theragra spp. and Merluccius spp.), Buri (Seriola spp.), Saba (Scomber spp.), Iwashi (Etrumeus spp., Sardinops spp. and Engraulis spp.), Aji (Trachurus spp. and Decapterus spp.) or Samma (Cololabis spp.)	B	5%	5%

5. page. 2

0302.21	-- Halibut (Reinhardtius hippoglossoides, Hippoglossus hippoglossus, Hippoglossus stenolepis)	B	5%	3.5%

6. page. 3

	- Tunas (of the genus Thunnus), skipjack or stripe-bellied bonito (Euthynnus (Katsuwonus) pelamis), excluding livers and roes:			

7. page. 3

0302.33	-- Skipjack or stripe-bellied bonito	B	5%	5%

8. page. 3

0302.39	-- Other			
	Bluefin tunas	B	5%	5%
	Big-eye tunas	B	5%	5%
	Other	B	5%	5%
	- Other fish, excluding livers and roes:			
ex 0302.61	-- Sardines (Sardina pilchardus, Sardinops spp.), sardinella (Sardinella spp.), brisling or sprats (Sprattus sprattus):			
	Other than those of Sardinops spp.	B	5%	

332-25-3

$0241

	-- Other			
	Barracouta (Sphyraenidae and Gempylidae), king-clip and sea breams			
	Sea breams	C	3%	2%
	Other	C	3%	2%
	Other than Nishin (Clupea spp.), Tara (Gadus spp., Theragra spp. and Merluccius spp.), Buri (Seriola spp.), Saba (Scomber spp.), Iwashi (Etrumeus spp., Sardinops spp. and Engraulis spp.), Aji (Trachurus spp. and Decapterus spp.), Samma (Cololabis spp.), barracouta (Sphyraenidae and Gempylidae), king-clip or sea breams			
	Swordfish	B	5%	3.5%
ex 0302.70	- Livers and roes:			
	Hard roes of Nishin (Clupea spp.)	C	6%	5.6%
	Other than hard roes of Nishin (Clupea spp.) or Tara (Gadus spp., Theragra spp. and Merluccius spp.)	B	5%	3.5%
10. page. 4	- Tunas (of the genus Thunnus), skipjack or stripe-bellied bonito (Euthynnus (Katsuwonus) pelamis), excluding livers and roes:			
0303.41	-- Albacore or longfinned tunas (Thunnus alalunga)	B	5%	5%
0303.42	-- Yellowfin tunas (Thunnus albacares)	B	5%	5%
0303.43	-- Skipjack or stripe-bellied bonito	B	5%	5%
0303.49	-- Other			
	Bluefin tunas	B	5%	5%
	Big-eye tunas	B	5%	5%
	Other	B	5%	5%
11. page. 5	- Other fish, excluding livers and roes:			
ex 0303.71	-- Sardines (Sardina pilchardus, Sardinops spp.), sardinella (Sardinella spp.), brisling or sprats (Sprattus sprattus):			
	Other than those of Sardinops spp.	C	5%	5%
12. page. 5	-- Other:			
ex 0303.79	Nishin (Clupea spp.) and Tara (Gadus spp. and Theragra spp.)			
	Nishin (Clupea spp.)	B	6%	6%
	Other	B	6%	6%
	Barracouta (Sphyraenidae and Gempylidae), king-clip and sea breams			
	Sea breams	B	3%	2%
	Other	B	3%	2%
	Shishamo	B	4%	2.8%
	Other than Nishin (Clupea spp.), Tara (Gadus spp., Theragra spp. and Merluccius spp.), Buri (Seriola spp.), Saba (Scomber spp.), Iwashi (Etrumeus spp., Sardinops spp. and Engraulis spp.), Aji (Trachurus spp. and Decapterus spp.), Samma (Cololabis spp.), barracouta (Sphyraenidae and Gempylidae), king-clip, sea breams or Shishamo			
	Swordfish	B	5%	3.5%

332-2부4

0242

ex 0303.75 (continued)	Other	B	5%	3.5%

14 . page. 6 - page. 7

Code	Description			
ex 0304.10	- Fresh or chilled:			
	ex Fillets			
	Other than Nishin (Clupea spp.), Tara (Gadus spp., Theragra spp. and Merluccius spp.), Buri (Seriola spp.), Saba (Scomber spp.), Iwashi (Etrumeus spp., Sardinops spp. and Engraulis spp.), Aji (Trachurus spp. and Decapterus spp.) or Samma (Cololabis spp.)	B	5%	3.5%
	ex Other			
	Barracouta (Sphyraenidae and Gempylidae), king-clip and sea breams	B	3%	2%
	Dogfish and other sharks	B	3.5%	2.5%
	Other than Nishin (Clupea spp.), Tara (Gadus spp., Theragra spp. and Merluccius spp.), Buri (Seriola spp.), Saba (Scomber spp.), Iwashi (Etrumeus spp. and Engraulis spp.), Aji (Trachurus spp. and Decapterus spp.), Samma (Cololabis spp.), barracouta (Sphyraenidae and Gempylidae), sea breams, dogfish or other sharks	B	5%	3.5%
ex 0304.20	- Frozen fillets			
	ex Other			
	Tunas and swordfish	B	5%	5%
	Other than Nishin (Clupea spp.), Tara (Gadus spp., Theragra spp. and Merluccius spp.), Buri (Seriola spp.), Saba (Scomber spp.), Iwashi (Etrumeus spp., Sardinops spp. and Engraulis spp.), Aji (Trachurus spp. and Decapterus spp.), Samma (Cololabis spp.), tunas or swordfish	B	5%	3.5%
ex 0304.90	- Other:			
	Nishin (Clupea spp.) and Tara (Gadus spp., Theragra spp. and Merluccius spp.)			
	Nishin	B	6%	6%
	Tara:			
	Surimi, frozen	B	6%	6%
	Other	B	6%	6%
	Barracouta (Sphyraenidae and Gempylidae), king-clip and sea breams	B	3%	2%
	Dogfish and other sharks	B	3.5%	2.5%
	Shishamo	B	4%	2.8%
	ex Other than Nishin (Clupea spp.), Tara (Gadus spp., Theragra spp. and Merluccius spp.), Buri (Seriola spp.), Saba (Scomber spp.), Iwashi (Etrumeus spp., Sardinops spp. and Engraulis spp.), Aji (Trachurus spp. and Decapterus spp.), Samma (Cololabis spp.), barracouta (Sphyraenidae and Gempylidae), king-clip, sea breams, dogfish, other sharks or Shishamo.			
	Bluefin tunas	B	5%	5%

15 . page. 7

	- Smoked fish, including fillets:			

332-25-5

0243

ex 0307.49	-- Other:			

17 . page. 10 - page. 11

ex 0307.91	-- Live, fresh or chilled:	U	free	Free
	Live aquatic invertebrates other than crustaceans or molluscs			
	Cuttle fish and squid			
	Mongo ika	U	5%	5%
	Other	U	5%	5%
ex	Other, excluding adductors of shellfish	U	10%	8%
	Akagai (bloody clam), live	U	10%	7%
	Sea urchins	U	10%	8%
	Jellyfish	U	10%	8%
ex 0307.99	-- Other:			
ex	Frozen:			
	Cuttle fish and squid			
	Mongo ika	U	5%	5%
	Other	U	5%	5%
ex	Sea urchins, jellyfish and sea cucumbers			
	Sea urchins	U	10%	7%
	Jellyfish	U	10%	8%
ex	Other:			
ex	Sea urchins, jellyfish and sea cucumbers	U	10%	7%
	Sea urchins	U	10%	8%
	Jellyfish			
ex	Other, excluding adductors of shellfish			
	Hard clam			

18 . page. 12

ex 0507.90	- Other	U	Free	Free
ex	Bekko, including waste thereof			
0508.00	Coral and similar materials, unworked or simply prepared but not otherwise worked; shells of molluscs, crustaceans or echinoderms and cuttlebone, unworked or simply prepared but not cut to shape, powder and waste thereof.	U	20%	5%
	Coral			

19 . page. 12

0511	Animal products not elsewhere specified or included; dead animals of Chapter 1 or 3, unfit for human consumption.			
0511.91	-- Products of fish or crustaceans, molluscs or other aquatic invertebrates; dead animals of Chapter 3			
	Fish waste, fertile fish eggs for hatching, and artemia salina's eggs	U	free	Free
	Fish waste:	U	free	Free
	fertile fish eggs for hatching	U	free	Free
	Artemia salina's eggs	U	2.5%	1.7%

0244

20 .— page. 13

1212	Locust beans, seaweeds and other algae, sugar beet and sugar cane, fresh or dried, whether or not ground; fruit stones and kernels and other vegetable products (including unroasted chicory roots of the variety Cichorium intybus sativum) of a kind used primarily for human consumption, not elsewhere specified or included.			
ex 1212.20	- Seaweeds and other algae			
	ex. Other than edible seaweeds or other algae, fresh or dried:			
	Tengusa (Gelidiaceae) and other seaweeds of a kind used for manufacturing agar-agar			
	Of Gelidiaceae (Tengusa family)	U	Free	Free
	Other	U	Free	Free

21. page. 14

1521	Vegetable waxes (other than triglycerides), beeswax, other insect waxes and spermaceti, whether or not refined or coloured:			
ex 1521.90	- Other			
	ex. Other than beeswax			
	Spermaceti	B	7.5%	5.3%

22. page. 15

ex 1603.00	Extracts and juices of meat, fish or crustaceans, molluscs or other aquatic invertebrates			

23. page. 15

1604.14	-- Tunas, skipjack and Atlantic bonito (Sarda spp.)			
	Skipjack and other bonito, in airtight containers	B	15%	10%
	Skipjack and other bonito, boiled and dried	B	15%	10%
	Other	B	15%	10%

24. page. 15

ex 1604.20	- Other prepared or preserved fish:			
	ex Hard roes:			
	Of Nishin (Clupea spp.)			
	In airtight containers	B	16%	11%
	Other	B	16%	11%
	Other than those of Nishin (Clupea spp.) or of Tara (Gadus spp., Theragra spp. and Merluccius spp.)	B	10%	7%
	Other	B	15%	10%

25. page. 16

1605.20	- Shrimps and prawns			
	Smoked; simply boiled in water or in brine; chilled, frozen, salted, in brine or dried, after simply boiled in water or in brine			

332-25-8

0245

ex 1605.90	- Other: Not cooked Of cuttle fish, squid and jellyfish Jellyfish	B	15%	10%

27. page. 18

ex 2301.10	- Flours, meals and pellets, of meat or meat offal; greaves Flours, meals and pellets of meat or meat offal of whale	U	Free	Free

28. page. 18

ex 2309.90	- Other Other than preparations of a kind used in animal feeding, excluding those directly used as feed or fodder Fish and marine mammal solubles	U	Free	Free

29. page. 23

2528.10	- Natural sodium borates and concentrates thereof (whether or not calcined)	B	Free	Free

30. page. 25

2610.00	Chromium ores and concentrates.	B	Free	Free

31. page. 28

ex 2710.00	Petroleum oils and oils obtained from bituminous minerals, other than crude; preparations not elsewhere specified or included, containing by weight 70 % or more of petroleum oils or of oils obtained from bituminous minerals, these oils being the basic constituents of the preparations.			
	ex Petroleum oils and oils obtained from bituminous minerals, including those containing less than 5 % by weight of goods other than petroleum oils and oils obtained from bituminous minerals :			
	ex Petroleum spirits : Mixed alkylenes with a very low degree of polymerisation :			
	Tripropylene	B	Free	Free
	Other	B	3.2%	2.2%

32. page. 29

2711.14	-- Ethylene, propylene, butylene and butadiene			
	Ethylene	B	930yen/MT	624yen/MT
	Other	B	930yen/MT	Free

33. page. 31 (Combine two tariff lines.)

2804.29	-- Other	B	3.7%	Free**(2.1)

332-25-8

0246

2818	Artificial corundum, whether or not chemically defined; aluminium oxide; aluminium hydroxide.			
2818.10	- Artificial corundum, whether or not chemically defined	B	4.9%	Free**(3.3%)

35. page. 40

2844	Radioactive chemical elements and radioactive isotopes (including the fissile or fertile chemical elements and isotopes) and their compounds; mixtures and residues containing these products.			
2844.10	- Natural uranium and its compounds; alloys, dispersions (including cermets), ceramic products and mixtures containing natural uranium or natural uranium compounds	U	Free.	Free
2844.20	- Uranium enriched in U235 and its compounds; plutonium and its compounds; alloys, dispersions (including cermets), ceramic products and mixtures containing uranium enriched in U235, plutonium or compounds of these products:			
	Fissile isotopes	B	Free	Free
	Other	U	Free	Free

36. page. 40

2844.40	- Radioactive elements and isotopes and compounds other than those of subheading No. 2844.10, 2844.20 or 2844.30; alloys, dispersions (including cermets), ceramic products and mixtures containing these elements, isotopes or compounds; radio-active residues:			
	Compounds of fissile isotopes isotopes or alloys, dispersions (including cermets), ceramic products and mixtures containing these compounds	U	Free	Free
	Other	B	Free	Free

37. page. 41

2844.50	- Spent (irradiated) fuel elements (cartridges) of nuclear reactors:			
	Of fissile isotopes	B	Free	Free
	Other	U	Free	Free

38. page. 41

2850.00	Hydrides, nitrides, azides, silicides and borides, whether or not chemically defined, other than compounds which are also carbides of heading No.28.49	B	4.9%	3.3%

39. page. 55

2924.10	- Acyclic amides (including acyclic carbamates) and their derivatives; salts thereof			
	2-Acrylamide-2-methyl propane sulphonate	B	4.6%	3.1%
	Dimethyl formamide	B	4.6%	3.1%
	Other	B	4.6%	Free**(3.1%)
	- Cyclic amides (including cyclic carbamates) and their derivatives; salts thereof :			
2924.21	-- Ureines and their derivatives; salts thereof			
	Dulcin	B	4.6%	3.1%
	Other	B	4.6%	Free**(3.1%)

332-25-p

0247

2925.20	- Imines and their derivatives; salts thereof			
	Diphenylguanidine and aldol-α-naphthylimine	B	3.7%	2.5%
	Other	C	3.7%	Freeee(2.5%)

41. page. 59 (Combine two tariff lines.)

2939.30	- Caffeine and its salts	B	6.2%	Free

42. page. 67

3203.00	Colouring matter of vegetable or animal origin (including dyeing extracts but excluding animal black), whether or not chemically defined; preparations as specified in Note 3 to this Chapter based on colouring matter of vegetable or animal origin.			
	Natural indigo and butter dyes	B	Free	Free
	Other	B	2%	Free
3204	Synthetic organic colouring matter, whether or not chemically defined; preparations as specified in Note 3 to this Chapter based on synthetic organic colouring matter; synthetic organic products of a kind used as fluorescent brightening agents or as luminophores, whether or not chemically defined.			
	- Synthetic organic colouring matter and preparations based thereon as specified in Note 3 to this Chapter :			

43. page. 72

3307.90	- Other:			
	Preparations with a basis of oils, fats or waxes	B	7.2%	4.8%
	Other	B	6%	4%

44. page. 76 - page. 77 (Move the first line in page. 77 to the end of page. 76.)

3507.10	- Rennet and concentrates thereof	B	5.8%	3.9%
3507.90	- Other	B	5.8%	Freeee(3.9%)

45. page. 77 (Combine two tariff lines.)

3603.00	Safety fuses; detonating fuses; percussion or detonating caps; igniters; electric detonators	U	6.4%	6.4%

46. page. 78 (Combine three tariff lines.)

3701.10	- For X-ray	B	3.7%	Free

332-25-10

0248

47. page. 78

3701.30	- Other plates and film, with any side exceeding 255 mm		
	For colour photography (polychrome)	C 3.7%	Free**(2.1%)
	Other:		
	For graphic art	B 3.7%	Free**(2.1%)
	Other:		
	Plates	B 3.7%	Free**(2.1%)
	Film	C 3.7%	Free

48. page. 78 (Combine the first two tariff lines: change the product description of the last tariff line.)

3701.99	-- Other		
	For graphic art_	B 3.7%	Free**(2.1%)
	Other:		
	Plates	B 3.7%	Free**(2.1%)
	Film	B 3.7%	Free

49. page. 78 - page. 79

3702.20	- Instant print film:		
	Of a sensitised sheet of any material other than paper, paperboard or textiles	B 3.7%	Free
	Other	B 4.9%	Free**(2.8%)

50. page. 80 (Combine the first two tariff lines: correct the product description of the new combined tariff line.)

3702.94	-- Of a width exceeding 16 mm but not exceeding 35 mm and of a length exceeding 30 m		
	Cinematograph film of a width not less than 25.4 mm	B 3.7%	Free
	Other	B 3.7%	Free**(2.1%)

51. page. 80

3702.95	-- Of a width exceeding 35 mm		
	For graphic art	B 3.7%	Free**(2.1%)
	Other	B 3.7%	Free

332 - 2두 -11

0249

52. page. 80 - page. 81

3704.00	Photographic plates, film, paper, paperboard and textiles, exposed but not developed.			
	Cinematograph film:			
	Of a width of 35 mm or more	B 9yen/m (its fraction shall be regarded as 1 m. hereinafter the same in this Chapter)	Free (15yen/m(its fraction shall be regarded as 1 m. hereinafter the same in this Chapter))	
	Other	B 7.5yen/m	Free (4.2yen/m)	
	Other	B 6.6%	Free (3.7%)	

53. page. 83

3809.93	-- Of a kind used in the leather or like industries	B 5.8%	Free (3.9%)	

54. page. 86

3823.90	- Other:			
	Master blends for the manufacture of chewing gum, excluding those containing sugar or other sweetening matter or flavours	B Free	Free	
	Selenium residue and tellurium residue	B Free	Free	
		B 3.8%	2.6%	
	Ammoniacal gas liquors and spent oxide produced in coal gas purification	B 5.8%	3.9%	
	Derivatives of mixtures of fatty acids	B 3.8%	Free (2.6%)	
	Other			

55. page. 93

	- Of other plastics :	B 5.8%	3.9%	
3920.91	-- Of polyvinyl butyral	B 7.2%	4.8%	
3920.92	-- Of polyamides			

56. page. 99 (Combine two tariff lines.)

4016.99	-- Other	B 3.4%	Free	

0250

57. page. 100 - page. 101

4104	Leather of bovine or equine animals, without hair on, other than leather of heading No. 41.08 or 41.09.			
ex 4104.10	- Whole bovine skin leather, of a unit surface area not exceeding 28 square feet (2.6 m²):			
	ex Tanned or retanned but not further prepared, whether or not split			
	Chrome tanned leather	U	Free	Free
	ex Other			
	Other than those for the quantity within the limits of an annual tariff quota stipulated by a Cabinet Order (hereinafter in this heading referred to as "the Pooled Quota (First Category)"	U	60%	40%
	Parchment-dressed	B	7.5%	7.5%
	ex Other			
	ex Dyed, coloured, stamped or embossed:			
	Dyed or coloured, excluding buffalo leather and roller leather:			
	For the quantity within the limits of an annual tariff quota stipulated by a Cabinet Order (hereinafter in this heading referred to as "the Pooled Quota (Second Category)" Note: The annual tariff quota stipulated by a Cabinet Order ("the Pooled Quota (Second Category)") covers dyed, coloured, stamped or embossed leather (excluding parchment-dressed leather) of subheadings Nos. 4104.10, 4104.31 and 4104.39, and shall not be less than 342,000 m²	B	20%	20%
	Other	B	60%	40%
	ex Other			
	Other than those for "the Pooled Quota(Second Category)"	U	60%	40%
	ex Other			
	Other than those for "the Pooled Quota(First Category)"	U	60%	40%
	- Other bovine leather and equine leather, tanned or retanned but not further prepared, whether or not split:			
ex 4104.21	-- Bovine leather, vegetable pre-tanned			
	Other than those for "the Pooled Quota(First Category)"	U	60%	40%
ex 4104.22	-- Bovine leather, otherwise pre-tanned			
	Chrome tanned leather	U	Free	Free
	ex Other			
	Other than those for "the Pooled Quota(First Category)"	U	60%	40%
ex 4104.29	-- Other			
	ex Other than chrome tanned leather			
	Other than those for "the Pooled Quota(First Category)"	U	60%	40%
	- Other bovine leather and equine leather, parchment-dressed or prepared after tanning :			

332-25-13

0251

58. page. 101 - page. 102

ex 4104.31	-- Full grains and grain splits:			
	Parchment-dressed	B	7.5%	7.5%
ex	Other:			
ex	Dyed, coloured, stamped or embossed:			
	Dyed or coloured, excluding buffalo leather and roller leather:			
	For "the Pooled Quota(Second Category)"	B	20%	20%
	Other	B	60%	40%
ex	Other			
	Other than those for "the Pooled Quota(Second Category)"	U	60%	40%
ex	Other			
	Other than those for "the Pooled Quota(First Category)"	U	60%	40%
ex 4104.39	-- Other:			
	Parchment-dressed	B	7.5%	7.5%
ex	Other:			
ex	Dyed,coloured,stamped or embossed:			
	Dyed or coloured, excluding buffalo leather and roller leather:			
	For "the Pooled Quota(Second Category)"	B	20%	20%
	Other	B	60%	40%.
ex	Other			
	Other than those for "the Pooled Quota(Second Category)"	U	60%	40%
ex	Other.			
	Other than those for "the Pooled Quota(First Category)"	U	60%	40%

59. page. 102

ex 4105.20	- Parchment-dressed or prepared after tanning:			
	Parchment-dressed	B	7.5%	7.5%
ex	Other:			
ex	Dyed coloured, stamped or embossed			
	Other than those for the quantity within the limits of an annual tariff quota stipulated by a Cabinet Order (in subheading No.4106.20 referred to as "the Pooled Quota")	U	60%	40%
	Other	B	5%	Free

60. page. 103

ex 4106.20	- Parchment-dressed or prepared after tanning:			
	Parchment-dressed	B	7.5%	7.5%
ex	Other:			
ex	Dyed, coloured, stamped or embossed			
	Other than those for "the Pooled Quota"	U	60%	40%

332-25-14

0252

61. page. 113

ex 4407.10	– Coniferous:			
	Of Pinus spp., Abies spp. (other than California red fir, grand fir, noble fir and pacific silver fir) or Picea spp. (other than Sitka spruce), not more than 160mm in thickness			
	Planed or sanded	U	10%	6%
	Other			
	Of Pinus spp.	B	6%	4.8%
	Other	B	6%	4.8%
	Of genus Larix, not more than 160mm in thickness			
	Planed or sanded	U	10%	6%
	Other	U	10%	6%
ex	Other			

62. page. 119 – page. 120

4421.90	– Other:			
	Match splints	B	5.8%	Free
	Other:			
	Of Kwarin, Tsuge or boxwood, Tagayasan (Cassia siamea), red sandal wood, rosewood or ebony wood, excluding ebony wood with white streaks	B	5.7%	3.8%
	Kushi of bamboo	B	10%	10%
	Fans and hand screens, nonmechanical; frames and handles thereof and parts of such frames and handles	B	5.8%	3.9%
	Other	B	5.8%	2.9%

63 page. 122

4601.20	– Mats, matting and screens of vegetable materials:			
	Other than those of Igusa (Juncus effusus) or of Shichitoi (Cyperus tegetiformis)	B	4.9%	3.3%
4601.91	– Other :			
	– – Of vegetable materials:			
	Mushiro, Komo and rushmats	B	Free	Free
	Other:			
	Other than those of Igusa (Juncus effusus) or of Shichitoi (Cyperus tegetiformis)	B	4.9%	3.3%
4601.99	– – Other	B	5.7%	3.8%

64. page. 136

4905.91	– – In book form	B	Free	Free

332-25-15

0253

65. page. 177 - page. 178 (Move the first six lines in page. 178 to the end of page. 17:

5212.25	-- Printed:			
	Having either the warp or the weft of flax, ramie, synthetic fibres or acetate fibres	B	11.2%	7.4%
	Containing more than 10% by weight, separately or together, of synthetic fibres or acetate fibres (excluding those having either the warp or the weft of flax, ramie, synthetic fibres or acetate fibres)	B	8.4%	5.6%
	Other	B 5.6% or 4.43+1.52 yen/m² whichever is the greater		3.7% or 2.99+1.01 yen/m² whichever is the greater

66. page. 228 - page. 229 (Move the first line in page. 229 to the end of page. 228.)

5609.00	Articles of yarn, strip or the like of heading No. 54.04 or 54.05, twine, cordage, rope or cables, not elsewhere specified or included.			
	Of flax, ramie, hemp, jute or other textile bast fibres, Manila hemp, sisal fibres, synthetic fibres, or acetate fibres	B	8%	5.3%
	Other	B	4.9%	3.3%

67. page. 240 - page. 241 (Move the first line in page. 241 to the end of page. 240.)

5911.90	- Other:			
	Of cotton	B	7.3%	4.9%
	Other	B	4.2%	2.8%

68. page. 242 - page. 243 (Move the first line in page. 243 to the end of page. 242.)

6002.99	-- Other:			
	Figured	B	12%	7.9%
	Other	B	8%	5.3%

69. page. 275

	- Other :			
6303.91	-- Of cotton	B	11.2%	7.4%

70. page. 277

	- Pneumatic mattresses :			
6306.41	-- Of cotton	B	8.4%	5.6%

332-25-16

0254

71. page. 278 (Insert new tariff lines as follows.)

6402.11	-- Ski-boots and cross-country ski footwear	B	27%	27%
6402.19	-- Other	B	10%	9%
6402.20	- Footwear with upper straps or thongs assembled to the sole by means of plugs	B	10%	9%
6402.30	- Other footwear, incorporating a protective metal toe-cap	B	10%	10%
	- Other footwear :			
6402.91	-- Covering the ankle	B	10%	9%
6402.99	-- Other	B	10%	10%

72. page. 279

ex 6403.20	- Footwear with outer soles of leather, and uppers which consist of leather straps across the instep and around the big toe:			
	ex House footwear			
	Other than those for the quantity within the limits of an annual tariff quota stipulated by a Cabinet Order (herein-after in this Chapter referred to as "the Pooled Quota")	U	60% or 4,800 yen/pair, whichever is the greater	40% or 4,300yen/pair, whichever is the greater

73. page. 280 - page. 282

ex 6403.30	- Footwear made on a base or platform of wood, not having an inner sole or a protective metal toe-cap:			
	Footwear with outer soles of rubber, leather or composition leather (excluding slippers and other house footwear):			
	For "the Pooled Quota"	B	27%	27%
	Other	B	60% or 4,800 yen/pair, whichever is the greater	40% or 4,300yen/pair, whichever is the greater
	ex Other			
	ex Other than slippers			
	Other than those for "the Pooled Quota"	U	60% or 4,800 yen/pair, whichever is the greater	40% or 4,300yen/pair, whichever is the greater
ex 6403.40	- Other footwear, incorporating a protective metal toe-cap:			
	Footwear with outer soles of rubber, leather or composition leather:			
	For "the Pooled Quota"	B	27%	27%
	Other	B	60% or 4,800 yen/pair, whichever is the greater	40% or 4,300yen/pair, whichever is the greater
	ex Other			
	Other than those for "the Pooled Quota"	U	60% or 4,800 yen/pair, whichever is the greater	40% or 4,300yen/pair, whichever is the greater

332-2/-/7

0255

UR(우루과이라운드)-시장접근 분야 양허협상, 1992. 전2권(V.1 1-5월) 261

73. page. 280 - page. 282 (continued)

	- Other footwear with outer soles of leather :			
ex 6403.51	-- Covering the ankle:			
ex	House footwear			
	Other than those for "the Pooled Quota"	U	60% or 4,800 yen/ pair, whichever is the greater	40% or 4,300yen/ pair, whichever is the greater
	Other			
	Footwear for gymnastics, athletics or similar activities	B	27%	27%
	Other:			
	For "the Pooled Quota"	B	27%	27%
	Other	B	60% or 4,800 yen/ pair, whichever is the greater	40% or 4,300yen/ pair, whichever is the greater
ex 6403.59	-- Other:			
ex	Slippers or other house footwear			
ex	Other than slippers			
	Other than those for "the Pooled Quota"	U	60% or 4,800 yen/ pair, whichever is the greater	40% or 4,300yen/ pair, whichever is the greater
	Other			
	Footwear for gymnastics, athletics or similar activities	B	27%	27%
	Other:			
	For "the Pooled Quota"	B	27%	27%
	Other	B	60% or 4,800 yen/ pair, whichever is the greater	40% or 4,300yen/ pair, whichever is the greater
	- Other footwear :			
ex 6403.91	-- Covering the ankle:			
	Footwear with outer soles of rubber or composition leather (excluding house footwear):			
	Footwear for gymnastics, athletics or similar activities	B	27%	27%
	Other:			
	For "the Pooled Quota"	B	27%	27%
	Other	B	60% or 4,800 yen/ pair, whichever is the greater	40% or 4,300yen/ pair, whichever is the greater
ex	Other			
ex	Other than footwear for gymnastics, athletics or similar activities			
	Other than those for "the Pooled Quota"	U	60% or 4,800 yen/ pair, whichever is the greater	40% or 4,300yen/ pair, whichever is the greater

332-25-18

0256

73. page. 280 - page. 282 (continued)

ex 6403.99	-- Other:			
	Footwear with outer soles of rubber or composition leather (excluding slippers and other house footwear):			
	Footwear for gymnastics, athletics or similar activities	B	27%	27%
	Other:			
	For "the Pooled Quota"	B	27%	27%
	Other	B	60% or 4,800 yen/ pair, whichever is the greater	40% or 4,300yen/ pair, whichever is the greater
ex	Other			
ex	Other than slippers or footwear for gymnastics, athletics or similar activities			
	Other than those for "the Pooled Quota"	U	60% or 4,800 yen/ pair, whichever is the greater	40% or 4,300yen/ pair, whichever is the greater

74. page. 283 - page. 285

ex 6404.19	-- Other:			
ex	With uppers containing furskin			
ex	With the uppers of leather in part (excluding slippers)			
	Other than those for "the Pooled Quota"	U	60% or 4,800 yen/ pair, whichever is the greater	40% or 4,300yen/ pair, whichever is the greater
	Other	B	10%	10%
ex 6404.20	- Footwear with outer soles of leather or composition leather:			
ex	With uppers containing furskin			
ex	With uppers of leather in part (excluding sports footwear, footwear for gymnastics, athletics or similar activities and slippers)			
	Other than those for "the Pooled Quota"	U	60% or 4,800 yen/ pair, whichever is the greater	40% or 4,300yen/ pair, whichever is the greater
ex	With outer soles of leather (excluding footwear with uppers containing furskin)			
	Canvas shoes:			
	With uppers of leather in part (excluding sports footwear and footwear for gymnastics, athletics or similar activities):			
	For "the Pooled Quota"	B	21.6%	21.6%
	Other	B	60% or 4,800 yen/ pair, whichever is the greater	40% or 4,300yen/ pair, whichever is the greater
	Other	B	21.6%	21.6%

332-25-/P

0257

	ex	Other		
	ex	With uppers of leather in part (excluding sports footwear, footwear for gymnastics, athletics or similar activities and slippers)		
		Other than those for "the Pooled Quota"	U 60% or 4,800 yen/pair, whichever is the greater	40% or 4,300yen/pair, whichever is the greater
		Other	B 10%	10%
6405		Other footwear:		
ex 6405.10		- With uppers of leather or composition leather:		
	ex	With outer soles of leather and uppers of composition leather		
	ex	With uppers of leather in part (excluding sports footwear, footwear for gymnastics, athletics or similar activities and slippers)		
		Other than those for "the Pooled Quota"	U 60% or 4,800 yen/pair, whichever is the greater	40% or 4,300yen/pair, whichever is the greater
		With outer soles of rubber, plastics or composition leather and uppers of composition leather	B 10%	10%
		Other	B 4.3%	4.3%
6405.20		- With uppers of textile materials	B 4.3%	4.3%
ex 6405.90		- Other:		
	ex	With outer soles of rubber, plastics, leather or composition leather:		
	ex	With uppers containing furskin		
	ex	With uppers of leather in part (excluding sports footwear, footwear for gymnastics, athletics or similar activities and slippers)		
		Other than those for "the Pooled Quota"	U 60% or 4,800 yen/pair, whichever is the greater	40% or 4,300yen/pair, whichever is the greater
	ex	Other		
	ex	With outer soles of leather		
	ex	With uppers of leather in part (excluding sports footwear, footwear for gymnastics, athletics, or similar activities and slippers)		
		Other than those for "the Pool Quota"	U 60% or 4,800 yen/pair, whichever is the greater	40% or 4,300yen/pair, whichever is the greater
		Other	B 10%	9%

332-25-20

0258

7003.19	-- Other	B	4.6%	Free

76. page. 298

7007.11	-- Of size and shape suitable for incorporation in vehicles, aircraft, spacecraft or vessels			
	Of size and shape suitable for incorporation in motor vehicles, aircraft or spacecraft	B	6.6%	Free
	Other	B	6.6%	4.4%

77. page. 302

7101.21	-- Unworked	B	3.7%	2.5%

78. page. 305

7116.10	- Of natural or cultured pearls:			
	Graded pearls temporarily strung for convenience of transport	B	8.2%	4.6%
	Other	B	7.8%	5.2%

79. page. 314

	- Otherwise plated or coated with zinc :			
7210.41	-- Corrugated	B	4.9%	Free**(3.3%)

80. page. 315

	hot-rolled :			
7211.21	-- Rolled on four faces or in a closed box pass, of a width exceeding 150 mm and a thickness of not less than 4 mm, not in coils and without patterns in relief	B	4.9%	Free**(3.3%)

81. page. 332 - page. 333 (Move the first line in page. 333 to the end of page. 332.)

7326.90	- Other:			
	Endless conveyor belts, including unfinished conveyor belts with rivet holes at the extremities, in rolls	B	4.9%	Free
	Other	B	5.9%	Free

82. page. 333

7403.11	-- Cathodes and sections of cathodes	B	21yen/kg	10.5yen/kg ** (14yen/kg)
7403.12	-- Wire-bars	B	21yen/kg	10.5yen/kg ** (14yen/kg)
7403.13	-- Billets	B	21yen/kg	10.5yen/kg ** (14yen/kg)
7403.19	-- Other	B	21yen/kg	10.5yen/kg ** (14yen/kg)
	- Copper alloys :			
7403.21	-- Copper-zinc base alloys (brass)	B	21yen/kg	10.5yen/kg ** (14yen/kg)
7403.22	-- Copper-tin base alloys (bronze)	B	21yen/kg	10.5yen/kg ** (14yen/kg)
7403.23	-- Copper-nickel base alloys (cupro-nickel) or copper-nickel-zinc base alloys (nickel silver)	B	21yen/kg	10.5yen/kg ** (14 yen/kg)
7403.29	-- Other copper alloys (other than master alloys of heading No. 74.05)	B	21yen/kg	10.5yen/kg ** (14 yen/kg)

332 -25 -21

0259

20

83. page. 335
- Decked :
7410.21   -- Of refined copper   B   6%   4%

84. page. 345
8001.10   - Tin, not alloyed   B   Free   Free
8001.20   - Tin alloys   B   3.2%   1.6%** (2.2%)
8002.00   Tin waste and scrap.   B   Free   Free
8003.00   Tin bars, rods, profiles and wire.   B   3.7%   1.8%** (2.5%)
8004.00   Tin plates, sheets and strip, of a
           thickness exceeding 0.2 mm.   B   3.7%   1.8%** (2.5%)
8005.10   - Foil   B   4.9%   2.4%** (3.3%)
8005.20   - Powders and flakes   B   4.9%   2.4%** (3.3%)
8006.00   Tin tubes, pipes and tube or pipe
           fittings (for example, couplings,
           elbows, sleeves).   B   4.9%   2.4%** (3.3%)
8007.00   Other articles of tin.   B   5.8%   2.9%** (3.9%)

85. page. 346
8103.90   - Other:
              Flakes   B   5.8%   3.9%
              Other   B   7.2%   4%** (4.8%)

86. page. 347
8107.90   - Other   B   6.5%   4%** (4.3%)

87. page. 347
8108.90 - - Other   B   6.5%   4%** (4.3%)

88. page. 347
8110.00   Antimony and articles thereof, including
           waste and scrap.   B   28yen/kg   11.8yen/kg**
                                                                                      (18.5yen/kg)

89. page. 348
8112.20   - Chromium:
              Unwrought chromium, waste and scrap, and
              powders   B   5.1%   3.4%
              .Other   B   6.5%   4%** (4.3%)
8112.30   - Germanium:
              Waste and scrap   B   Free   Free
              Other   B   4.8%   2.7%
8112.40   - Vanadium   B   6.5%   4%** (4.3%)

90. page. 348
8112.99   -- Other   B   6.5%   4%** (4.3%)
8113.00   Cermets and articles thereof, including
           waste and scrap.   B   6.5%   4%** (4.3%)

332-25-22   0260

91 . page. 349			
8202.99	-- Other	L 3.6%	Free
92 . page. 351			
8207.50	- Tools for drilling, other than for rock drilling	B 4.8%	Free
93 . page. 351			
8207.70	- Tools for milling	B 5.5%	Free
94 . page. 357			
8401.20	- Machinery and apparatus for isotopic separation, and parts thereof	B Free	Free
95 . page. 357			
8401.40	- Parts of nuclear reactors	B 6.5%	Free
96 . page. 360			
8412.80 *	- Other	B 4.8%	Free
97 . page. 365			
8415.69 * (continued)	Other	B Free	Free
	- Parts :		
98 . page. 374			
8440.10	- Machinery	B 6%	Free
99 . page. 393			
8483.50	- Flywheels and pulleys, including pulley blocks	B 4.2%	Free
100 . page. 403			
8524.10	- Gramophone records:		
	Exceeding 20 cm in diameter and not exceeding 40 r.p.m.	B 15.6yen/ piece	Free ** (9yen/piece)
	Other	B 6.4yen/ piece	Free
101 page. 404			
8526.10 (continued)	Other	B Free	Free
	- Other :		

332-25-23

102. page. 410				
8542.11	-- Digital			
	Uncased	B	4.2%	Free**(2.
	Other			
	Of MOS type			
	Microcomputers and microprocessors; peripheral integrated circuits therefor	B	4.2%	Free
	Other	B	4.2%	Free**(2.
	Other	B	4.2%	Free**(2.
103. page. 411				
8544.70	- Optical fibre cables	B	3.9%	Free
104. page. 415				
8701.10	- Pedestrian controlled tractors	B	4.2%	Free**(2.
105. page. 417				
8708.29	-- Other	B	3%	Free
106. page. 417				
8708.70	- Road wheels and parts and accessories thereof			
	For tractors of heading No. 87.01	B	3%	Free**(1
	Other	B	3%	Free
107. page. 418				
8710.00	Tanks and other armoured fighting vehicles, motorised, whether or not fitted with weapons, and parts of such vehicles	U	12.8%	Free**(12.
108. page. 422 - page. 423				
8906.00	Other vessels, including warships and lifeboats other than rowing boats.			
	Of a gross tonnage of less than 100 tons	B	3%	Free
	Other			
	Warship	U	Free	Free
	Other	B	Free	Free
109. page. 423				
8908.00	Vessels and other floating structures for breaking up.	B	Free	Free

332-25-24

0262

110. page. 426
9007.19 |-- Other | B | 4% | Free

111. page. 432
9022.11 |-- For medical, surgical, dental or veterinary uses:

Computed tomographic scanners | B | Free | Free

Other:

For veterinary use | B | 3.4% | Free**(1.9%)

Other | B | 5.8% | Free**(3.3%)

112. page. 434
9026.10 (continued) * | Of electrical type | B | Free | Free

* | Other | B | 4.9% | Free**(2.8%)

113. page. 444 - page. 445 (Move the first line in page. 445 to the end of page. 444; correct the product description.)

9306.90 | - Other | U | 12.8% | 12.8%

9307.00 | Swords, cutlasses, bayonets, lances and similar arms and parts thereof and scabbards and sheaths therefor | U | 12.8% | 12.8%

114. page. 452
9506.91 |-- Articles and equipment for general physical exercise, gymnastics or athletics | B | 4.8% | Free

115. page. 455
9608.10 | - Ball point pens:

With holders or caps, made of, or combined with, precious metal, metal clad with precious metal, metal plated with precious metal, precious or semi-precious stones, pearls, coral, elephants' tusks or Bekko | B | Free | Free

Other | B | 7.5% or 1.80yen/ piece, whichever is the greater | 5.0% or 1.25yen/ piece, whichever is the greater

332-25-25

0263

정 리 보 존 문 서 목 록

기록물종류	일반공문서철	등록번호	2020030087	등록일자	2020-03-11
분류번호	764.51	국가코드		보존기간	영구
명 칭	UR(우루과이라운드) / 시장접근 분야 양허협상, 1992. 전2권				
생 산 과	통상기구과	생산년도	1992~1992	담당그룹	
권 차 명	V.2 6-12월				
내용목차	★ 농산물 협상은 "UR(우루과이라운드) / 농산물 협상, 1992. 전4권 " 파일 참조				

0001

외 무 부

종 별 :

번 호 : GVW-1165

일 시 : 92 0612 1630

수 신 : 장관(통기, 경기원, 재무부, 농림수산부, 상공부)

발 신 : 주제네바대사

제 목 : UR/시장접근 의장협의

1. 표제협상분야(T1) DENIS 의장은 시장접근협상에 C/S 를 제출한 국가의 협상대표들 을 별첨과 같이 6.17 오전 다자간 비공식협의에 초청 하였으며 아국에 대하여는 6.16오후 별도로 양자간 협의를 가질 것을 통지하여 왔음.

2. 미국의 시장접근협상 담당관은 6.18 아국과 양자간 협의를 가질 것을 요청하여 왔으므로 이에 동의 하엿으며 한편 6.18 미측의 의약품 무세화협상을 위한 관계국회의에 아국의 참여요청에 대하여는 아측은 종전과 같이 동회의에 참여하지 않을 예정임.

첨부: DENIS 의장 비공식 협의 통지문 1부

(GVW(F)-0376).끝

(대사 박수길-국장)

통상국   경기원   재무부   농수부   상공부

PAGE 1

92.06.13   05:59 FE

외신 1과 통제관

0002

주 제 네 바 대 표 부

번 호 : GVW(F) - ~~0376~~ *0377*　　　년월일 : 20612　　시간 : 1630

수 신 : 장　　　관 (통기, 경가원, 재무부, 농림수산부, 상성부)

발 신 : 주 제네바대사

제 목 : GVW-1165 첨부

총 3 매(표지포함)

보 안	
통 제	

외신과	
통 제	

371 - 3 -1

0003

GENERAL AGREEMENT ON

TARIFFS AND TRADE

RESTRICTED

L/7022
5 June 1992
Limited Distribution

Original: English

YUGOSLAVIA

The following communication, dated 2 June 1992, has been received from the United States Trade Representative.

I have been instructed by my authorities to provide you with the following statement of the position of the United States in respect of the defunct Socialist Federal Republic of Yugoslavia:

Subsequent to our note of 18 May 1992[1], the situation in the territory of the defunct Socialist Federal Republic of Yugoslavia has deteriorated. The United States does not accept Serbia/Montenegro to be the continuity or single successor state of the Socialist Federal Republic of Yugoslavia. Accordingly, our view is that Serbia/Montenegro cannot assume the membership in GATT and must make a new application to the CONTRACTING PARTIES if it wishes to participate in the GATT either as an observer or as a Contracting Party. Until such time as such an application is accepted, the representatives of Serbia/Montenegro should not participate in any GATT activities.

---

[1] L/7009

92-0733

316-3-2

0004

TELEFAX COVER SHEET

OFFICE OF THE UNITED STATES TRADE REPRESENTATIVE
Executive Office of the President
Geneva, Switzerland

DATE: June 11, 1992
NUMBER OF PAGES EXCLUDING COVER: 0
FROM: Bill Tabliani

TO:	NAME	AGENCY	FAX
	Mr. David Smith	Mission of Australia	733.65.86
	Mr. Johannes Potocnik	Mission of Austria	734.45.91
	Mr. John Donaghy	Mission of Canada	734.79.19
	Mr. George Bicknell	European Communities	734.22.36
	Mr. Ossi Tuusvuori	Mission of Finland	740.02.87
	Mr. Stefan Johannesson	Mission of Iceland	733.28.39
	Mr. Jun Akita	Mission of Japan	788.38.11
	Mr. Rak Yong Uhm	Mission of Korea	791.05.25
	Mr. Peter Hamilton	Mission of New Zealand	734.30.62
	Mrs. Mette Mogstad	Mission of Norway	733.99.79
	Mr. Arne Rodin	Mission of Sweden	733.12.89
	Mr. Alex Karrer	Mission of Switzerland	734.56.23
	Ms. Yvette Davel	GATT	731.42.06

SUBJECT: Market Access Plurilateral Meeting on Pharmaceuticals

A Market Access Plurilateral Meeting on Pharmaceuticals will be
held on Thursday, June 18, 1992, at the GATT, Meeting Room E
starting at 10:00 a.m. The meeting will be to discuss
developments in this area since the last meeting.

376-3-3

0005

USW(F) : 3955   년월일 :   시간 :

수 · 신 : 장 관 (통기, 통상, 통상, 경상) 경기관, 상무부

발 · 신 : 주미대사

제 · 목 : UR동향 (1매)   (출처 : FT, 6·17)

보 안
몽 제   22

Gatt tariff talks resume

By Frances Williams
in Geneva

SENIOR trade officials from 40-50 countries will today try to nudge forward the negotiations on reductions in tariffs and other trade barriers in the Uruguay Round of global trade talks.

These negotiations, a key component of the overall liberalization package, ground to a halt in March along with the rest of the Round following the failure of the US and the European Community to settle their differences over farm trade.

This in turn has prevented the US and the EC from agreeing tariff cuts on farm and industrial goods between themselves, an accord which would set the pattern for the rest of the 108 countries taking part in the Round.

Mutual concessions by the world's biggest traders have to be extended to all under the non-discriminatory "most favoured nation" principle of the General Agreement on Tariffs and Trade (Gatt).

Smaller countries are impatient and frustrated by the transatlantic stalemate.

They hope to press the US and EC to reveal enough about the likely outcome of their tariff negotiations to enable the country-by-country talks to recommence.

However, US and EC trade officials say they do not expect much progress because neither side wants to "assume" concessions that are still to be fought over.

One official talked of "sacred cows" which leaders remain unwilling to slaughter.

For example, the EC is refusing to concede "zero-for-zero" tariff deals in several industrial sectors until it has a commitment from Washington to cut high US tariffs on textiles. The US does not wish to make concessions on textile tariffs without some idea of what the EC offer on farm goods will eventually look like.

Despite the pessimism, both sides have sent top-level officials to Geneva, including Mr Hugo Paeman, the EC's chief trade negotiator, and Mr Warren Lavorel, his US counterpart.

They are expected to hold talks tomorrow with opposite numbers from Japan and Canada.

Negotiations have also restarted in the Swiss city on commitments by individual Gatt members to liberalise trade in services, though officials said these were expected to be fairly technical and low-key.

3955 -1 -1

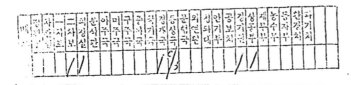

0006

외   무   부

종   별 :

번   호 : GVW-1212   일   시 : 92 0617 1900

수   신 : 장관(통기, 경기원, 재무부, 농림수산부, 상공부)

발   신 : 주 제네바 대사

제   목 : UR/시장접근 의장 협의

연: GVW-1165

1. 연호 관련 6.17 09:40-10:00 DENIS 의장과 C/S제출 국가간 비공식 회의가 개최되었기에 다음과 같이 보고함(김대사, 엄재무관, 최농무관, 강상무관 참석)

- 의장은 지난 회의 이후 2개월반이 경과했으나 별다른 진전이 없었다고 보고하면서 이에 대한 각국의 견해를 물었음.

- 미국은 농산물 분야에서 타결을 위한 노력이 계속되고 있다고 하며, 비농산물분야에서는 SECTORAL 접근을 위한 양자간 (16개국), 복수국가간 협상이 예정되어 있으며, 주요국가와의 양자적 접근을 계속 추구할 것이라고 하면서 농산물 분야 C/S를 DFA 와 일치시켜야할 것임을 주장함.

- EC 는 농산물 분야에서 그동안 별다른 진전이 없었다고 하며, 비농산물 분야에서 예컨데 CHEMICAL 등 일부분야의 HARMONIZATION 을 위하여 복수국가간 BROAD CONSULTION 이 가능한 것이라고함. 또한 개발도상국들이 구체적인 C/S 를 빨리 제출해야한다고 촉구함.

- 일본, 말련등은 미.EC 가 LINE-BY-LINE SCHEDULE을 제출하지 않은 사실을 지적하면서, 이러한 상황하에서 의미있는 협상의 진전은 불가능하다고 주장하였음.

- 의장은 미.EC 간 농산물 문제의 타결을 기다려보아야 할것이라고 하면서, 비농산물 분야에서 자신이 복수국가간 협상을 주선하는 것을 검토하여 보겠다고 언급하였음.

2. DENIS 의장은 전날 오후 한.아세안.홍콩국가군, 중남미 국가군, 선진국가군과 각각 별도의 비공식 협의를 가졌으며, 토의 내용은 금일과 유사하였음. (동인참석)

3. DENIS 의장은 카나다로 귀임한후 7월초에 제네바로 다시올 생각이라고 하는바

통상국   경기원   재무부   농수부   상공부

PAGE 1   92.06.18   07:55 DG

외신 1과 통제관

0007

1항에서 언급한 비농산물 분야의 복수국가간 협의의 성사 여부는좀더 시간을
두고기다려 보아야 할것임.
　　（대사박수길-국장）

외 무 부

종 별 :

번 호 : GVW-1227   일 시 : 92 0619 1700

수 신 : 장관(통기, 경기원, 재무부, 농수산부, 상공부)

발 신 : 주 제네바 대사

제 목 : UR/시장접근 미국 양자 협상

연: GVW-1165

당지에서 6.18 열린 미국과의 UR 시장접근 양자협상 논의 요지를 아래 보고함. (엄재무관, 김재무관보, 김상무관보 참석)

1. UR 및 시장접근 협상에 관한 의견 교환

가. 아측은 그동안 미.EC 간 협상 진전 상황, 최근 양국 고위 협상 책임자간의 제네바접촉결과 및 양국간의 OIL SEED 분쟁이 UR에 미치게될 영향등에 관하여 문의함.

- 미측은 양국이 UR 타결을 위한 노력을 기울이고있으나 아직 뚜렷한 진전은 보지 못하고 있다고하면서 OIL SEED 문제는 갓트 이사회등에서 격론이 있을 것이나 미국이 즉각적인 보복조치를 취하지는 않을 것이므로 시간을 두고 해결할수있을 것으로본다고 답변함.

나. 아측은 극히 일부 분야를 제외하고는 미국의분야별 무관세 제안이 실현될 가능성이 희박하다고 판단되므로 미국이 이를 반영하여 새로운 관세 OFFER 를 제출할계획이 없는지를 문의함.

- 미측은 분야별 무관세 제안과 관련 EC 측입장이 중요한바 EC 는 현재 의약품, 철강 무관세, 화학제품 관세조화외에 건설장비, 의료장비에도 관심을 표명하고 있는상태라고 답변함. EC 는 분야별 제안의 폭넓은 수용을 위하여는 미국의 섬유류등 고관세인하가 긴요함을 주장하고 있으나 미국측은 현재로서는 이를 받아들이기 곤란하며, 특히섬유분야의 DUNKEL TEXT 를 이행하기 위하여는모든 국가의 섬유제품 수입 자유화가 전제조건인바, 인도, 파키스탄, 터키, 이집트등이 이를 이행하지않을 뜻을 비치고 있어 미국으로서는 섬유협상의재균형이 모색되어야 한다는 입장이 강함을설명함.

다. 미측은 6.17 시장접근 그룹 비공식협의에서 논의된바와 같이 화학제품 관세조

통상국   2차보   경기원   재무부   농수부   상공부

화를 위한 복수국가간 협의가 있을 경우 아국이 참여할것인지를 문의함.

- 아측은 아국의 참여가 요청되는 경우 참여할것이나 종전에 아국이 주장한바와같이 선.개도국간조화세율의 차등화, 양허이익의 균형도모등이 긴요하다고 답변함. 미측은 이에 대하여 조화세율의 차등화는 어려울 것이나 이행기간의 차등화등은 고려될수도 있을 것이라고 언급함.

2. 한.미 양국 상호 관심 사항

가. 미측은 아국이 분야별 무관세 제안 참여가능품목으로 종전에 제시한 품목들이 주로부품들인바 완제품의 추가 가능성 여부를 문의, 아측은 본국정부에서 검토중이라고 답변함.

나. 아측은 한.미 양국간 관세 OFFER 불균형에비추어 아국의 대미 REQUEST 품목특히 92. 1에전달한 우선 순위 품목에 대한 미측의 반영가능성을 문의함. 미측은 아국의 우선순위품목등은 주로 섬유류를 중심으로한 미국의 민감품목들이기 때문에 현재로서는 이를반영하기 어려우나 아국의 대미 REQUEST 에포함되어 있지 않는 품목중약 10억불 상당품목의 관세인하를 미국 OFFER 에 포함시키는것을 고려중인바 아국이이를 미국의 아국에 대한OFFER 로 인정(ACCEPT)할수 있는지 여부를문의하여 고려중인 품목을 아래와 같이 예시함.

- 420321(운동용 장갑류)중 20, 40(야구), 60(스키),80(기타)의 품목, 이들 품목들은 한국이 최다수출국임.

- 85272140(라디오 방송 수신기), 한국이 대만에 이어2위 수출국임.

- 851650(마이크로 웨이브 오븐), 한국이 최다수출국인바 한국이 다음의 5개 미국 관심품목을반영해주는 조건으로 미국 OFFER 개선 고려

. 84181040 (냉장고), 84501101(세탁기),851640,845121(순간온수기), *Dryer* 73211150(스토브) - (전기대미)

다. 아측은 이에 대하여 미국의 동품목들에 대한관세 인하가 어느정도 될 것인지, 나머지 고려중인품목은 제시할수 없는지와 아국이 이러한 미국의OFFER 를 인정한다는 의미가 무엇인지, 혹아국의 기존 REQUEST 를 대치한다는 뜻인지등을 문의함.

- 미측은 현재로서는 여타 품목이나 고려중인인하율등을 제시하기 곤란하며 아국이 이러한 미측관세 OFFER 를 인정한다는 뜻은 기존 REQUEST를 대치한다는 것이 아니고 한국의 대미 REQUEST에 포함되어 있지 않은 품목에 대하여도 미국의한국에 대한 OFFER 로 인정하여 CREDIT 를부여한다는 의미라고 설명함.

PAGE 2

0010

-, - 아측은 미국의 관세 OFFER 개선은 일응환영할 만한 것이며 미국의
질문사항에대하여는본부의 의견을 품신하여 회답하겠다고 답변함.

3. 관찰 및 건의

미국의 관세 OFFER 개선 가능성에 대한언급은 현재 분야별 무관세 제안이
주종을이루고있는 자국의 공산품 OFFER 와 관련, 동분야별 제안중 많은 분야의
성사가능성이희박해짐에 따라 이에 대신할 새로운 관세OFFER 를 준비하는 과정의
일환이라고 보여짐. 아국의 주요 관심 사항인 섬유, 신발류등의관세인하는 미국이 대
EC 협상 및 자국이익단체와의 관계등을 고려, UR 최종순간까지 결정을 유보할
것이라고 판단되는바 우선미측 제시품목에 대한 본부의견 검토 회시 바람.끝

(대사 박수길-국장)

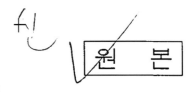

외 무 부

종 별 :

번 호 : GVW-1383 　　　　　　　　　　일 시 : 92 0713 1930

수 신 : 장관(봉기, 재무부)

발 신 : 주제네바대사

제 목 : UR/시장접근 협상 REQUEST LIST 송부

　　　연 : GVW-0613

　　　미국으로 부터 추가 REQUEST LIST(우선 관심품목)을 별첨 송부함.

　　　첨부 : 추가 REQUEST LIST 1부 (GVW(F)-434).

　　　(대사 박수길-국장)

통상국　　　재무부

PAGE 1 　　　　　　　　　　　　　　　　　　　　　92.07.14　　04:28 CJ

　　　　　　　　　　　　　　　　　　　　　　　　외신 1과　통제관 ✓

　　　　　　　　　　　　　　　　　　　　　　　　　　　0012

주 제 네 바 대 표 부

번호 : GVW(F) - 434

수신 : 장 판(통기.재무부)

발신 : 주제네바대사

제목 : GVW - 1383

년월일 : 20713   시간: 8P20

총   2   매(표지포함)

보안 통제	

의신관 통제	

13-JUL-1992 19:29   KOREAN MISSION GENEVA   2 022 791 0525   P.05

UNITED STATES TRADE REPRESENTATIVE

1-3 AVENUE DE LA PAIX

1202 GENEVA, SWITZERLAND

TELEPHONE: 732 09 70

July 8, 1992

Mr. Rak Yong Uhm
Attache
Mission of the Republic of Korea
Route de Pre-Bois 20
1216 Cointrin

Dear Mr. Uhm,

    I would like to take this opportunity to add seven items to
our priority request list for your country. The seven items are
as follows:

0305.204010	Pollock Roe
0303.791000	Pollock, frozen
0303.74000	Mackerel, frozen
0303.799090	Other fish, frozen
0304.201000	Pollock fillets, frozen
0307.491020	Squid, frozen
0307.91120	Abalone.

    We will be happy to discuss these requests with you at our
next meeting.

                                    Sincerely,

                                    William Tagliani
                                    Trade Officer

4370-2-2   0014

관리 번호	92 - 409

원 본

외 무 부

종 별 :

번 호 : AVW-1138　　　　　　　　　　일 시 : 92 0716 1135

수 신 : 장관(통기),통삼,구이), 사본:주제네바 대사-중계필

발 신 : 주 오지리 대사

제 목 : UR 관련 한.오 쌍무 협의

　　1. 주재국 경제성 GERHARD WAAS 다자교역 국장은 7.15.(수) 조창범 공사와 면담시 UR 관련 한. 오간의 쌍무협의 (BILATERAL NEGOTIATIONS ON MARKET ACCESS)가 약 1년전 두어차례 있었으나 그간 UR 협상 관련 동향에 많은 변화가 있는 점을 감안, 휴가시절이 끝나는 9 월경 비에나, 제네바 또는 서울에서 한. 오간의쌍무협의를 다시 갖기를 희망한다고 제의하였음

　　2. 동 국장은 특히 UR 협상 관련 농업분야에 있어 한국이 처하고있는 입장을 잘알고있으며 주재국도 스위스, 일본, 일부 스칸디나비아 국가들과 함께 농업분야 보호 측면에서 한국과 유사한 이해관계를 갖고있다고 부연하면서 이점에서도 한. 오간의 쌍무 협의가 매우 유익할 것이라고 하였음

　　3. 관련 본부 입장 회시바람. 끝.

(대사 이시영-국장)

예고: 92.12.31. 일반

재분류 92. 12. 31.

통상국	차관	2차보	구주국	통상국	분석관	농수부	중계

외 무 부

110-760 서울 종로구 세종로 77번지 / (02)725-0788 / (02)725-1737

문서번호 통일 2065-38ρ

시행일자 1992. 7. 2.( )

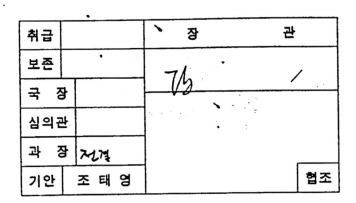

취급		＼ 장 관
보존		
국 장		
심의관		
과 장	전결	
기안	조 태 영	협조

수신 통상기구과장

참조

제목 한.일 무역불균형 시정등을 위한 구체적 실천계획

    92.6.30(화) 외무부 통상국장과 일본 외무성 아주국장간에 가서명된 표제계획에 첨부된 각주(脚註)에서 일본 정부는 "향후 우루과이라운드 관세인하 교섭에 있어서 우리의 대일 관세인하 요청을 고려하기로" 하였는바, 향후, UR 관세 교섭시 적극활용 하시기 바라며, 이를 주제네바 대표부에도 통보하여 주시기 바랍니다.

    첨부 : "한.일 무역불균형 시정등을 위한 구체적 실천계획"사본 1부. 끝.

통 상 1 과 장

0016

(脚註 1)

韓國政府는 日本의 輸入市場에서 占有率이 높은 16個의 對日 輸出關心品目에 대한 日本의 關稅率을 現行 稅率의 2분의 1 水準까지 引下하는 것을 우루과이 라운드 交涉에서 日本側이 受容해 주도록 要請하였다.

이에대해, 日本政府는 現在 우루과이 라운드의 市場接近 交涉이 進行되고 있는 狀況에서, 이와는 別途로 兩國間에서만 特定品目의 關稅引下를 交涉하는 것은 곤란하다는 것을 說明하였다.

이 結果 兩 政府는, 本件에 관해서는 앞으로도 우루과이 라운드에서 交涉해 나가기로 하였다.

日本政府는, 1992年 1月의 頂上會談時 表明한 意圖에 따라, 關稅引下에 있어서는 우루과이 라운드 交涉에서 韓國政府의 對日 關稅引下 要請을 考慮하기로 하였다.

(脚註 2)

(1) 韓.日 兩政府는 兩國의 建設業 分野에 관하여 폭넓게 意見交換을 해나가는 것이 重要하다는데 認識이 一致 하였다.

(2) 韓國政府는, 日本政府가 公共事業 入札 節次와 關聯하여, 韓國企業의 等級 審査에 있어서 앞으로도 第 3國 工事實績을 考慮하겠다는 것을 評價한다.

(3) 韓國企業의 日本 公共事業 參與 問題에 대하여는 지금까지의 協議를 통하어 雙方의 見解에 대한 理解가 깊어졌는바, 나아가 계속 兩國 政府間에 協議한다. 끝.

——————8—————   0017

關稅引下 要請 品目 (16個)

(單位 : 百萬円)

H S	Description	基準稅率	讓許稅率 (引下率)	要請稅率 (引下率)
3902 10 010	Polypropylene	32¥/kg (20.4% 相當)	20¥/kg (13% 相當) (36.3%)	5 (75.5%)
4202 92 010	Travelling bags, of plastic sheeting	10	10 (-)	5 (50%)
4202 92 090	Travelling bags, of textile materials	10	10 (-)	5 (50%)
4203 10 100	Articles of apparel, of leather or composition leather	20	20 (-)	10 (50%)
4203 10 200	Articles of apparel, of others	12.5	12.5 (-)	6.3 (50%)
5007 20 032	Woven fabrics of silk or of silk waste	10	10 (-)	4 (60%)
6106 10 012	Women's or girl's blouses, shirts and shirt-blouses, knitted or crocheted, of cotton	14	9.1 (35%)	7 (50%)
6106 20 011	Women's or girl's blouses, shirts and shirt-blouses, knitted or crocheted, of cotton	16.8	10.9 (35.1%)	8.4 (50%)
6107 11 000	Men's or boy's underpants and briefs, or cotton	11.2	7.4 (33.9%)	5.6 (50%)
6110 20 029	Jerseys and similar articles, of cotton	14	9.1 (35%)	7 (50%)
6110 30 022	Jerseys and similar articles, acrylic	14	9.1 (35%)	7 (50%)

H S	Description	基準稅率	讓許稅率 （引下率）	要請稅率 （引下率）
6202 13 200	Women's overcoat, of man-made fibres	11.2	9.1 (18.8%)	5.6 (50%)
6402 99 010	Shoes	10	10 (-)	5 (50%)
6403 91 011	Footwear for gymnastics athletics or similar	27	27 (-)	13.5 (50%)
6403 99 011	activities	27	27 (-)	13.5 (50%)
6404 11 011	Tennis shoes, canvas shoes	10	10 (-)	5 (50%)
계	16個 品目	平 均 14.9%	平 均 12.8% (14.3%)	平 均 7.1% (52.2%)

0019

외 무 부

원 본

종 별 :

번 호 : GVW-1417   일 시 : 92 0716 1900

수 신 : 장 관(통기, 경기원, 재무부, 농림수산부, 상공부)

발 신 : 주 제네바대사

제 목 : UR/시장접근 미국양자협상

　　연: GVW-1227

　　미국의 시장접근 협상 담당관의 요청에 따라 당지에서 7.16. 열린 미국과의 표제관련 협상논의 요지를 아래 보고함(엄재무관, 김재무관보, 김상무관보 참석)

　　1. UR 및 시장접근 협상에 관한 의견교환

　　- 아측은 그동안 미.이씨간의 협상진전 상황에 대해 문의함

　　0 미측은 농산물 분야에 있어서 아직 뚜렷한 진전은 보지 못하고 있다고 하면서 비농산물분야에서는 상당한 이견해소가 있었다고 함

　　2. 한.미 양국 상호 관심사항

　　- 미측은 연호 관련 관세인하 제의에 대해 아측의 관심을 요청하면서 당해 품목에 대해 의견 접근이 있을경우 한국이 요청하지 않은 품목을 포함한 다른 품목에 대해서도 관세인하문제를 협의할 수 있을 것이라고 함.

　　- 아측은 미국의 관세 OFFER 가 미제출된 상태에서 협상진전이 어려울 것이므로 미국에서 조속히 LINE-BY-LINE OFFER 를 제출할 것을 촉구함.

　　- 미측이 철강무관세, 화학제품 관세조화중에서 한국의 새로운 입장 변화 여부에 대하여 문의한바, 아측은 종전의 입장에 변화가 없다고 답변하면서 아국 주장의 정당성을 다시한번 설명함.

　　- 미측은 기존 대아국 REQUEST LIST 중 초코렛등 농산물에 대해서 미국측의 변함없는 관심을 표시하면서, 추가 REQUEST 된 수산물에 대해서 아국이 접수하였는지 여부를 확인함.

　　- 비관세 분야에서 미국은 초코렛 수입시 적용되는 검역방법에 대해 지난 서울(1월) 회의시 미국의견을 제시하였는바 이에 대한 아측입장이 무엇인지 문의하였으며, 소나무 재선충 문제관련, 임업연구원 등이 KILN DRYING METHOD 가 유용한

통상국　　경기원　　재무부　　농수부　　상공부

PAGE 1

92.07.18　　07:57 WH

외신 1과 통제관

0020

방안이라는결론을 도출한 것으로 알고 있다고 하며 이에 대해 문의함.

　　0 상기 사안에 대해 미측은 차기 회의시 설명을 요청하였는바, 상세 자료 송부 바람.

　　- 아국은 시장접근 분야중 비관세 스케줄을 제출한 유일한 국가임을 상기시키고, 기술적인 비관세 이슈는 양자적으로 해결을 모색하는 것이 최선의 방안임을 설명한바, 미국은 상기 사안에 대한 BINDING 문제를 거론치는 않음.

　　3. 관찰 및 건의

　　미국은 자국의 무관세 제안중 많은 분야의 성사가능성이 희박해 짐에 따라 이에대신할 새로운 관세 OFFER 를 준비하고 있는 것으로 보이며, 민감품목인 섬유, 신발류를 제외한 다른 공산품 분야에 적극성을 보이고 있는 것으로 관찰되는 바, 협상이급 진전될 것에 대비 아국의 대미 REQUEST LIST 를 재검토해 보는 것이 타당할 것으로 사료됨.끝

　　(대사 박수길-국장)

PAGE 2

0021

상 공 부

427-760 경기 과천시 중앙동 1번지 / 전화 (02) 503 - 9446 / 전송 (02) 503 - 9496, 3142

문서번호 국협 28143 -264

시행일자 1992. 7. 21. (   )

선결			지시	재무부와 협의처리
접수	일자시간	92. 7. 22	결재	
	번호	26620	공람	
처리과				
담당자	신막순			

수신 : 외무부장관

참조 : 통상기구과장

제목 : UR / 시장접근 양자협상에서 미국 제시품목에 대한 검토 회신

---

　　1. 외무부 전문 GVW - 1227 호 ('92. 6. 19) 와 관련입니다.

　　2. 위호 관련 우리나라에 대한 미측의 제시품목에 대한 검토의견을

별첨과 같이 회신합니다.

　　첨 부 : 검토자료 1 부.　끝.

상 공 부 장

국제협력담당관 전결

0022

미국 제시품목에 대한 검토

H.S.K	품 명	수용여부	사 유
7321 11 0000	가스렌지	수용불가	o 미국이 국내시장을 잠식코자 하는 주요품목은 가스오븐렌지로서 동 품목은 '86년 국산화된 것으로 현재 생산 초기단계에 있는 품목임 o 기술의 취약으로 high-tech제품의 경우 선진기술을 도입(미국이 최첨단국임), 계속 기술개발을 하고 있어 아직 국제경쟁력을 확보하지 못하고 있는 실정임
8418 10 8450 11 8516 40 8451 21	냉장고 세탁기 전기다리미 건조기	수용 불가	o 좌기품목은 미국의 가전산업중 가장 경쟁력이 있는 품목들로써 이를 품목에 대한 수입관세 인하시 가격, 품질 등으로 보아 국내시장 잠식이 크게 우려됨 o 또한 미국이 관세를 인하하겠다고 한 운동용 장갑, 마이크로웨이브 오븐, 라디오방송수신기의 경우 우리나라가 다소 국제경쟁력을 보유하고 있어 미국이 관세를 인하하더라도 급격한 수출증가는 기대하기 어려움 o 따라서 UR관세협상의 일환으로 미국이 제시한 조건부 관세인하 계획은 득보다 실이 커 수용할 수 없음

0023

관리		
번호	92-509	

재　무　부

우 427-760　경기도 과천시 중앙동 1　/ 전화 5461　　　　/ 전송

문서번호　국관 22710- 155
시행일자　1992. 7. 24. (　　)

수신　외무부장관
참조　통상국장

선결			지시		
접수	일자시간	PM 7.4 30/16	결재·공람		
	번호				
	처리과				
	담당자	·			

제목　UR 협상 관련 한·오 쌍무협의

1. AVW-1138('92.7.16) 관련입니다.

2. 아국과 오지리는 UR 관세협상과 관련 상호간에 Request List를 교환한 이외에 양국간에 그동안 실질적인 양허협상이 없었던 점을 고려, 한·오간 양자협상의 필요성이 인정되는 바, 한·오지리간 양자협상이 오지리의 제안대로 '92.9월에 성사될 수 있도록 협조하여 주시기 바랍니다.　끝.

재법무 82. 12. 31

재　무　부　장

관 세 국 장 전결

0024

	분류번호	보존기간

발 신 전 보

번 호 : WAV-1159 920729 1828 FO 종별 : ___

WGV -1129

수 신 : 주 오지리 대사.//총영사 (사본 : 주 제네바 대사)

발 신 : 장 관 (통 기)

제 목 : UR/ 한.오 양자 협의

대 : AVW-1138

1. 대호 오측의 UR/시장접근(market access) 분야에서의 한.오 양자 협의 제안에 동의함.

2. 협의 시기.장소와 관련, 9월중 제네바에서 다수국가간에 UR/시장접근 분야에서 일련의 양자 협상들이 개최될 예정이므로 동 기회에 오측과도 양자협의를 갖되 구체사항은 양국 주 제네바 대표부 간에 협의 결정하는 것이 좋겠음. 끝.

(국장 김 용 규)

해명규 92. 12. 31

보 안 통 제	

양고재	92년 7월 29일 통상기구과	기안 자성 명		과 장	국 장	차 관	장 관		외신과통제
		신							

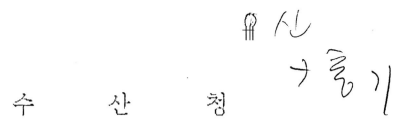

수 산 청

우 110-714 서울 중구 남대문로 5가 541 / 전화 (02)753-6862 / 전송 753-8331

문서번호 무역 27703-196

시행일자 '92.07.31.

(경유)

수신 수신처 참조

참조

선결			지시	
접수	일자시간	92.8.3	견재	
	수 번호	**27919**	공람	
처리과				
담당자	신도안			

제목 UR 관세 협상/대미 양자 협상

　　　1. 외무부 CVW 1417 ('92. 7. 16) 및 농림수산부 국협 20644-64 ('92. 7. 24) 호와 관련입니다.

　　　2. 위 공문으로 통보한 UR 시장접근 / 대미양자 협상시 미측 요구(7개 품목의 수산물에 대한 관세양허)에 대해 별첨 공문 사본과 같이 재무부에 통보하였음을 알려 드립니다.

붙 임 : 대 재무부 장관앞 공문사본 1부. 끝.

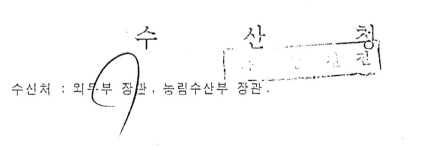

수신처 : 외무부 장관, 농림수산부 장관.

0026

수 산 청

우 110-714 서울 중구 남대문로5가 541 / 전화 (02)753-6862 / 전승 753-8331

문서번호 무역 27703-

시행일자 '92.07.31.

(경유)

수신 재무부 장관

참조

선결				지시	
접수	일자시간			건재공람	
	번호				
처리과					
담당자					

제목 UR 관세 협상/대미 양자 협상

1. 국관 22710-163('92. 7.25)호와 관련입니다.

2. 잘 아시다시피 우리나라는 '89 GATT/BOP 합의에 의거 수산물 수입자유화를 확대해 나가고 있습니다. 이에 따라 최근 수산물 수입이 급증하여 어민들의 집단시위등 반발행동이 빈발하는 등 정치 , 사회적 문제가 발생하고 있으며

3. 또한 국내에서 가장 낮은 소득층을 형성하고 있는 어민과 수산업의 어려움에도 불구하고 '92. 3. 5 341 개 수산물중 141 개 품목의 관세양허안을 제출한 바 있습니다. 이는 UR 협상에서의 전략적 차원에서 최대한의 양보를 한 것으로서 더 이상의 관세양허 또는 비관세 조치해제 등의 요청은 대어민 약속 이행이나 정치.사회적 분위기상 수용할 수 없음을 통보하오며

4. 우리나라에서는 어업정책상 공동사업 어획물에 대해서는 무세로, 합작사업 어획물에 대해서는 5%의 할당관세를 적용하고 있는 바, 미국도 아국 수산업자와의 공동 또는 합작사업 방안을 강구토록 권유하여 주시고 특히 물가 안정용으로 주로 미국에서 수입하고 있는 냉동명태, 냉동고등어에 대해서는 국내의 어려움에도 불구하고 5%의 할당관세를 적용 하고 있음을 주지시켜 주시기 바랍니다. 끝.

수 산 청 장

| 관리
번호 | 92-526 |

원 본

외 무 부

종 별 :

번 호 : AVW-1227   일 시 : 92 0806 1800

수 신 : 장 관(통기)

발 신 : 주 오스트리아 대사

제 목 : UR/한.오 양자 협의

      대:WAV-1159

      연:AVW-1138

      대호 오측에 통보하였으며 오측 주제네바 대표부가 아국 대표부를 접촉키로하였음.
끝.

      (대사 이시영-국장)

      예 고:92.12.31 까지.

재분류 92.12.31

통상국   구주국

* 원본수령부서 승인없이 복사 금지

92.08.07   17:23

외신 2과 통제관 EC

V. 한.호주 양자협의 (비관세 부문)

1. 한.호주 교역현황

o 우리나라의 호주와의 교역은 '85년 이후 연평균 약 20%로 급증

  - 교역규모 증가 : '85년 15억불 → '90년 35억불

  - 호주는 한국의 제 5위 교역국 ('90), 한국은 호주의 제 6위 교역국 ('89/'90)

o 주종 수출품목 : 전기.전자, 섬유, 신발, 철강제품 및 자동차 등 공산품

o 주종 수입품목 : 석탄, 철광석, 알미늄, 원당, 양모등의 원.부자재 및

                   쇠고기등 농축산물

o 대호주 무역수지도 교역증가에 따라 지속적으로 증가

  - 무역수지 증가 : '85년 7.5억불 → '90년 16억불

o 향후 교역전망 : 양국간 상호 보완적 시장특성으로 보아 그 교역규모 및 이에

              따른 무역적자는 지속적으로 확대될 전망이나 북방국가 및

              남아공으로 부터의 원.부자재 수입 동향에 따라서는 적자의

              확대속도가 다소 누그러질 수도 있음

한.호 교역 현황

(백만불, %)

구 분	'88	'89	'90	'91 (1-11)
교역규모	2,662 (40.3)	3,248 (22.0)	3,545 (9.1)	3,715 (13.4)
수 출	865 (39.7)	1,005 (16.2)	956 (-4.9)	902 (3.2)
수 입	1,797 (40.5)	2,243 (24.8)	2,589 (15.4)	2,813 (3.8)
무역수지	-933	-1,238	-1,633	-1,911

※ ( )내는 전년 동기대비 증감율

-179-

0029

2. 비관세 Request/Offer 현황

가. 호주의 대한 Request

H S	품 명	요 청 사 항	조치현황 (아국입장)
	농산물	o 수입허가 및 수량 제한 철폐	o 농산물 협상 그룹에서 논의
	수산물	o 〃	o Offer
2501. 00	Salt	o 수입허가제 폐지	o BOP 협의결과에 따라 점진적으로 개방할 것임
2701. 11	Anthracite coal (무연탄)	o 수입허가제 폐지	o 폐지 불가
3003	Medicaments (의약품)	o 〃	o 〃
3501. 10	Casein	o 〃	o Offer
3924. 10	Plastic tableware and kitchenware	o 〃	o Offer
3924. 90	Other household and foiler articles of plastic	o 〃	o Offer
7113. 19	Articles of jewellery of other precious metals	o 〃	o Offer
7601. 10	Unwrought aluminium not alloyed	o 〃	o Offer
7601. 20	Unwrought aluminium alloys	o 〃	o Offer
7607. 11	Aluminium foil, not backed, rolled	o 〃	o 당초 규제조치 없음
7607. 20	Aluminium foil, backed	o 〃	o Offer
7901. 11	Unwrought zinc not alloyed, 99. 99% zinc	o 〃	o Offer
7901. 12	Unwrought zinc not alloyed under 99. 99% zinc	o 〃	o Offer
7901. 20	Unwrought zinc alloys	o 〃	o Offer
7902. 00	Zinc waste and scrap	o 〃	o Offer

H S	품 명	요 청 사 항	조치현황 (아국입장)
8207.40	Tools for tapping or threading	o 수입허가제 폐지	o Offer
8207.50	Tools for drilling other than rock	o "	o 다변화
8207.60	Tools for boring or broaching	o "	o Offer
8207.70	Tools for milling	o "	o 다변화
8207.80	Tools for turning	o "	o Offer
8207.90	Other interchangeable tools	o "	o Offer
8413.30	Fuel etc pumps for IC piston engines	o "	o 다변화
8413.50	Other reciprocating positive displacement pumps	o "	o Offer
8413.60	Other rotary positive displacement pumps	o "	o Offer
841370	Other centrifugal pumps for liquids	o "	o Offer
841381	Other pumps for liquids	o "	o 전기용품안전 관리법, 다변화
841382	Liquid elevators	o "	o Offer
841391	Parts fo pumps for liquids	o "	o Offer
841392	Parts for liquid elevators	o "	o 당초 규제조치 없음
841810	Refrigerator freezers with separate external doors	o "	o Offer
841821	Compression type domestic refrigerators	o "	o Offer
841822	Electrical absorption type domestic refrigerators	o "	o Offer
841829	Other domestic refrigerators	o "	o Offer
841850	Refrigerated display counters etc	o "	o Offer

0031

H S	품 명	요 정 사 항	조치현황 (아국입장)
841861	Compression refriger-tion units with heat exchanges	o 수입허가제 폐지	o Offer
841869	Other refrigerating equipment heat pumps	o "	o 전기용품안전 관리법, 다변화
841891	Furniture designed for refrigerating etc equip	o "	o Offer
841899	other parts for refri-gerating or freezing equip	o "	o Offer
845011	Washing machines up to 10kg, fully automatic	o "	o Offer
845012	Washing machines up to 10kg with drier	o "	o Offer
845019	Other washing machines up to 10kg	o "	o Offer
845020	Washing machines capacity over 10kg	o "	o Offer
845090	Parts for clothes washing machines	o "	o Offer
851610	Electric water heaters	o "	o Offer
851710	Telephone sets	o "	o Offer
851720	Teleprinters	o "	o Offer
851730	Telephonic or telegraphic switching apparatus	o "	o Offer
851740	Other apparatus for carrier-current line systems	o "	o Offer
851781	Other telephonic apparatus	o "	o Offer
851790	Parts for telephonic or telegraphic apparatus	o "	o 다변화
852423	Magnetic tapes over 6.5mm wide	o "	o 음반에 관한 법률

H S	품 명	요 청 사 항	조치현황 (아국입장)
852490	Other recorded media	o 수입허가제 폐지	o 음반에 관한 법률
900311	Plastic frames and mountings for spectacles etc	o "	o Offer
900319	Frames and mountings for spectacles, other	o "	o Offer
900390	Parts for frames and mountings for spectacles etc	o "	o Offer

※ 아국은 Offer list 제출

나. 아국의 대호주 Request

품 명	요 청 사 항	조치현황 (호주 입장)
혁제의류	o 관세쿼타 제도 철폐	o Offer
합성, 인조직물	o "	o Offer
파일직물	o "	o Offer
타이어코드 직물	o "	o Offer
플라스틱코팅 직물	o "	o Offer
신 발	o 관세쿼타제도 철폐	o Offer
	o 수입할당제 폐지	o Offer
선 박	o 수입규제 조치 폐지	o 보조금 이외의 비자동 수입 허가제등 비관세 장벽은 모두 철폐 되었음
안 경	o 수량규제 폐지	o 구체적인 입장 표명 없음
인 형	o "	o 구체적인 입장 표명 없음
기계공구 및 전자제품	o 엄격한 품질검사제도 개선	o 일반적으로 해외에서의 실험 결과를 인정하지 않음. 그러나 실험결과인정 협약이 체결되는 경우는 인정을 하고 있음

※ 호주는 Offer list 제출

3. 한.호주 비관세 현안

o 농산물 이외에는 없음

-183-

0033

상 공 부

427-760 경기 과천시 중앙동 1번지 / 전화 (02) 503 - 9446 / 전송 503 - 9496, 3142

문서번호 국협 28143 -419

시행일자 1992. 8. 31. (   )

선결			지시		
접	일자 시간	92·9·1	결재 · 공람		
수	번호	31301			
처리과					
담당자		신석남.			

수 신   외무부장관

참 조

제 목   UR 시장접근 한·미 양자협상 관련 자료 송부

─────────────────────────────────────

    1. 귀부 GVW - 1417 호 (92. 7. 16) 와 관련입니다.

    2. UR 시장접근 한·미 양자협상싱 비관세분야에서 미측이 문의한 사항에
대한 아국입장을 별첨과 같이 송부하오니 업무에 참고하시기 바랍니다.

    첨 부 : 비관세 분야 아국입장 1부.   끝.

상 공 부 장

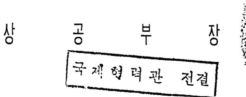

0034

비관세분야 아국입장

==================

1. 소나무 재선충의 Kiln Drying Method 에 대한 입장

   o 관련법규

   - 식물방역법 시행규칙 별표 (수입금지의 지역 및 식물)의 제13호에 의거 소나무
     재선충 (pine wilt nematode)이 분포하고 있는 미국에서 생산되고 있는 소나무
     제재목의 수입을 금지하고 있음

   o 아국입장

   - 92. 2. 24 ~ 25일간 개최된 제.4차 한·미 식물검역전문가 회의에서 양측은
     다음과 같은 결론에 도달한 바 있음

     · 한국측은 실험실내 처리는 소나무재선충에 대하여 효과적이라는 것을 확인
       하였으나 상업적인 규모에서의 효능을 입증해보기 위한 대규모시험을 원하며
       앞으로 시행될 상업적규모의 시험에는 한국 산림청의 과학자가 직접 참여
       하기로 함
     · 미측은 그러한 대규모처리의 효능에 관하여 알려진 자료가 있으면 이를
       한국측에 제공하고, 한국산림청 과학자의 참여하에 대규모시험을 실시하며
       상기시험의 설계는 시행하기전에 한국측과 협의하기로 함.

   - 따라서 아국은 미측에서 대규모 살충시험을 제안할 경우에는 동시험에
     아측 검역 및 산림관계자가 참여할 계획임

0035

o 아국입장

- 검체로써의 샘플은 검사대상식품 전체를 대표할 수 있어야 하며 샘플을 검사한 결과는 그 검사대상식품 전체에 영향을 미치게 되므로 매우 중요

  . 검사원이 법령에 규정된 내용에 따라 샘플을 채취하는 것은 검사원의 기본적 의무인 동시에 권리이기도 함

  . 콘테이너의 개관은 샘플의 채취를 위해 필요한 최소한에 한하도록 노력하고 있음

- 한국정부는 수입식품에 대한 안전성을 보장하면서도 그 통관절차를 간소화하고 신속화하기 위하여 계속 노력하고 있음

  . 보건사회부와 검역소간 On-Line 전산망이 이미 '91년도에 구축되어 '92. 3월 부터 가동되고 있어 타검역소의 검사결과가 상호 인정되게 되었고

  . 전문검사인력과 검사장비도 계속 보강하고 있음

  연도별 검사인력 보강현황

계	'90	'92
109	86	23

- 현행규정상 수입물량이 이전검사한 수입물량의 5배를 초과하는 경우에는 당해 검사대상물품에 대하여 종전의 검사결과를 인정할 수 없음 (수입식품관리지침)

0036

o 전문가회의 합의의사록

<Conclusion> :

ROK confirms that experimental treatment is effective against the pine wood
nematode but wants a large scale test to be conducted to verify its effect-
iveness on a commercial scal. The ROK forestry scientist would participate
directly in a commercial scale test to be conducted in the future.

<Next actions> :

1. US to provide data indicating what is known about efficacy of such large
   scale treatment to ROK.

2. US to conduct a large scale test with participating ROK forestry scientist.

3. The design of such a test that is required will be further discussed with
   ROK before being implemented.

2. 쵸코렛 검역에 대한 입장

o 미측의 양허요구내용 (92. 1. 29)

   - 쵸코렛과 설탕제품에 대한 샘플채취에 있어 모든 선적분에서 샘플채취하는
     방식 지양 약속
   - 검사과정을 신속화 할 수 있는 새로운 검사장비를 검역소에 보급하고 전산
     검색시스템을 도입, 반복된 검사가 지양되도록 타검역소의 검사결과를 상호
     인정하는 약속
   - 선적분량 (수입량)에 관계없이 이전검사결과 인정 약속

0037

이시 (신)

경 제 기 획 원

우 427-760 / 경기도 과천시 중앙동1 정부제2청사 / 전화 503-9146 / 전송 503-9141

문서번호 통조이 10520-17	취급		실 장	
시행일자 1992. 9. 17.	보존			
(경유)	국 장			/
수신 수신처 참조	과 장			
참조				
	기안	신 호 현		협조

제목 호주대표단 방문

1. 지난 9.14일 호주정부는 주 한국 호주대사관을 통해 당원에 UR협상(특히 시장접근
   분야)과 관련 비공식협의를 갖자고 제의하였으며 이를 위해 호주대표단이
   별첨과 같이 방한할 예정입니다.

2. 당원은 본 협의의제가 UR관련 사항이기는 하나 GATT에서의 일정외에 요청한 비공식
   협의이므로 단순한 상호의견교환차원에서 면담하는 것으로 대응토록 하고, 당원
   대외경제조정실장이 면담을 주관하되 관계부처 국.과장급이 함께 참여토록 할
   방침입니다.

3. 이에따라 다음과 같이 호주대표단과의 비공식협의를 개최코자 하니 참석대상자들은
   필히 참석하여 주시기 바랍니다.

                        - 다   음 -
      1) 일   시: 1992. 9. 30(수) 14:30 - 16:30
      2) 장   소: 경제기획원 소회의실
      3) 참석범위: 경제기획원   대외경제조정실장
                      "   제2협력관
                    외 무 부   통상심의관
                    재 무 부   관세국장
                    농림수산부   농업협력통상관
                    상 공 부   국제협력관

0038

접수 1992. 9. 18 33065
처리과

4) 이와관련 동 협의를 위하여 종합 면담자료를 작성코자 하는 바 각 관련부처는
   소관분야에 있어 한.호주간 쟁점사항 및 공동관심사항을 발굴하여 사항별 국문
   (개조식) 및 영문(full senfence)으로 작성 9.25(금)까지 필히 당원으로 송부
   하여 주시기 바랍니다.

별첨: 호주대표단 방문계획 요약.   "끝"

공람	문상기구	람	갈	과	심의관	국 장	차관보	차 관	장 관
		01/1/200							

경 제 기 획 원 장

수신처: <u>외무부장관</u>, 재무부장관, 농림수산부장관, 상공부장관.

0039

호주대표단 방문계획 요약

- 대표단 구성

  ㅇ 차관보(Assistant Minister)급을 수석대표로 4-5명으로 구성

     * 상세한 대표단 명단은 호주대사관을 통해 입수되는대로 추가 통보예정

- 방문일시(잠정)

  ㅇ 9.30(수), 2:30

     * 호주대표단은 9.30일 오전 서울도착하여 다음날 오전 동경으로 출발예정임

- 관심분야

  ㅇ 최근 UR동향 및 전망

  ㅇ UR이후의 후속작업의제(Post UR work agenda)

  ㅇ 시장접근(농산물 포함)의 양측관심사항

  ㅇ 기타 양자교역확대를 위한 협력가능분야등

- 기 타

  ㅇ 호주측은 단기 체류일정이므로 당원으로 하여금 외무, 재무, 상공, 농림수산부등 관련부처 공무원들도 함께 참석하여 협의하기를 희망

0040

재 무 부

우 427-760 경기도 과천시 중앙동 1   / 전화 (02)503-9297   / 전송

문서번호 국관 22710-199

시행일자 1992. 9. 19.   (   )

선결			지시	
접	일자시간	92.9.2	결재·공람	
수	번호	33270		
	처리과			
	담당자	선(인)		

수신 외무부장관

참조 통상국장

제목 UR 관세협상/한·미 양자협상

1. GVW-1227('92.6.19), GVW-1417('92.7.16) 관련입니다.

2. '92.6.18 및 7.16 제네바에서 개최된 한·미 양자협상시 미측이 제기한 사항에 대한 아국의 기본적인 입장을 아래와 같이 송부하니 제네바대표부에 통보될 수 있도록 협조하여 주시기 바랍니다.

- 아   래 -

가. 건설장비, 전자 분야의 완제품에 대한 추가적인 무세화는 국내산업의 경쟁력을 감안해 볼때 어려움.

나. 섬유, 신발등을 제외한 10억불 상당의 미국 offer와 냉장고, 세탁기, 건조기 등 5개 미측 관심품목과의 양허교환 문제는 아국에 득보다 실이 많을 것으로 판단되므로 수용 곤란함.

다.) 냉동명태등 7개 수산물의 관세인하는 동 품목이 수입제한 품목으로서 GATT BOP 협의결과('89.10)에 따라 '97년까지 수입자유화를 해야하는 품목이므로 관세양허 대상으로 할 수 없는 것임.

0041

라. 섬유, 신발 등을 제외한 대미 수출품목을 아국의 대미 Priority R/L에 포함시키는 문제는 협상에서 미국의 입장만 강화시켜주는 결과를 초래하므로 Priority R/L 수정은 실익이 없음.

3. 상기 아국 입장에 대한 구체적인 내용은 향후 한·미 양자협상시 필요한 경우 본부대표가 직접 미측에 설명할 계획이니 참고하시기 바랍니다.   끝.

재　무　부　장

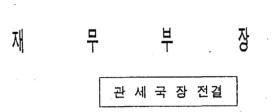

관 세 국 장 전 결

0042

신 (이시完)

전 언 통 신 문

문서번호 : 국관 22710-204

수 신 : 외무부 장관

참 조 : 통상기구과장

제 목 : 시장접근 분야 협의를 위한 호주대표단 방문

　　　1. 92.9.30.(수) 호주 대표단이 방한하여 시장접근 분야에 관한 양국간의 의견교환이 있을 예정인 바,

　　　2. 귀부에서는 호주가 제기할 예상쟁점 및 이에 대한 아국입장 형식으로 귀부 입장을 국.영문으로 작성하여 9.28.(월) 까지 당부로 송부바라며,

　　　3. 9.30.(수) 14:30-16:30 당부 국제회의실에서 개최될 한.호 양자협의에 참석할 귀부 관계관(과장급)에 명단을 조속히 통보하여 주시기 바랍니다. 끝.

조 3182

일 시 : 1992. 9. 25. PM 15:45

송화자 : 재무부 국제관세과 문 영진

수신자 : 외무부 통상기구과 최 순정

외 무 부

110-760 서울 종로구 세종로 77번지 / (02)720-2188 / (02)720-2686 (FAX)

문서번호 통기 20644-379

시행일자 1992. 9.28.( )

36542

수신 주 제네바 대사

참조

취급		장 관
보존		
국 장	전 결	결
심의관		
과 장		
기안	신 부 남	협조

제목 UR/시장접근(미국 양자협상)

　　　대 : GVW-1227, 1417

　　　대호 미국과의 양자 협상시 미측이 제기한 사항중 관세 및 비관세 분야
에서의 아국 입장을 별첨 송부하며, 관세분야의 구체적인 아국입장에 대해서는
향후 한.미 양자 협상시 필요한 경우 관계부처 대표가 직접 미측에 설명할 계획이니
참고 바랍니다.

　　　첨부 : 상기 자료 1부. 끝.

1992. 9. 29

0044

원 본 ✓

외 무 부

종 별 :

번 호 : GVW-1803

일 시 : 92 0928 1820

수 신 : 장관(통기, 경기원, 재무부, 농림수산부, 상공부)

발 신 : 주제네바대사

제 목 : UR/시장접근 양국양자 협상

연: GVW-1227

1. 미국의 시장 접근 협상 담당관은 10.2 아국과 양자간 협의를 가질것을 요청하여
왔으므로 이에 동의 하였음.

2. 본 협의와 관련 종래의 아국 입장에 변경이 있는 경우에도 조속 통보 바람.

(대사 박수길-국장)

통상국   경기원   재무부   농수부   상공부

PAGE 1

발 신 전 보

번 · 호 : WGV-1442   920929 1857 FY   종별 : ___

수 신 : 주   제네바   대사. 총영사

발 신 : 장 관 (통 기)

제 목 : UR/시장접근 (미국 양자협상)

　

대 : GVW-1803, 1417, 1227

연 : 통기 20644-36542 (92.9.28)
　　92.6.18 및 7.16.

　　　미국과의 양자협상시 미측이 제기한 관세 및 비관세 분야에서의 아국
입장을 아래 타전함. (상세파편송부)

1. 관세분야

　가. 건설장비, 전자분야의 완제품에 대한 추가적인 무세화는 국내산업의
　　　경쟁력을 감안 곤란함.

　나. 섬유, 신발등을 제외한 10억불 상당의 미국 offer와 냉장고, 세탁기, 건조기
　　　등 5개 미측 관심품목과의 양허교환 문제는 아국에 득보다 실이 많을 것으로
　　　판단되어 수용 곤란함.

　다. 냉동명태 등 7개 수산물의 관세인하는 동 품목이 수입제한 품목으로서 GATT
　　　BOP 협의결과('89.10)에 따라 '97년까지 수입자유화를 해야하는 품목이므로
　　　관세양허 대상으로 할 수 없음.　　／계속...

보안통제　〔서명〕

외신과통제

앙고재	92년 9월 29일	통기과	기안자 성명	申	과장 성대관 〔서명〕	국장 전결	차관	장관 〔서명〕

0046

라. 섬유, 신발 등을 제외한 대미 수출품목을 아국의 대비 Priority R/L에
   포함시키는 문제는 협상에서 미국의 입장만 강화시켜 주는 결과를 초래
   하므로 Priority R/L 수정은 실익이 없음.

2. 비관세 분야

가. 소나무 재선충의 Kiln Drying Methoel에 대한 입장

   o 식물방역법 시행규칙에 따라 소나무 재선충(pine wilt nematode)이
     분포하고 있는 미국에서 생산되는 소나무의 제재목 수입을 금지하고
     있음.

   o 92.2. 개최된 제4차 한.미 식물검역 전문가 회의에서 하기와 같이
     합의하여 아국은 미측에서 살충시험을 제안할 경우에는 동 시험에
     아측 검역 및 산림관계자가 참여할 계획임.

   o 참고 : 전문가회의 합의 의사록
     (Conclusion)
     ROK confirms that experimental treatment is effective against
     the pine wood nematode but wants large scale test to be conducted
     to verify its effectiveness on a commercial scale. The ROK
     forestry scientist would participate directly in a commercial
     scale test to be conducted in the future.

     (Next actions)
     1. US to provide data indicating what is known about efficacy
        of such large scale treatment to ROK.
     2. US to conduct a large scale test with participating ROK
        forestry scientist.
     3. The design of such a test that is required will be further
        discussed with ROK before being implemented.

                                          / 계속...

0047

나. 초코렛 검역에 대한 입장

　ㅇ　미측의 양허요구 내용(92.1.29)

　　-　초코렛과 설탕제품에 샘플채취에 있어 모든 선적분에서 샘플채취
　　　하는 방식 지양 약속 요구

　　-　검사과정을 신속화 할 수 있는 새로운 검사장비를 검역소에 보급
　　　하고 전산 검색시스템을 도입, 반복된 검사가 지양되도록 타검역소의
　　　검사결과를 상호 인정하는 약속 요구

　　-　선적분량(수입량)에 관계없이 이전검사결과 인정 약속 요구

　ㅇ　아국입장

　　-　검체로써의 샘플은 검사대상식품 전체를 대표할 수 있어야 하며
　　　샘플을 검사한 결과는 그 검사대상식품 전체에 영향을 미치게
　　　되므로 매우 중요

　　　.　콘테이너의 개관은 샘플의 채취를 위해 필요한 최소한에
　　　　한하도록 노력하고 있음.

　　-　한국정부는 수입식품에 대한 안정성을 보장하면서 통관절차를
　　　간소화, 신속화 하기 위하여 노력하고 있음.

　　　.　보사부와 검역소간 On-Line 전산망이 이미 '91년도 구축되어
　　　　'92.3월부터 가동되고 있어 타검역소의 검사결과를 상호
　　　　인정하며

　　　.　전문검사 인력과 검사장비도 계속 보강중임.
　　　　(90년이후 109명 증원)

　　-　수입식품관리 지침상 수입물량이 이전검사한 수입물량의 5배를
　　　초과하는 경우에는 당해 검사대상물품에 대하여 종전의 검사
　　　결과를 인정할 수 없음.　끝.

　　　　　　　　　　　　　　　(통상국장　홍 정 표)

0048

발 신 전 보

분류번호	보존기간

번 · 호 :   WGV-1453   921001 1418 WG   종별: 암호송신   WAU -0828

수 · 신 : 주   제네바, 호주 대사. 총영사

발 · 신 : 장 관 (통 기)

제 · 목 : UR/시장접근 양자협상(호주)

        서울에서
      92.9.30. 호주 외교무역부 L. Hall 다자무역담당 제1차관보를 단장으로
                        분야에서 한.호간
하는 대표단과 UR/시장접근 양자협의가 있었는바, 주요내용 아래 통보함.

(아측대표 : 재무부 관세국장 등 관계부처 6명)

1. 호주측 발언내용

  가. UR 협상

    ㅇ 미국.EC가 농산물 협상을 수주내에 합의하지 못할 경우 UR 협상은 미국의
      FAST TRACK 시한내에 종결되지 못할 가능성이 큼.

    ㅇ 정보에 의하면 Bush 대통령은 국내 선거용으로 10월중순까지 EC와의 농산물
      분야 협상을 타결할 수 있을 것이라 함.(10.15-16간 4극 회의 개최예정)

    ㅇ Dunkel 협정안은 균형된 협상결과로서 호주로서도 TRIMs 과 보조금 분야에
      문제가 있지만 Dunkel Text를 UR 협상의 기초로 수용하였음.

    ㅇ '포괄적인 관세화'에 대해 미국, EC, 농산물 수출국이 찬성하고 있으며
      일본도 결국 수용할 것으로 보이는바, '포괄적인 관세화'에 대해 끝까지
      반대하면 UR 협상은 실패할 것임. / 계속...

	보 안 통 제	

앙고재	92년 10월 1일	통기과	기안자성명	甲		과 장	심리라	국 장	긴격		차 관		장 관	

외신과통제

0049

나 . 시장접근

○ 시장접근 분야에서 미국의 무세화 협상(Zero for Zero) 제안 관련
호주측은 철강, 의약품, 수산품 분야에는 적극 참여하고 있으며, 여타
분야에서는 업계의 저항이 있음 .

○ 미 .EC간 농산물 협상이 타결되면 무세화 협상의 전망이 밝아 질 것이나 ,
구체적인 협상결과를 이루기 위해서는 수주안에 진전이 있어야 함 .

○ 무세화 협상관련 미국 .EC간 의약 , 화학 , 강철 등 3-4개 분야에서 성과가
있을 것으로 봄 .

○ 비관세 장벽의 경우에도 양허약속(binding committment)을 하고 추후
철회 필요시 28조 절차를 거치도록 하여 예측성을 높이도록 할 필요성이
있음 .

다 . post-UR

○ 호주 무역고의 65%가 아 .태에서 이루어 지고 있어 아 .태 지역과 무역
관계를 증진시킬 필요가 있음 .

○ UR 협상이 타결된후 UR 협상에서 논의되지 않은 자유화 대상분야 , 또는
UR 협상이 지연될 경우 시장접근 분야에 대해 APEC 차원 , 양자적
차원에서 무역자유화 논의 필요

2 . 한국측 발언내용

가 . UR 협상

○ UR 협상의 성공적 타결 중요성과 농산물 분야의 '포괄적 관세화'에 대한
아국입장 이해 요청

/ 계속...

0050

o '포괄적 관세화'는 경제적 정치적 이유로 수용할 수 없으며, 농산물
   협상은 수출국과 수입국의 이익을 균등하게 반영하여야 함.
   - 한국농업의 영세성과 쌀등 농산물 시장개방에 대한 정치적 민감성
      설명

나. 시장접근

o 무세화 협상관련 (감철) 전자, 건설장비 분야에 참여하고 있으나, 비-
   EC의 협상주도로 인한 명료성(transparency) 부족에 대한 문제점 지적

o 화학분야 관세조화관련 EC의 선진국, 개도국을 구별하는 two line
   제안 지지

o 호주가 섬유, 신발에 대한 수량제한을 2000년에 철폐할 것이라는
   계획에 관심 표명 및 안경, 인형 품목에 대한 비관세 장벽 여부 문의

o ← 호주측이 언급한 비관세 분야에서의 양허 mechanism은 수용 가능함.

o 피혁, 섬유, 신발에 대한 관세율(40-55%) 감축을 위한 협상 제의 끝.

                                        (통상국장   홍 정 표)

(16개 품목 요청 및 양허내용 비교)

HS	품 목	기존세율		양허 세율	요청 세율	일본의 대한 GSP 정지현황 (91)	우선 순위
		'86	91 GSP				
3902 10 010	폴리프로필렌	32¥/kg (20.4% 상당)	D	20¥/kg (13% 상당) (36.3%)	5 (75.5%)	4월 11일	1
4202 92 010	여행용 가방 (플라스틱)	10	D, SP	10 (0%)	5 (50%)	4월 3일	1
4202 92 090	〃 (섬유)	10	D, SP	10 (0%)	5 (50%)	4월 3일	1
4203 10 110	의류(가죽·콤포지션가죽)	20	No	20 (0%)	10 (50%)	GSP 비적용	2
4203 10 200	의류(기타)	12.5	No	12.5 (0%)	6.3 (50%)	GSP 비적용	1
5007 20 032	견직물	10	No	10 (0%)	4 (60%)	GSP 비적용	1
6106 10 012	여자,소녀용 면제브라우스,셔츠브라우스 (메리야스, 뜨게질편물)	14	PA, SP, 1/4	9.1 (35%)	7 (50%)	GSP 한도 사전할당품목 (할당량 이외에는 관세부과)	2
6106 20 011	〃 ,인조섬유제 (〃)	16.8	PA, SP, 1/4	10.9 (35.1%)	8.4 (50%)	사전 할당	1
6107 11 000	남자,소년용 언더팬츠,나이트셔츠,파자마등 (면제)	11.2	PA, SP, 1/4	7.4 (33.9%)	5.6 (50%)	사전 할당	2
6110 20 029	저지·가디건 등 (면제)	14	PA, SP, 1/4	9.1 (35%)	7 (50%)	사전 할당	1
6110 30 022	저지·가디건 등 (인조섬유제)	14	PA, SP, 1/4	9.1 (35%)	7 (50%)	사전 할당	1

-11-

0052

HS	품 목	기존세율		양허세율	요청세율	일본의 대한 GSP 정지현황 (91)	우선순위
		'86	91 GSP				
6202 13 200	여자용 오버코트, 레인코트, 카코트 등 (인조섬유제)	11.2	D, SP	9.1 (18.8%)	5.6 (50%)	4월 12일 (전수혜국)	1
6402 99 010	신발(샌달, 정구화 등 기타 신발)	10	No	10 (0%)	5 (50%)	GSP 비적용	1
6403 91 011	발목 덮는 신발(드레스화, 등산화 등 기타 신발)	27	SP, 1/4	27 (0%)	13.5 (50%)	4월 3일 (전수혜국)	2
6403 99 011	기타 신발 ( )	27	SP, 1/4	27 (0%)	13.5 (50%)	4월 3일 (전수혜국)	2
6404 11 011	스포츠용 신발류(정구화, 농구화, 체조화 및 이외 유사한 것)	10	D, SP	10 (0%)	5 (50%)	4월 3일 (전수혜국)	1
계	16개품목	평균 14.9%	GSP적용 12개 비적용 4개	평균 12.8% (평균 양허율 14.3%)	평균 7.1% (평균 인하율 52.2%)		

※ 일본의 기존 실행세율은 1986년 이후 변동없음.

※ 일본의 91년 GSP 는 4월 1일부터 개시됨.

① D : GSP 수량한도 일별관리 품목
② PA : GSP 수량한도 사전할당 품목
③ SP : 민감품목으로서 GSP 세율 인하폭 제한 (실행세율의 1/2)
④ 1/4 : 1/4 정지조창의 예외 (탄력화) 품목
⑤ No : GSP 비적용 품목

-12-

0053

UR/시장접근 협의

1. UR 시장접근 협의 개요

- 기간 및 장소 : '92.10.5~10.8, 스위스 제네바

- 협상분야

    o 10. 5 (월) : 의료기기, 건설장비, 전자

    o 10. 6 (화) : 목재, 종이, 철강, 비철금속, 가구

    o 10. 8 (목) : 섬유 및 의류

- 참가대상

    o 상기분야에 대한 각국 실무대표급

    o 당부 참석자 : 박재식 국제관세과 사무관

2. 금차회의시 파악할 사항

- 금차회의가 지난 4월초 예정된 UR 종결시한을 넘긴후 사실상 처음
  개최되는 실무협상인 점을 감안하여
  첫째, 기존의 무세화, 관세조화협상 방식이 없어지고 새로운 협상
       방식 채택 여부를 파악하고
  둘째, 새로운 분야별 협상 방식이 채택되는 경우에도 선진국과
       개도국은 각국의 경제력 및 산업발전 정도에 따라 참여범위
       및 관세율인하에 차등적용이 필요함을 언급

0054

- 기존의 무세화·관세조화 분야중 구체적인 타결 가능성이 있는 분야
  를 파악하여 추후 UR 관세협상 마무리에 대처토록 함.
- 미국·EC·일본등 주요 협상국의 협상 대처방향 면밀히 파악
  o 주요 협상국간의 비공식적인 협상 추진방향 등

3. 무세화·관세조화에 대한 아국 기존입장

가. 철강(Steel) 무세화

- 국제경쟁력을 보유한 분야로서 철강다자협상에서 무세화에 원칙
  적으로 합의('91.7)
- 무세화 대상 전품목의 참여

나. 전자(Electronics) 및 건설장비(Construction Equipment) 무세화

- 경쟁력이 있는 품목등 일부 품목에만 무세화 참여
- '91.9 한·미 양자협상시 아국은 미측에 전자·건설장비 분야중
  무세화 참여 가능품목 리스트 제출

('91년, 백만불)

분 야	대상품목수	참여품목	참여품목 교역실적	
			수 출	수 입
전 자	38	22	7,167	6,416
건설장비	18	8	271	689

다. 비철금속, 종이, 목재, 의료기기 무세화

- 경쟁력이 없는 분야로서 수입일방 분야이므로 <u>무세화 협상에 반대</u>

('91년 기준, 백만불, HS 4단위)

구 분	대상품목수	수 출	수 입
비철금속	48	532	2,352
종 이	41	527	1,545
목 재	21	117	1,857
의료기기	29	615	2,207

라. 의약품 무세화

- 신물질 개발등 기술력이 열위하여 무역역조가 심한 분야이므로
  협상회의에 불참함.

대상품목수	수 출	수 입
10	139	348

마. 수산물 무세화

- BOP 수입자유화와 동시에 무세화 추진은 곤란
- 영세어민보호를 위해서도 <u>무세화 불가</u>

대상품목수	수 출	수 입
31	1,491	570

바. 섬유·의류의 관세조화

- 아국이 경쟁력을 보유한 분야로서 섬유·의류의 <u>관세조화 적극</u>
  <u>추진</u>

0056

- EC의 섬유류 관세조화 제안에 원칙적으로 동조

섬유 및 의류 관세조화에 대한 미국·EC 제안

구 분	E C 제 안	미 국 제 안
품목범위	HS 50~63류 HS 4단위 : 149개 HS 10단위 : 1,265개	HS 4단위 : 75개 품목 o 양모등 10개 o 천연사, 인조사등 25개 o 직물, 의류 43개 품목
조화세율 o 원재료 o 반가공품 o 사 · 인조사 · 천연사 · 직 물 · 의 류	 0% (0~5%)* 2% (6~8%) 4~5% (10~12.5%) 4~5% (10~12.5%) 8% (15~20%) 12% (30~35%)	 7.5% 15% 32% 32%

* ( )는 개도국의 조화세율

사. 가구류

- 가구산업은 성장 가능성이 큰 산업이나 도입되는 원자재에 대한 관세가 대만등 경쟁국에 비해 높아 가구만의 <u>무세화는 가격경쟁력 약화 초래</u>

- 대부분 영세한 중소기업으로 구성되어 관세에 의한 산업보호가 당분간 더 필요

0057

원 본

외 무 부

종   별 :

번   호 : GVW-1780

일   시 : 92 0925 1110

수   신 : 장 관 (봉기, 경기원, 재무부, 농림수산부, 상공부)

발   신 : 주 제네바대사

제   목 : UR/시장접근 의장협의

1. DENIS 의장은 별첨과 같이 10.5부터 주요국 실무협상대표를 비공식 협의에 초청하였는바, 본협의의 특징은 품목별 관심사항을 주요 국가간에 실무대표 수준에서협상코자 하는 것이며

2. 협의 일정은

10.5 기계류

10.6 광물, 금속, 목재, 종이류

10.8 섬유 및 의류로 예정되어 있음

3. 본 협의와 관련 종래의 아국입장에 변경이 있는 경우에는 조속 통보바람

첨부 : DENIS 의장 비공식 협의 통지문 3부. (GVW(F)-0562) 끝.

(대사 박수길 -실장)

통상국   경기원   재무부   농수부   상공부   관세

92.09.26   06:48 FN

외신 1과 통제관

0058

주 제 네 바 대 표 부

번호 : GVW(F) - 0562   년월일 : 20/25   시간 : 1110

수신 : 장   관 (통기, 경기원, 재무부, 농림수산부, 상공부)

발신 : 주제네바대사

제목 : GVW-1780 첨부

총 4 (표지포함)

<table>
<tr><td>보 통</td><td></td></tr>
</table>

562 - 4-1

GATT   FACSIMILE TRANSMISSION

Centre William Rappard   Telefax: (022) 731 42 06
Rue de Lausanne 154   Telex: 412324 GATT CH
CH-1211 Genève 21   Telephone: (022) 739 51 11

TOTAL NUMBER OF PAGES   1   Date: 24.9.92
(including this preface)

From: Heinz Opelz   Signature:
       Director
       Non-Tariff Measures Division
       GATT, Geneva

To: Head of Delegation   Fax No: 791 05 25
       Mission of Korea

The Chairman of the Negotiating Group on Market Access, Mr. Germain Denis,
invites your delegation, at the level of senior market access negotiator, to an
informal consultation session on Machinery and Equipment (scientific and
medical equipment, construction equipment, electronics) on Monday, 5 October at
3 p.m. in Room F at the Centre William Rappard.

PLEASE NOTIFY US IMMEDIATELY IF YOU DO NOT RECEIVE ALL THE PAGES

** OUR FAX EQUIPMENT IS HITACHI HIFAX 210 (COMPATIBLE WITH
GROUPS 2 AND 3) AND IS SET TO RECEIVE AUTOMATICALLY **   0060

GATT   ▄FACSIMILE TRA═SMISSION

Centre William Rappard   Telefax: (022) 731 42 06
Rue de Lausanne 154   Telex: 412324 GATT CH
CH-1211 Genève 21   Telephone: (022) 739 51 11

TOTAL NUMBER OF PAGES   1   Date: 24.9.92
(including this preface)

From: Heinz Opelz   Signature:
       Director
       Non-Tariff Measures Division
       GATT, Geneva

To: Head of Delegation   Fax No: 791 05 25
       Mission of Korea

The Chairman of the Negotiating Group on Market Access, Mr. Germain Denis, invites your delegation, at the level of senior market access negotiator, to an informal consultation session on Minerals and Metals, Wood and Paper Products (steel, non-ferrous metals and minerals, wood and paper products, furniture) on Tuesday, 6 October at 3 p.m. in Room F at the Centre William Rappard.

PLEASE NOTIFY US IMMEDIATELY IF YOU DO NOT RECEIVE ALL THE PAGES

** OUR FAX EQUIPMENT IS HITACHI HIFAX 210 (COMPATIBLE WITH
GROUPS 2 AND 3) AND IS SET TO RECEIVE AUTOMATICALLY **

662-4-3   0061

W. PAR:G.A.T.T. 32-467 :24- 9-92 18:67 ; NO. 234 P04

G A T T   FACSIMILE TRANSMISSION

Centre William Rappard
Rue de Lausanne 154
CH-1211 Genève 21

Telefax: (022) 731 42 06
Telex: 412324 GATT CH
Telephone: (022) 739 51 11

TOTAL NUMBER OF PAGES   1
(including this preface)

Date: 24.9.92

From: Heinz Opelz
       Director
       Non-Tariff Measures Division
       GATT, Geneva

Signature:

To: Head of Delegation
       Mission of Korea

Fax No: 791 05 23

    The Chairman of the Negotiating Group on Market Access, Mr. Germain Denis,
invites your delegation, at the level of senior market access negotiator, to an
informal consultation session on Textiles and Clothing on Friday, 9 October at
3 p.m. in Room F at the Centre William Rappard.

PLEASE NOTIFY US IMMEDIATELY IF YOU DO NOT RECEIVE ALL THE PAGES

** OUR FAX EQUIPMENT IS HITACHI HIFAX 210 (COMPATIBLE WITH
GROUPS 2 AND 3) AND IS SET TO RECEIVE AUTOMATICALLY **

562-4-4   0062

재   무   부

우 427-760 경기도 과천시 중앙동 1   / 전화 (02)503-9297   / .전송

문서번호 국관 22710-205

시행일자 1992. 9. 29. (   )

수신 외무부장관

참조 통상국장

선결			지시	
접수	일자시간		결재·공람	
	번호			
처리과				
담당자	박민남			

제목 UR/시장접근 의장 협의

   1. 국관 22710-201('92.9.24), GVW-1780('92.9.25) 관련입니다.

   2. '92.10.5~10.8간 스위스 제네바에서 개최되는 표제 협의시 논의될 분야별 당부 입장을 별첨과 같이 송부하며 표제협의 참가를 위해 UR/농산물 협상에 참석하는 당부대표의 출장기간을 아래와 같이 변경하니 협조하여 주시기 바랍니다.

- 아   래 -

소 속	참 석 자	출 장 기 간
관 세 국	5급 박 재 식	'92. 10. 1~10. 10(10일간)

재 무 부 장

관 세 국 장 전결

0.063

관리
번호 R-668

원 본

외 무 부

종 별 :

번 호 : GVW-1823   일 시 : 92 1001 0830

수 신 : 장관(통기,경기원,재무부,농림수산부,상공부)

발 신 : 주 제네바 대사

제 목 : 시장접근 비공식 협의

1992.12.31. 에 예고문에
의거 일반문서 재분류됨

1. BROADBRIDGE 갓트 사무차장보에 의하면 10.5 주간 개최되는 시장접근분야
비공식 협의는 선.개도국 각 8개국씩 총 16개국을 중심으로하되 , 품목에 따라
이해관계국 일부를 추가하는 형식으로 진행해 나갈 예정이며, 동 비공식협의의 목적은
무세화 및 조화협상 대상 분야별로 각국의 입장을 재점검 해 나가면서, DENIS 의장의
중재(BROKERING) 하에 각국별로 현재 예외 취급 요청을 하고 있는 민감품목의 수를
가능한한 축소해 나감으로써 시장접근 협상의 진전을 기하고자 함에 있다함.

2. 동인은 동 비공식 협의에 미.EC 양국의 본부 책임자(미국: NEWKIRK, EC:
ABBOT)가 참석할 예정이라 하면서, GATT 사무국은 여타 주요국에도 본부 대표의
참석을 권유중인바, 한국도 본부협상 대표가 참석하는 것이좋겠다는 희망을 피력함.

3. 상기 상황 및 당관 사정(동 협상을 담당해온 엄낙용 재무관의 본부 전임 및
김의기 재무관보의 업무수임 일천)을 고려 내주 월,화 및 금요일로 예정되어 있는
품목별 협의에 동문제를 담당하고 있는 재무부과장 및 관계부서 실무자(필요시)를
파견해 주시기 바람. 끝

(대사 박수길-국장)

예고: 92.12.31. 까지

| 통상국 | 장관 | 차관 | 2차보 | 분석관 | 정와대 | 총리실 | 안기부 | 경기원 |
| 재무부 | 농수부 | 상공부 | | | | | | |

원 본

외 무 부

종 별 :

번 호 : GVW-1837   일 시 : 92 1002 1500

수 신 : 장 관(통기, 경기원, 재무부, 상공부)

발 신 : 주제네바대사

제 목 : UR/의약품 화학제품 관세인하 협의

연: GVW-1780

1. 미국의 시장접근 담당관으로 부터 별첨과 같이 미국과 이씨 공동명의로 10.8.16:00(장소:갓트)화학제품 관세조화에 관한 복수국가간 협의에 아국을 초청함.

(22개국 및 갓트사무국 초청)

2. 또한 미국은 단독명의로 10.8.11:00(장소:갓트)의약품에 대한 협상 경과 논의를 위한 협의에 아국을 초청함.(12개국및 갓트사무국 초청)

3. 상기는 MA 협상 분야 의장 주재 회의로 통보된 내주 월(기계류등), 화(철강등, 및 금(섬유 및 의류)에 있을 회의와는 달리 미국(의약품) 및 미.EC(화학제품) 주도로되어있는바, 아국 참가 여부 회시바람.

첨부: 1. 화학제품 분야 통지문 1부

2. 의약품 분야 통지문 1부

(GVW(F)-0573)

(대사 박수길-국장)

통상국   2차보   구주국   경기원   재무부   상공부

PAGE 1   92.10.03   07:16 EF

주 제 네 바 대 표 부

번호 : GVW(F) - **0573**   년월일 : **21002**   시간 : **1500**

수신 : 장 관 (外통기. 겅기원. 재무부, 상공부)

발신 : 주제네바대사

제목 : **GVW-1837 첨부**

	보안 통제	

총 **3** 매 (표지포함)

	의신관 통계	시 시

573 - 3 - 1   0066

92-487

TELEFAX COVER SHEET

OFFICE OF THE UNITED STATES TRADE REPRESENTATIVE 김선기

Executive Office of the President
Geneva, Switzerland

DATE: October 1, 1992
NUMBER OF PAGES EXCLUDING COVER: 0
FROM: Bill Tagliani
PHONE: 749.52.71

TO:	NAME	AGENCY	PHONE #	FAX #
	Mr. Jorge Ruiz	Mission of Argentina		798.72.82
	Ms. Rachel Thompson	Mission of Australia		733.65.86
	Mr. Johannes Potocnik	Mission of Austria		734.45.91
	Mr. Gracia Lima	Mission of Brazil		733.28.34
	Mr. John Donaghy	Mission of Canada		734.79.19
	Mr. Peter Palecka	Mission of Czechoslovakia		788.09.19
	Mr. Kim Luotonen	Mission of Finland		740.02.87
	Mr. Keith Broadbridge	GATT Secretariat		731.42.06
	Ms. Aniko Ivanka	Mission of Hungary		738.46.09
	Mr. Mohan Kumar	Mission of India		738.45.48
	Mr. Pitono Purnomo	Mission of Indonesia		345.57.33
	Mr. Jun Akita	Mission of Japan		788.38.11
	Mr. R.Y. Uhm	Mission of Korea		791.05.25
	Mr. Jayasiri Jayasena	Mission of Malaysia		788.09.75
	Mr. Alejandro de la Pena	Mission of Mexico		733.14.55
	Mr. Peter Hamilton	Mission of New Zealand		734.30.62
	Mr. Kjell Lillerud	Mission of Norway		733.25.31
	Mr. Janusz Kaczurba	Mission of Poland		798.11.75
	Ms. Ng Beekim	Mission of Singapore		345.79.10
	Mr. Claes Ljungdahl	Mission of Sweden		733.12.89
	Mr. Gilles Carbonnier	Mission of Switzerland		734.56.23
	Ms. Wiboonlux Ruamrux	Mission of Thailand		791.01.66
	Mr. Juan Misle	Mission of Venezuela		798.58.77

SUBJECT: Market Access Plurilateral Meeting on Chemical, October 8, 1992

The Offices of the U.S. Trade Representative and the European Commission would like to invite you to a discussion on developments in the negotiation concerning the harmonization of tariffs in the Chemical sector on Thursday, October 8, 1992 at 4:00 p.m. to be held in GATT Room D.

CORRECTED COPY   PLEASE DISREGARD EARLIER FAX

0067

593-3-2

경의기

TELEFAX COVER SHEET

OFFICE OF THE UNITED STATES TRADE REPRESENTATIVE
Executive Office of the President
Geneva, Switzerland

DATE: October 1, 1992
NUMBER OF PAGES EXCLUDING COVER: 0
FROM: Bill Tagliani
PHONE: 749.52.71

TO: NAME

NAME	AGENCY	FAX
Ms. Rachel Thompson	Mission of Australia	733.65.86
Mr. Johannes Potocnik	Mission of Austria	734.45.91
Mr. John Donaghy	Mission of Canada	734.79.19
Mr. George Bicknell	European Communities	734.22.36
Mr. Kim Luotonen	Mission of Finland	740.02.87
Mr. Stefan Johannesson	Mission of Iceland	733.28.39
Mr. Jun Akita	Mission of Japan	788.38.11
Mr. Rak Yong Uhm	Mission of Korea	791.05.25
Mr. Peter Hamilton	Mission of New Zealand	734.30.62
Mr. Kjell lillerud	Mission of Norway	733.99.79
Mr. Claes Ljungdahl	Mission of Sweden	733.12.89
Mr. Gilles Carbonnier	Mission of Switzerland	734.56.23
Ms. Yvette Davel	GATT	731.42.06

SUBJECT: Market Access Plurilateral Meeting on Pharmaceuticals

A Market Access Plurilateral Meeting on Pharmaceuticals will be
held on Thursday, October 8, 1992, at the GATT, Meeting Room B
starting at 11:00 a.m.   The meeting will be to discuss
developments in this area since the last meeting.

573-3-7

'0068

발 신 전 보

분류번호	보존기간

번 · 호 : WGV-1479   921005 1903 FN   종별 : 지 급

수 신 : 주 제네바 대사. 총영사

발 신 : 장 관 (통 기)

제 목 : 시장접근 비공식 협의

대 : GVW-1823

대호 10.5 주간 개최되는 표제협의와 관련 재무부 ~~사정상~~ 담당과장은

참석하기 ~~어려우나~~ 어렵다하여 귀관 관계관이 현재 귀지 출장중인 재무부 담당 사무관과 함께

동 회의에 참석하기 바람. 끝.

(통상국장 홍 정 표)

보 안 통 제	(서명)

양 고 재	92년 월 6일	통기 과	기안자 성명 申		과 장 (서명) (서명)	국 장 전결		차 관	장 관 (서명)	외신과통제

0069

전 언 통 신 문

92. 10. 6. 17:50

수신 : 외무부 장관

발신 : 재무부 장관

제목 : UR/의약품 화학제품 협상 참여 여부

1. 귀부 GVW-1837(92.10.2) 관련임.

2. 의약품 분야 무세화는 선진국의 의약품 생산업계간 합의로 사실상 협상이 마무리
   된 상태에서 아국의 참여를 요청해 온바, 아국도 협상 전략차원에서 그간 협상에
   참여하지 않았는 바, 금차 회의에도 참석하지 않는 것이 바람직 하며, 참고로
   의약품은 수입일방분야로 참여의 실익이 전혀 없는 실정이며, 다른 나라가
   우리나라의 무세화 협상 참여를 강권할 이유도 없음.

3. 화학제품 관세 조화는 협상에 참여하되, 선개도국간 조화 세율에 차등이 있어야
   하고 아국의 참여 수준에 대한 문의가 있는 경우 일부 분야에 대한 참여가 가능
   하다는 것이 아국 입장이며, 구체적인 협상 방안은 본부대표가 기히 지참하였음을
   알려 드립니다. 끝.

공람	통상기구과	담 당	과 장	심의관	국 장	차관보	차 관	장 관
		申						

0070

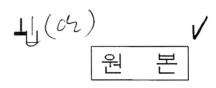

원 본

외 무 부

종   별 :

번   호 : GVW-1848   일   시 : 92 1005 1130

수   신 : 장 관(통기, 경기원, 재무부, 농림수산부, 상공부)

발   신 : 주 제네바대사

제   목 : UR/시장접근 (미국양자 협상)

대: WGV - 1442연: GVW - 1803

당지에서 10.2 열린 미국과의 UR신장 접근양자협상 논의 요지를 아래 보고함(재무부 박재식사무관, 김재무관보, 김상무관보 참석)

1. 한.미 양국 상호 관심 사항

0 미측이 6.18 별도 제안한 특정품목별 상호양허제안에 관하여

- 아측은 동 OFFER에 대한 구체적인 인하율과 추가적인 OFFER 가능성에 대해 ㅁ 문의하였으며, 미측은 5 미만인 품목은 0, 5 이상인품목은 최대 50의 관세인하가 가능하나 구체적인 인하율은 협상결과에 따라 결정될것이라고 함. 다만 마이크로 오븐의경우 관세인하가 곤란하다고 함. 또한 추가적인 OFFER문제는현재의 OFFER에 대해아측으로 부터 긍적적인반응이 있을때에만 추가적으로 OFFER를 할것이라고 함

- 아측은 미측이 추진하고 있는 무세화(9개), 관세조화(2)제안이 모두 타결되지못하고 일부만 타결될 경우에는 미측이 OFFER가 33 목표를달성하지 못하게 될 것이므로, 섬유, 신발등분야에서 관세율 인하가 불가피하게 될 것임을 지적하면서, 대호훈령에 따라 아측 대미 우선 양허요청 품목에 대해 관세인하를 촉구하였고, 미측은동무세화, 관세조화 제안기 관세를 인하하면 상대적으로 여러나라로 부터 얻는 반사적 이익이 크다는 점을

설명하면서, 재차 아측 우선 양허품목에 대해 관세인하를 촉구하였으며 - 미측은또한섬유등 아측 우선 양허요청 품목은 민감품목이므로 관세인하가 곤란하고 오히려 무세화대상이 아닌 전자분야등(관세율10미만품목)중에서 아국이 우선공급국인

통상국   경기원   재무부   농수부   상공부

PAGE 1   92.10.06   04:46 EF

외신 1과 통제관

0071

품목을중심으로 우선 양허요청품목을 재조정하는 문제를 검토해 줄것을 요청하였음

2. 다음주 (10.5주간)시장 접근 협의 전망

0 아측은 종래 미측에서 주관해오던 분야별무세화 및 관세조화 협상을 DENIS 의장이 주관하게된 배경에 대해 문의한 바

- 미측은 특별한 배경은 없다고 하며, 종래의협상방식이 진전을 보지 못하고있기 때문에 DENIS 의장이 주도적으로 무세화,관세조화협상을 갓트 차원에서 추진하게 된 것이라고 함

0 아측이 섬유분야에서 미측의 새로운 제안여부에 관하여 문의한바

- 미측은 다음 주 협의에서는 새로운 제안을 하지않을 것이라고 하며 인도,터어키,이집트 등 섬유수출개도국에서 시장개방이 이루어지지 않고 있고 관세양허가 없는상황에서 미국이 적극적으로 OFFER를 하기 어렵다고 함

- 이에 대해 아측은개도국의 시장개방 및 OFFER와 상기 언급한일괄타결이 모두미측 섬유분야 관세인하의 전제조건이 되는가에 대해 문의한바, 미측은무세화 및관세조화 협상이 미측에 만족할 만한 수준으로 타결될 경우, 섬유분야에 대해 미측의새로운 제안이 불가피할 것이라고 함

- 아측이 미국의 섬유산업이 자동화 등을 통하여 경쟁력을 회복하였기 때문에개도국 시장개방에 대해 특별한 관심을 가지게 된것인가의 여부를 문의한바, 미측은참가국간의 이익균형을 통해 UR/시장접근 협상의 성공적타결을 위하여 섬유분야 관세조화에 참여하는것이라고 함

0 미측은 아측이 경쟁력을 갖춘 화학제품 관세조화 제안에 참여할 것을 요청하면서,다음주에는 미국.이씨.일본정부의 동분야 공동제안이 있을 것이라고 함

- 아측은 최근미측의 폴리아세탈 반덤핑조치에 대한 갓트 제소사실을 상기시키며, 개도국 화학제품분야 경쟁력확보가 선진국의 덤핑등으로 어려움을 겪고있다고지적하며, 이러한 상황이 화학제품 관세조화 제안참여에 제약조건이 되고 있다고 함

0 아측이 미국의 상기 일괄타결 방침에 대해이씨의 입장을 문의한데 대하여,미측은 다음 주협의 결과를 지켜볼 수 밖에 없다고 하면서, 다음주 협상전망에 대해서는 지금으로서는 알 수가 없다고 함

3. 전반적 UR 협상 전망

0 미측은 미국 대통령 선거 등 정치일정과는 관련없이 연내에 UR협상을

PAGE 2

0072

타결하는것이 미행정부의 변함없는 목표라고 하며, 10.18 예정인 미 칼라힐스 대표와
이씨안드레센 집행위원간의 면담에서 UR협상의원칙적인 합의에 도달할 것을
기대하고있다고함. 끝

(대사 박수길 국

원 본✓

외 무 부

종 별 :

번 호 : GVW-1853   일 시 : 92 1005 1500

수 신 : 장 관(통기,경기원,재무부,농림수산부,상공부)

발 신 : 주 제네바대사

제 목 : UR/시장접근 협의

연: GVW-1837

1. 미국 시장접근 담당관은 별첨과 같이10.7(09:00)(장소: 갓트) 맥주 및 DISTILLED 식주류에 관한 무세화 제안에 관한 복수국가간 협의에 아국을 초청함.

2. 카나다의 시장접근 담당관도 별첨과 같이10.9.11:30(장소:갓트) 수산물에 관한 협상 경과논의를 위한 협의에 아국을 초청함.

3. 아국 참가여부 회시 바람.

첨부: 1. 맥주 및 주류에 관한 봉지문 1부

2. 수산물에 관한 봉지문 1부(GVW(F)-0578).끝

(대사 박수길-국장)

통상국   경기원   재무부   농수부   상공부

PAGE 1   92.10.06   05:23 FL

외신 1과 통제관 ✓

0074

주 제 네 바 대 표 부

번 호 : GVW(F) - 0578   년월일 : 21005   시간 : 1500

수 신 : 장   관 (통기, 경기원2부북, 농번수산북, 상공북)

발 신 : 주 제네바대사

제 목 : GVW-1853 첨부

총 4 매(즈지즈합)

브 안 등 재	

외신과 등 져	

0075

578-4-1

| GVA___/ | |

| UNCLASSIFIED FACSIMILE | TELECOPIE NONCLASSIFIEE |

Mission Permanente du Canada
1 rue du Pré-de-la-Bichette
1202 Genève, Suisse

| | FILE/DOSSIER: 37-7-MTN-NG3 |
| | PAGE 1 OF/DE: 2 |

FAX: 734.79.19
TEL: 733.90.00

FM/DE GVGAT UZTD7006 02OCT92

TO/A JORGE RUIZ, ARGENTINE MISSION   FAX # 798 72 82
     RACHEL THOMPSON, AUSTRALIAN MISSION   FAX # 733 65 86
     JOSÉ GRAÇA LIMA, BRAZILIAN MISSION   FAX # 733 28 34
     GLORIA PEñA, CHILEAN MISSION   FAX # 734 41 94
     ANDRES ESPINOSA, COLOMBIAN MISSION   FAX # 791 07 87
     FRANS HUYSMANS, EC MISSION   FAX # 734 22 36
     STEFAN JOHANNESSON, ICELANDIC MISSION   FAX # 733 28 39
     MOHAN KUMAR, INDIAN MISSION   FAX # 738 45 48
     SUSTANTO SUTOYO, INDONESIAN MISSION   FAX # 345 57 33
     JUN AKITA, JAPANESE MISSION   FAX # 788 38 11
   Y KIM EKI, KOREAN MISSION   FAX # 791 05 25
     JAYA JAYASIRI, MALAYSIAN MISSION   FAX # 788 09 75
     SERGIO SOTO, MEXICAN MISSION   FAX # 733 14 55
     A. LECHEHEB, MISSION DU MAROC   FAX # 798 47 02
     PETER HAMILTON, NEW ZEALAND MISSION   FAX # 734 30 62
     KJELL LILLERUD, NORWEGIAN MISSION   FAX # 733 25 31
     ANA MARIA DEUSTUA, PERUVIAN MISSION   FAX # 731 11 66
     LOURDES BERRIG, PHILIPPINE MISSION   FAX # 731 79 79
     MANSOUR DIOP, MISSION DE LA SÉNÉGAL   FAX # 740 07 11
     CLAES LJUNGDAHL, SWEDISH MISSION   FAX # 733 12 89
     WIBOONLUX RUAMRUX, THAI MISSION   FAX # 791 01 66
     BILL TAGLIANI, USTR MISSION   FAX # 749 48 85
     JOSÉ PEDRO BUDA, URUGUAYAN MISSION   FAX # 731 56 50
     JUAN MISLE, VENEZUELAN MISSION   FAX # 798 58 77
     CHRISTINA SCHRÖDER, GATT SECRETARIAT   FAX # 731 42 06

---MTN: MARKET ACCESS: FISHERIES PRODUCTS/
NCM: ACCES AUX MARCHÉS: PRODUITS DE LA PECHE

DRAFTER/REDACTEUR	TELEPHONE	APPROVED/APPROUVE
J.F. DONAGHY	733 90 00 (EXT 210)	*[signature]* 0076

---MTN: MARKET ACCESS: FISHERIES PRODUCTS/

NCM: ACCES AUX MARCHÉS: PRODUITS DE LA PECHE

THE PURPOSE OF THIS COMMUNICATION IS TO INVITE YOU TO AN INFORMAL

PLURILATERAL MEETING TO BE HELD ON FRIDAY, 9 OCTOBER, AT 11H30 IN THE

CENTRE WILLIAM RAPPARD, ROOM "B". THIS MEETING WILL PROVIDE AN

OPPORTUNITY TO DISCUSS DEVELOPMENTS IN THIS AREA SINCE OUR LAST

MEETING, WHICH TOOK PLACE LAST DECEMBER.

- - - - - - - - -

LA PRÉSENTE A POUR BUT DE VOUS INVITER A ASSISTER A UNE RÉUNION

INFORMELLE SUR CE SUJET, LE VENDREDI, 9 OCTOBRE, A 11H30, DANS LA SALLE

"B" AU CENTRE WILLIAM RAPPARD. CETTE RÉUNION NOUS DONNERONS UNE

OPPORTUNITÉ DE PARLER DES DÉVELOPPEMENTS EN CE QUI CONCERNE CE SUJET

DEPUIS NOTRE DERNIERE RÉUNION EN DÉCEMBRE PASSÉ

0077

TELEFAX COVER SHEET
OFFICE OF THE UNITED STATES TRADE REPRESENTATIVE
Executive Office of the President
Geneva, Switzerland

DATE: Ocotber 2, 1992
NUMBER OF PAGES EXCLUDING COVER: 0
FROM: Bill Tagliani, Lance Graef
PHONE: 749.52.71

TO:	NAME	AGENCY	FAX #
	Ms. Rachel Thompson	Mission of Australia	733.65.86
	Mr. John Donaghy	Mission of Canada	734.79.19
	Mr. Frans Huysmans	Mission of Euro.Comm.	734.22.36
	Mr. Kim Luotonen	Mission of Finland	740.02.87
	Mr. Jun Akita	Mission of Japan	733.20.87
	Mr. Dong Jin Kim	Mission of Korea	791.05.25
	Mr. Janusz Kaczurba	Mission of Poland	798.11.75
	Mr. Claes Ljungjahl	Mission of Sweden	733.12.89

SUBJECT: Market Access Plurilateral Meeting on Beer and
Distilled Spirits, October 7, 1992

The office of the U.S. Trade Representative invites you to a
discussion on zero for zero initiatives concerning Beer and
Distilled Spirits. The meeting in Room A at the GATT on
Wednesday, October 7, will begin promptly at 9:00 a.m. and will
end at 10:00 a.m. to allow participants to make other meetings.

0078

발 신 전 보

분류번호	보존기간

번 · 호 : WGV-1487   921006 1900 FY 종별 : 지 급

수 신 : 주   제네바   대사. 총영사

발 신 : 장 관 (통 기)

제 목 : UR/의약품 화학제품 협상 참여

대 : GVW-1837

1. 미국측의 의약품 무세화 협의(10.8) 제의와 관련, 의약품분야 무세화는 선진국의
    의약품 생산업계간 합의로 사실상 협상이 마무리 된 상태이며, 아국은 협상
    전략차원에서 그간 협상에 참여하지 않았는 바, 금차 회의에도 참석하지 않는
    것이 바람직 하며, 참고로 의약품은 수입일방분야로 참여의 실익이 전혀 없는
    실정임.

2. 미.EC의 화학제품 관세조화 협의(10.8) 제의 관련, 협의에 참여하되, 선.개도국간
    조화 세율에 차등이 있어야 하고 아국의 참여 수준에 대한 문의가 있는 경우 일부
    분야에 대한 참여가 가능함을 설명 바람. (구체적인 협상안은 본부대표가 지참함)

    끝.

                                            (통상국장   홍 정 표)

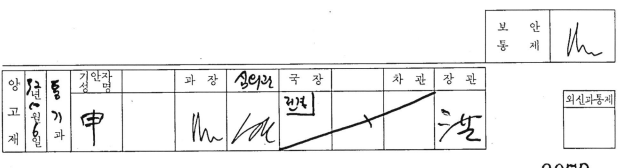

전 언 통 신 문

국관 22710-211

수신 외무부 장관

참조 통상국장

발신 재무무 장관

제목 UR 시장접근분야 협상참여

1. 귀부 GVW-1853(92.10.5) 관련입니다.

2. 맥주 및 증류식 주류 무세화 협상에는 금차 회의에는 참여하되 아국이 수출입
    면에서 major player가 전혀 아닌바 향후 협상에 불참할 것을 통보하기 바람.
    참고로 맥주의 수출입은 미미한 수준이며 증류식 주류는 수입일방분야로 91년
    수입규모가 66백만불 수준이며, 또한 무세화시 주정원료(보리, 고구마, 쌀 등)
    생산농가 및 국내 관련산업에 심각한 피해가 예상됨을 협상시 참고하시기 바람.

3. 수산물은 기존의 아국 입장과 같이 BOP 수입자유화와 동시에 무세 또는 관세
    조화 추진 곤란하며, 영세어민 보호차원에서도 참여가 불가함을 강조하기 바라며

4. 상기 협상의 성사 가능여부 및 각국의 입장을 파악하여 줄 것을 제네바 대표부에
    요청하여 주시기 바랍니다. 끝.

                              일 시 : 1992. 10. 7.   09:40
                              송화자 : 재무부 국제관세과 안 병 욱
                              수화자 : 통상기구과 하 미 현

0080

발 신 전 보

분류번호	보존기간

번 · 호 : WGV-1496   921007 1455 WH   종별 : 지 급

수 · 신 : 주   제네바   대사. 츔,영사

발 · 신 : 장 관 (통 기)

제 · 목 : UR/시장접근분야 (주류, 수산물)

대 : GVW-1853

1. 미국의 맥주 및 증류식 주류 무세화 협의(10.7) 제의와 관련, 금차 회의에는
   참여하되 아국이 수출입 면에서 major player가 ~~된허 아닌바~~ 아니므로 향후 협상에
   불참할 것을 통보 바람. 참고로 맥주의 수출입은 미미한 수준이며 증류식
   주류는 수입일방분야로 91년 수입규모가 66백만불 수준이며, 또한 무세화시
   주정원료(보리, 고구마, 쌀 등) 생산농가 및 국내 관련산업에 심각한 피해가
   예상됨.

2. 카나다의 수산물 협의(10.9)와 관련, 수산물은 기존의 아국 입장과 같이 BOP
   수입자유화와 동시에 무세화 또는 관세 조화 추진은 곤란하며, 영세어민 보호
   차원에서도 합의 참여가 바람직하지 않음.

3. 상기 협상의 성사 가능여부 및 각국의 입장을 파악 보고바람. 끝.

(통상국장   홍 정 표)

	보 안 통 제	

앙고재	92년 10월 7일 동기과	기안자 성명 申	과 장	국 장		차 관	장 관	외신과통제
				전결				

0081

원 본

외 무 부

종 별 :

번 호 : GVW-1861　　　　　　　　　　일 시 : 92 1006 1200

수 신 : 장관(통기,경기원,재무부,농림수산부,상공부)

발 신 : 주제네바대사

제 목 : UR/시장접근(일본 양자협의)

　　　연: GVW-1853

　　1. 일본 시장접근 담당관은 10.8 아국과 양자간 협의를 가질 것을 요청하여
왔으므로 이에 동의하였음.

　　2. 본 협의와 관련 종래의 아국입장에 변경이 있는 경우에는 조속 통보바람.끝
(대사 박수길-국장)

통상국　　경기원　　재무부　　농수부　　상공부

관리 번호	92-611

원 본

외 무 부

종 별 :

번 호 : GVW-1862   일 시 : 92 1006 1530

수 신 : 장관(통기, 경기원, 재무부, 농림수산부, 상공부)

발 신 : 주 제네바 대사

제 목 : UR/시장접근 협의

연: GVW-1780

연호 관련 10.5. 15:00-17:00 DENIS 의장과 10 여개 주요 협상 당사국간 비공식 회의가 개최되었기에 다음과 같이 보고함.(김대사, 강상무관, 김재무관보, 재무부 박재식 사무관 참석)

1. 협의 개최 배경 및 각국의 일반적 견해

0 의장은 협의 개최 배경에 대해 다음과 같이 발언함.

- 금번 회의는 전반적으로 시장접근 협의를 진전시키기 위한 노력의 일환으로서 현재 각국으로 부터 LINE-BY-LINE 양허안이 모두 제출되지 않은 상태이고, 많은 불확실성이 있는 것은 사실이나 특정품목과 관련하여 양자간 복수국가간 협의가 진행되어 왔다는 사실에 입각하여 특정 품목에 중점을 두어 이제까지의 협상의 진전 상황을 검토하고, 추후 협상의 추진 방향을 설정하고자 하는 것임. 이러한 분야별 접근 방식은 결국은 향후 양자간 복수국가간 협의를 거쳐 각국의 양허안을 수정하는 형식으로 종결되는 것임.

0 의장 발언에 이어, 미국은 90.10 월 무세화 제안이후 20 여개 국가와 협의를 계속하고 있으며, 이러한 양자간 협상 결과를 반영하여 새로운 무세화 OFFER 를 곧 제출할 것이라고 하며, 동경라운드에서와는 달리 비 참가국에 대해 불균형한 이익을 주는 결과를 되풀이 않겠다고 함. how ?

- 일본, 칠레, 홍콩등에서 금번 회의가 성공적인 결실을 초래하기를 희망하는 발언이 있었음.

2. 의료기기

0 일본은 무세화 대상 별첨 9 개 품목에 대한 LIST 를 제출하였고, 다른 국가가 참여한다면 당해 품목을 무세화 할 것이라함.

통상국   경기원   재무부   농수부   상공부

PAGE 1

* 원본수령부서 승인없이 복사 금지

92.10.07   05:45

외신 2과 통제관 FK

0083

O 미국은 91. 9 월에 제출한 무세화 대상품목이 현재까지 변화가 없다고 함.

O 이씨는 당해 분야가 우선 관심품목은 아니나, 대상 품목을 보다 엄격히 선정하여 새로운 무세화 제안을 할 예정이며, 한국과 멕시코, 카나다 및 EFTA 국가등의 참여가 중요하다고 함.

O 카나다, 스웨덴, 호주는 전반적으로 무세화 제안을 지지하나 어려움이 있는 분야에 대해서는 대상 품목 변경등 새로운 제안을 준비중이라함.

O 스위스는 관세조화 방식을 이용한 관세 양허안을 이미 제출한바 있으나 현 관세율 수준이 상대적으로 낮으므로 관세조화 혹은 무세화 방식에 참여할 것이라고 함.

O 홍콩, 싱가폴은 무세화 방안을 지지한다고 함.

O 한국은 지난 3 월 몬트리올 관세인하 목표를 충족하는 LINE-BY-LINE 관세양허안을 이미 제출하였으며, 현행 세율이 15 % 부터 35 % 까지 이르고 있는 의료기기 품목을 후진국으로 서는 상당히 저세율인 13% 수준으로 양허(OFFER)하였음. 따라서 아국은 UR 시장접근 분야 협상의 의무를 이미 이행하였고 분야별 무세화 참여는 추가적이고 부수적인 것이며 UR 의 성공적 타결에 기여하고자 하는 것임을 지적함. 이런 관점에서 ZERO FOR ZERO 협상을 참여하는 각국의 이익 균형이 최대한 확보되어야 한다고 전제함. 의료기기 분야는 아국이 수입 일방국이며 경쟁력이 없다는 점을 들어 참여 곤란하다고 입장을 밝힘.

O 이씨는 이에 대해 한국이 의료기기 분야에 경쟁력을 확보했음을 지적하면서 한국이 참여하지 않으면서 이익의 균형을 주장함은 모순이며, 이렇게 할 경우개도국은 영원히 관세를 인하할수 없을 것이라고 함.

O 한국은 이에 대해 3-5 % 의 선진국 세율로부터 무세화 하는 것과 20-30 %에 달하는 아국의 세율로 부터 무세화 하는 경우가 국내 산업에 미치는 영향이어떻게 같은가 하고 반문하면서 개도국의 경우 국내 실정을 감안한 점진적 인하가 불가피하며 한국경제의 건전한 발전이 세계 무역의 확대에 더욱 이바지 하게 될것이라고 반박함.

3. 건설장비

O 일본은 별첨 미국과 공동 제안한 건설장비 무세화 제안(미국의 기 제안과동일)을 제출하였음.

O 미국은 당해 품목중에는 농업용 기기도 일부 포함되어 있다고 함.

O 이씨는 대상품목을 보다 제한하여 무세화 대상 LIST 를 제출하겠다고 함.

PAGE 2

0 카나다, 스웨덴, 스위스, 호주, 홍콩, 싱가폴은 일반적으로 동 제안을 지지하며, 스웨덴, 스위스는 비관세 조치도 포함되어야 한다고 함.

0 한국은 부분적으로 참여 용의를 밝혔으며, 의장이 구체적인 참여대상 품목은 제출할 것인가 여부를 문의한바 아국은 아직 검토중이라고 답변함.

4. 전자

0 미국은 91.6 월 제안으로부터 변경이 없다고 하며 일본은 별첨 관세조화 및 무세화 대상품목 LIST 를 제출함.

0 이씨는 미국, 일본의 제안이 일방 컴퓨터 반도체, 타방 일반 전자제품(CONSUMER PRODUCTS)와 같은 다양한 분야를 포괄하고 있으므로 각국간의 이익이 조화되기 어려움을 지적하고 특히 통신장비 분야는 수락하기 어렵다고 함. 이씨의 독자적인 제안을 제출하기에는 아직 시기상조라고함.

0 싱가폴, 호주, 홍콩, 스웨덴, 카나다는 무세화 제안에 일반적으로 참여할의사를 밝힘.

0 아국은 건설장비 무세화에 부분적 참여의사를 밝힘.

0 칠레, 멕시코는 참여 곤란의사를 밝힘.

5. 의장은 금일 협의를 종결하면서 금주의 협의가 좋은 결과를 맺기를 희망하며 이와 같은 분야별 접근 방법이 결과적으로 각국의 COUNTRY SCHEDULE 에 포함되는 것이라고 설명함.

첨부: 1. 일본의 전자 관세조화 LIST 1 부

2. 일본의 건설장비 무세화 LIST 1 부.

(GVW(F)-582)

(대사 박수길-국장)

예고 92.12.31. 까지

주 제 네 바 대 표 부

번호 : GVW(F) - *0582*   년월일 : *21006*   시간 : *1530*

수신 : 장   관 (*통기. 경기원. 재무부. 농림수산부. 상공부*)

발신 : 주제네바대사

제목 : *첨부*

총 *5* 매 (표지포함)

보 안 통 제	

외신관 통 제	

582-5-1   0086

Japanese Harmonization Proposal
in the Electronics Sector
(Including Medical Equipment)

Japan submits the following proposal on the harmonization of customs duties on electronics products. This list contains tariff items on which Japan is prepared to reduce tariffs if the United States, Canada, the European Community and other major producing countries agree to harmonize their tariff at or below the given level.

Product Coverage
   #:All or part of the H.S. heading is covered by the medical equipment 0-0 proposed by the U.S.

1) Medical Equipment

HS			HS	
# 8419.20 and 90	0%		# 9019	0%
# 8421.19	0%		9020	0%
# 8713	0%		# 9021	0%
# 8714.20	0%		# 9022	0%
# 9018	0%			

2) Measuring or Checking Equipment

HS				
9010	3.5%		# 9025	3.5%
9011	3.5%		# 9026	3.5%
9012	3.5%		# 9027	3.5%
9013	7%		# 9028	0%
9014	3.5%		9029	7%
9015	3.5%		# 9030	7%
9016	3.5%		# 9031	3.5%
9017	3.5%		# 9032	3.5%
# 9023	0%		9033	3.5%
# 9024	3.5%			

3) Electrical Machinery and Equipment

HS				
8504	3.5%		8526	3.5%
# 8505.20,30,90	0%		8527	7%
8507	3.5%		8528	7%
8508	0%		8529	3.5%
8509	0%		8530	0%
8510	0%		8531	0%
8514	0%		8534	0%
8517	3.5%		8536	0%
8519	7%		8537	0%
8520	3.5%		8540	7%
8521	7%		8541	7%
8522	3.5%		8542	7%
8523	0%		# 8543	0%
8524	0%		8544.41 and 51	3.5%
8525	3.5%			

582-5-2   0087

4) Machinery and Mechanical Appliances

HS 8414	0%	8452	7%
8415	0%	8456	0%
8418	0%	8464	0%
8424	0%	8476	0%
8450	0%	8479 (except 8479.10 and 20)	
8451	0%		0%

5) Office Machines

HS 8469	0%	8473	3.5%
8470	7%	9009	3.5%
8471	0%	9612.10	3.5%
8472	0%		

Country Participation

Participation by the following countries is required.

Australia
Austria
Canada
European Community
Finland
Japan
Korea
Malaysia
Norway
Singapore
Sweden
Switzerland
Thailand
United States

Staging of Concessions

The staging of concessions would conform to the general staging rules called
for in the market access protocol.

Non Tariff Measures

Participants agree not to maintain or introduce non tariff measures on trade
of the above products which are inconsistent with the General Agreement and
various GATT codes.
It is anticipated that specific non-tariff measures of concern to participants
will be addressed bilaterally between relevant countries.

582-5-3

0088

(July, 1991)

Japanese Zero Zero Proposal in the Construction Machinery Sector

Product Coverage (Japan-U.S. joint proposal)

H.S.   8408.20 (part)
      8408.90 (part)
      8409.99 (part)
      8425
      8426
      8427
      8428 (part)
      8429
      8430
      8431
      8432
      8433 (part)
      8474
      8479.10
      8701 (only 8701.10, 8701.30, 8701.90)
      8704.10
      8705
      8708 (part)
      8709

Country Participation

Participation by the following countries is required. Other countries may be added to the list.

Australia, Austria, Canada, European Community, Finland, Japan, Korea, Norway, Sweden, Switzerland, United States

Staging of Concessions

The staging of concessions will conform to the general staging rules called for in the market access protocol.

Non-Tariff Measures

Participants agree not to maintain or introduce non-tariff measures on trade of the above products which are inconsistent with the General Agreement and various GATT codes.

It is anticipated that specific non-tariff measures of concern to participants will be addressed bilaterally between relevant countries.

$582 - 5 - 4$ 0089

(July, 1991)

Product Coverage of Suggested Sector

Food Processing Machinery

HS 8433.60
Machines for cleaning, sorting or grading eggs, fruit or other agricultural produce (Entire 6- digit category)

HS 8434
Milking machines and dairy machinery (Entire 4- digit category)

HS 8435
Presses, crushers and similar machinery used in the manufacture of wine, cider, fruit juices or similar beverages (Entire 4- digit category)

HS 8436
Other agricultural, horticultural, forestry, poultry-keeping or bee-keeping machinery, including germination plant fitted with mechanical or thermal equipment; poultry incubators and brooders (Entire 4- digit category)

HS 8437
Machines for cleaning, sorting or grading seed, grain or dried leguminous vegetables; machinery used in the milling industry or for the working of cereals or dried leguminous vegetables, other than farm-type machinery (Entire 4- digit category)

HS 8438
Machinery, not specified or included elsewhere in this Chapter, for the industrial preparation or manufacture of food or drink, other than machinery for the extraction or preparation of animal or fixed vegetable fats or oils (Entire 4- digit category)

HS 8479.20
Machinery for the extraction or preparation of animal or fixed vegetable fats or oils (Entire 6- digit category)

582-5-5   0090

신(안, 이사)

원 본 ✓

관리
번호 92-678

외 무 부

종 별 :

번 호 : GVW-1882   일 시 : 92 1007 1900

수 신 : 장관(통기,경기원,재무부,농림수산부,상공부)

발 신 : 주 제네바 대사

제 목 : UR/시장접근(2)

표제관련 10.6 14:00-15:30 DENIS 의장과 10 여개 주요 협상 당사국간 비공식 회의가 개최되었기에 다음과 같이 보고함.(김대사, 강상무관, 김재뭄관보, 재무부 박재식 사무관 참석)

1. 철강

0 미국은 MSA 협상을 재개하기 위하여 노력하고 있다고 함.

0 일본, 카나다, 오지리, 호주, 이씨, 뉴질랜드 등은 MSA 협상은 하나의 패케지이며, 관세와 함께 덤핑, 보조금, 정부구매등 비관세 조치도 같이 다루어져야 한다고 함.

0 아국은 MSA 협상 결과에 따라 철강무세화 제안도 참여 용의를 밝히면서 최근 미업계가 84 개에 달하는 반덤핑 및 보조금 제소를 한것은 협상에 제약 요인이 되고 있다고 지적, 비관세 조치의 동시 해결 중요성을 언급함.

0 브라질이 한국의 견해를 지지한데 이어, 미국은 반덤핑, 보조금 제소는 업계에서 취한 것이며 정부와 관계가 없다고 해명함.

0 스웨덴은 MSA 협약에 관계없이 동분야 무세화가 이루어져야 한다고 함.

2. 비철금속 및 광물

0 호주는 이분야가 자국 수출업계의 최대 관심분야이며, 다른 분야는 별로 관심이 없음에도 불구하고 UR 의 성공을 위하여 참여하는 것이라고 함.

0 일본 91.12 월 기 제출한 관세조화 및 무세화 LIST 를 배포하면서 국내 공급의 안정적 참보와 공해등의 문제가 있음에도 불구하고 보다 중요한 전자분야등의 무세화 제안 관철을 위해 동 분야에 참여하는 것이라고 함.

0 미국은 일본의 관세조화안에 대해 실망을 표시함.

0 이씨는 이분야에서 많은 비관세장벽이 있음을 지적하고 이문제가 해결되지

통상국   장관   차관   2차보   분석관   정와대   안기부   경기원   재무부
농수부   상공부

PAGE 1   92.10.08   07:37

외신 2과 통제관 BX

0091

않는한 관세무세화의 의미가 없다고 하며 이분야가 이씨 무세화 제안 입장의 COMPREHENSIVE APPROACH 에 포함되기는 하나 이씨의 우선 순위에는 매우 낮다고함.

　0 카나다는 이분야가 자국에 중요하므로 비관세 문제를 다루는 것도 필요하나 협상의 진전을 위하여 관세를 별도로 다루어야 한다고 하며, 미국이 이에 동조함.

　3. 종이.목제 제품

　0 카나다는 이분야가 가장 중요한 분야이며 이분야 무세화 타결이 자국의 다른 분야 무세화 제안의 전제 조건이라고 함.

　0 뉴질랜드가 카나다에 동조하면서 일차 산업 분야의 무세화 제안이 성사되지 못할 가능성에 대하여 깊은 우려를 표명함.

　0 일본은 당해 분야에 있어서 자국의 산업이 어려움을 겪고 있음에도 불구하고 40 % 이상의 관세인하 양허안을 제출하였다고 하며, 이씨, EFTA 가 이분야 무세화 제안에 참여 해야만 일본이 참여 가능하다고 함. 일본은 환경보호 중요성도 언급함.

　0 이씨는 이분야에 있어서 자국의 경쟁력 문제, 환경 보호 면에서 어려움이많다고 하며 무세화 보다는 보다 개선된 관세조화안을 제출할 것을 시사함.

　0 미국은 이분야의 무세화가 자국에 중요하며, 카나다, 뉴질랜드를 지지한다고 함.

　0 스웨덴, 노르웨이, 스위스는 무세화 제안 수락이 어려우며, 관세조화를 지지한다고 함. 특히 스웨덴은 동과 아루미늄은 수락할수 없음.

　0 말레이지아는 무세화 제안에 참여할 수 없다고 함.

　4. DENIS 의장과 면담 내용

　김대사가 10.6 DENIS 의장을 오찬에 초치 면담결과 DENIS 의장의 발언 요지는 다음과 같음.

　0 DENIS 의장이 이번 협의를 주관한 이유는 10 월이후 협상의 급속한 진전에 대비하여 그간 양자간 복수국간 추진되었던 분야별 협상 결과를 다자간 차원에서 점검하고 미국.이씨의 LINE-BY-LINE 관세 양허안 제출을 촉구하고 그 계기를 만들어 주기 위한 것임.

　0 미국의 33 % 인하 목표 달성은 기술적으로 문제가 되는 것은 아니며, 무세화 제안은 미국이 진지하게 자유무역의 확대를 위하여 추진하는 것임.

　5. 평가 및 건의

　0 지난 3 월말 시장접근 협상 종결 시한을 넘긴후 사실상 처음으로 구체적인 품목을 대상으로 다자간 차원에서 협의가 2 일간 진행된 결과를 볼때

PAGE 2

0092

- 미국.이씨.호주.카나다. 일본은 본국의 <u>고위 대표단을</u> 파견하여 무세화 협상에 성의 있는 자세를 보였음.

- 각국은 가능한한 무세화 협상에 부정적인 표현을 자제하며, 자국의 관심분야가 아니거나 어려움이 많은 분야에 대해서도 <u>자국의 관심분야가 관철된다는</u> 전제하에 <u>부분적으로 참여하거나</u>, 관세조화에 참여하겠다는 긍정적 자세를 보임.(아국은 비철금속, 종이목재 제품 협의시 이런 분위기를 감안 불참의사 발언을 하지 않았음)

- 이씨는 의료기기, 건설장비, 목재제품 분야에서 새로운 제안을 준비중이라고 하고, 비철금속, 전자분야에서도 융통성있는 입장을 시사하고 있는 점으로 볼때, <u>10.11 일,12 일간 개최될 미.이씨 각료회의 이후 농산물 분야가 타결될 경우 무세화 대상 분야 일부에 대해 이씨가 구체적인 참가 대상품목 혹은 관세조화방안을 포함한 제안을 제출할 것으로 보임,</u>

0 종전 아국은 무세화, 관세조화 대상품목중 일부에만 참여한다는 입장을 밝혀 왔으며, 주로 미국이 제시한 품목을 대상으로 수락 여부를 검토하고 이에 근거하여 아국의 전면 참여 내지 부분 참여 의사를 밝혀 왔는바, 본건 협상의 결과가 각국의 C/S 에 반영되어 MFN 으로 적용될 것임에 비추어, <u>아국도 타국에 대해 무세 내지 관세조화를 요구하는 방향으로 품목별 아국 OFFER 를 제시</u>할수 있도록 사전 충분한 검토와 준비가 필요하다고 봄.

0 선진각국이 아국을 강력한 경쟁대상국으로 인식하고 있는 분야에서는 각국이 각각 관심품목을 추가로 포함시키는 OFFER 를 제시할 것이며, 협상이 본격화 할 경우 미국.EC 등 주요 경쟁 참여국으로 부터의 양자 차원의 압력이 증대될것으로 예상(EC 는 아국의 <u>의료기기,</u> 전자, 건설장비 분야에서의 경쟁력등 언급, 폭넓은 참가 필요성 지적) 되므로, 아국도 아국 관심품목을 포함시키고 상대방이 제시한 품목도 무세화 수락, 관세조화 방안 및 수락 불가등으로 품목별로 <u>구체적 입장을 제시</u>하는 것이 향후 협상력 강화 및 실리 차원에서 반드시 필요하다고 생각함.

0 현재까지 검토한 미측 제시 품목중 <u>비철금속</u> 목재류 등 분야에서도 전적으로 수입에 의존하고 있고, 무세화 내지 관세조화로 수출 경쟁력에 도움을 줄수있는 품목들이 있는 경우 아국의 추가적 참여 방안을 신중히 검토할 필요성이 있는 것으로 보임. 전반적 협상 분위기로 볼때 각국의 이익이 균형되는 선에서 가능한 BIG-PACKAGE 를 만들어 내고자 하고 있기 때문임.

(대사 박수길-국장)

예고 92.12.31. 까지

0094

신 (겸직부차담후?)

| 관리
번호 | 92-674 |

원 본

외 무 부

종 별 :

번 호 : GVW-1876   일 시 : 92 1007 1600

수 신 : 장관(통기,경기원,재무부,농수산부,상공부)

발 신 : 주 제네바 대사

제 목 : MA 비공식 협의/섬유류

1092.12.31. 대 대공문에
의거 일반문서로 재분류됨

1. 금 10.7(수) 오전 EC 의 MA 협상 수석대표인 MR.ABBOT 는 당관 김대사에게 전화를 걸어 오는 금요일 개최 예정인 MA/ 섬유류 비공식 협의시 미국의 일부섬유류 고율관세 문제와 관련, 대미 공동압력 필요성을 지적하면서 아국도 발언해 줄것을 요망해 왔는바, 동인 언급요지 아래와 같음.

0 미국은 자국의 관심분야에 대해서만 ZERO 관세율을 목표로 협상을 요구하면서 미국이 가지고있는 TARIFF PEAK 품목에 대해서 확실한 반응이 없으므로 미국의 OFFER 가 어떠한 것이 될것인지 알지 못하고 있다고 하면서 , 이분야에 대한 TARIFF HARMORNIZATION 실현은 가장 중요한 관심분야이므로 오는 금요일 MA/ 섬유류 회의시 대미 공동압력을 행사하자고 제의

0 EC 는 미-EC 간 양자접촉시 15 퍼센트 이상의 관세율을 가진 섬유류에 대해 SUBSTANTIAL 한 삭감(보안을 요청하면서 실제로 50% 삭감을 요구했다함)을 제안한바, 미국은 20% 이상 관세율 품목중 일부 품목의 삭감(품목수 및 삭감율 배제시) 가능성을 언급하면서, 전자분야에서의 EC 측의 더 많은 양보를 요구하고 있다고 설명

0 한국이외에도 홍콩, 싱가폴등 아세안국가 및 인도등 섬유 수출국가와 접촉 유사한 제의를 하고 있으며, 그들도 대미 발언을 할것이라고 설명

2. 김대사는 아국의 경우 기제출한 C/S 상 중심 관세율이 13 퍼센트 수준으로서 TARIFF PEAK 품목이 없으며, 선진국이 고율관세를 가지고 있는 것은 쉽게 수용하기 곤란하다는 점에 동감을 표시한후 미국의 경우 TARIFF PEAK 품목이 섬유류 이외에 신발류도 있으며, 또 일본도 혁제의류, 신발등 일부 품목의 고율관세가 있음을 지적함.

이에 동인은 동감을 표시하면서 우선 금요일 회의는 섬유류를 다루는 것이며, 섬유류가 가장 중요한 만큼, 섬유류에 주안점을 두되, FOOTWEAR 같은 품목은동시에

통상국   차관   2차보   경제국   분석관   정와대   안기부   내무부   경기원
재무부   상공부

PAGE 1   92.10.08   04:47

외신 2과   통제관 BZ

0095

거론될 수 있을 것이라고 하였으며, 일본의 TARIFF-PEAK 문제는 추후 양자내지 다자협상 과정을 통해 해결해 나갈수 있을 것이라는 반응이었음.

　3. 아국은 아래 요지로 발언코자 함.

　0 아국은 기제출한 C/S 상 이미 몬트리올 중간평가 목표인 평균 33% 관세인하를 달성 하였으나, UR 의 성공적 타결에 기여코자 ZERO FOR ZERO 내지 관세조화 협상에 참여하고 있으며, 협상 결과는 각국에 균형된 이익이 되어야 함.

　0 아국의 경우 공산품 중심 관세율이 C/S 상 13 퍼센트로 TARIFF PEAK 품목이 없는바, 선진국이 국내산업 보호를 이유로 고율의 관세를 유지한다는 것은 무역 자유화 정신에 맞지않으며, SECTORAL APPROACH 협상 취지에도 맞지 않음.

　0 따라서 미국, 일본등 선진국이 유지하고 있는 TARIFF PEAK 제도는 개선되어야 함. 특히 미국은 섬유류에 대한 관세조화 입장을 분명히 하고 다른 품목처럼 OFFER 를 제시해야 할것임. 섬유류이외에도 신발류에 대한 관세도 조화되어야하며, 일본도 혁제의류, 신발류등 고율관세 품목을 조화해야 함. 끝

　(대사 박수길-국장)

　예고:92.12.31. 까지

PAGE 2

0096

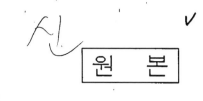

관리 번호	PL-689

원 본

외 무 부

종 별 :

번 호 : GVW-1891　　　　　　　　　　　　일 시 : 92 1009 1100

수 신 : 장관(통기), 경기원, 재무부, 농림수산부, 상공부)

발 신 : 주 제네바 대사

제 목 : UR/시장접근 회의(3)

　　연: GVW-1837, GVW-1853

　　10.7-8 양일간 개최된 맥주 및 증류식 주류 (미국주도), 화학제품 (미국 및이씨 주도)에 관한 주요 협상 당사국간 비공식 협의와 한일 양자협의결과를 다음과 같이 보고함. (김재무관보, 재무부 박재식 사무관 참석)

　　1. 맥주 및 증류식 주류(10.7. 09:00-10:00)

　　가. 미국은 자국이 당해 품목에 있어 무역역조를 겪고 있지만 무세화에 참여한다고 하며, 카나다도 미국의 의사에 동조함.

　　나. 이씨는 이분야에 대한 무세화 제안에 대해 논의를 할 준비는 되어있다고 하면서, 일반적인 농산물에 대한 과세문제, 비관세 조치도 같이 논의되어야 한다고 함.

　　다. 일본은 이분야에서 업계를 설득하고 있으나 매우 어렵다고 하며 호주도이분야도 관심품목이 아니나 무세화 PACKAGE 의 일환을 고려하고 있다고 함.

　　라. 아국은 대호 훈령에 따라 이분야에 있어 아국은 MAJOR PLAYER 가 아니며 맥주의 수출입이 미미한 수준이고 증류식 주류의 수입 일방국이므로 참여가 곤란하다고 밝히고 향후 협상에는 불참할 것을 통보함.

　　마. 스웨덴은 이분야 참여에 대해 입장 표시를 유보함.

　　바. 이씨는 향후 협상에 멕시코, 남아프리카, 아르헨티나가 참여해야 한다고 주장하였고 비관세조치 협의를 위해 소그룹협의를 하자고 제안함. 일본이 비관세 조치문제는 양자간 협의에서 다루자고 제안했으나 다수가 소 그룹 협의에 동의하여 그렇게 결정됨.

　　사. 다음 협의는 10.20 개최키로 함.

　　2. 한. 일 양자 협의(10.8 15:00-16:00)

통상국　　경기원　　재무부　　농수부　　상공부

가. 일측은 분야별 문세화 및 관세조화 제안에 아국의 참여가 여타 국가에미치는 영향이 크므로 적극적인 참여를 요청하였으며, 오전에 개최된 (의약품) 협의(아국불참)에서 이씨가 한국의 참여가 필수적이라고 언급했다고 전언함.

나. 아측은 무세화 제안에 대해 건설장비, 전자분야에 부분적으로 참여하는입장을 밝히고 구체적 품목 LIST 는 여타국의 제안을 보아가며 제출할 예정이라고 설명함.

다. 일측은 (화학제품)에 대해 아측이 경쟁력이 있으므로 일.이씨.미국의 업계가 거의 합의한 제안에 참여해 줄것을 요청하였으며, 아측은 일부 참여의사를 표명하고 선.개도국간 조화세율에 차등을 두어야 보다 많은 국가가 참여하게 될것이라고 설명함. 또는 최근 폴리아세탈 반덤핑 제소가 이분야 참여를 어렵게 하고 있다고 설명함.

라. 아측은 일측이 종이, 목재품, 맥주, 수산물에 대해 어려움을 표명하고 있는 사실을 지적하면서 무세화 및 관세조화 PACKAGE 전부에 대해 참여할 것인가를 문의하였으며, 이에 대해 일측은 결국 모든 PACKAGE 에 참여하게 될 것이라고하며, 단 이씨가 참여하지 않는 분야는 제외될 것이라고 함.

마. 아측은 1 월 한일 정상회담에서 제기한 아측 대일 16 개 관심품목에 대한 관세 인하문제에 대해 일측이 그동안 검토한 결과를 문의했는바 일측은 이에 대해 이미 50 % 정도의 관세인하 OFFER 를 했고 무세화 관세조화 참여시에는 인하폭이 더욱 커질것임을 언급하면서 16 개 품목은 매우 민감한 품목이므로 인하가 거의 불가능하다고 하면서, 다만 아측이 먼저 일측의 대아국 요청 품목에 대해 호의적인 고려를 한다면 재검토 하겠다고 함.

바. 아측은 무역수지 적자문제, 아국이 일측에 더 많이 양허 하였음을 지적하면서 향후 당지에서 분야별 협상이 개최될때 양자 협의를 갖고 이문제를 다시 한번 논의하자고 제의하였으며, 일측은 이를 수락함.

3. 화학제품(10.8 16:00-17:00)

가. 미국.이씨는 화학산업이 자본집약적인 산업으로서 경쟁의 조건이 유사하므로 모든 생산국이 화학제품 조화 제안에 참여해야 하며, 예외가 있어서는 안된다는 것을 강조함.

나. 카나다, 스웨덴, 싱가폴 등은 예외없는 참여에 동조함.

다. 일본은 원칙적으로 화학제품 관세조화제안을 지지한다고 하며 91.12 월제안과 같이 농산물 관련 21 개 품목은 예외로 해야 하고 고무.필름등에 대해서는 무세화

PAGE 2

0098

해야 하다고 함.

라. 오지리는 원칙적으로 일본에 동조하면서 35.38.39 류 해당 품목은 자국의 특수한 규정 (VARIABLE LEVIES 등)때문에 참여 곤란하다고 함.

마. 호주는 참여국가의 범위가 중요하다고 하면서 BIG PACKAGE 의 일환으로자국관심 타분야 성사여부가 타분야 참여여부의 조건이라고 함.

바. 아국은 대호 훈령에 따라 보다 많은 국가의 참여를 위해서 조화 세율에있어서선.개도국간 차등 세율이 적용되여야 한다는 입장을 밝혔고 인도네시아는 자국의 입장이 확정되지는 않았다고 하면서 한국의 제안에 대해 흥미를 표시함.

사. 이씨는 아국의 제안에 대해 화학산업은 자본집약 산업으로서 개도국의 경우 신규투자가 이루어지고 최신 기술이 채택되며, 자연자원의 잇점이 있으므로개도국 차등 세율 적용은 곤란하며, 이자리에서 토의함이 부적절하다고 함.

아. 항가리, 브라질, 폴랜드, 말레이지아 등은 참여 곤란 또는 입장 미정립이라고 함.

(대사 박수길-국장)

예고 92. 12. 31. 까지

원 본

관리
번호 92-69*

외　무　부

종　별 :

번　호 : GVW-1904
일　시 : 92 1012 1030

수　신 : 장관(통기,경기원,재무부,농림수산부,상공부)

발　신 : 주 제네바대사

제　목 : UR/시장접근(4)

대: WGV-1496

표제관련 10.9 수산물(카나다 주관) 및 섬유의류(DENIS 의장주관) 관세조화방안에 관한 주요 협상 당사국간 비공식 회의가 개최되었기에 다음과 같이 보고함.(김대사, 김재무관보, 재무부 박재식 사무관 참석)

1. 수산물(10.9.10:00-11:00)

가. 카나다는, 몇몇 주요국의 수산물 무세화 제안 참여 관란 입장을 고려하여 '91.12 일률적으로 33 퍼센트씩 인하하되 품목별로 조화세율을 두는 수산물 관세 조화 제안을 제출하였음을 상기시키면서 각국의 폭넓은 참여를 요청함.

나. 미국,호주,스웨덴,아이슬란드등이 동 분야가 관심분야임을 지적하면서동 카나다의 제안을 지지함.

다. EC 는 수산물분야의 시장접근개선을 위해 비관세 조치도 다루어져야 함을 강조하면서도 양자간 접근 방식이 바람직할 것이란 견해 표명

라. 일본은 수산물 관세 조화제안이 무세화 제안보다는 현실적인 안임을 인정하고 수산물 분야가 갖는 다른 특성을 고려 R/O 방식등 다른 접근방식을 선호한다고 함. 또한 일본은 92.3 월 수산물에 대해서도 관세를 30 퍼센트 이상 양허하는 안을 제출하였다고 언급

마. 아국을 대호 훈령에 따라 수산물 분야제안에는 참여가 곤란 하다는 점을 밝히고 아국이 89 년 BOP 협의에 따라 수산물에 대한 각종 수입제안을 철폐하는 것이 동분야의 무역자유화를 위해 아국이 할수 있는 주요 기여라고 함.

2. 섬유 및 의류(11:00-12:30)

금번 협의에는 미국을 포함한 상당수 선,개도국들의 경우 시장접근 담당관이 아니라 섬유담당관이 참석, 관세문제 뿐만 아니라 MFA 협상과 관세협상의 연계등

통상국　장관　차관　2차보　분석관　청와대　안기부　경기원　재무부
농수부　상공부

PAGE 1
92.10.13　05:03
외신 2과　통제관 FM

0100

관세이외의 문제를 많이 제기하여 관세조화 제안에 대해서는 별다른 진전이 없었음.

　가. 이씨는 현재 섬유 및 의류 관세조화안 2 개(EC. 미국)가 제출되어 있는데 이 두제안을 단일화하고자 하는 협상의 별다른 진전이 없었다고 하며 관세조화를 통하여 이분야의 고관세율을 시정해야 한다고 함.

　나. 미국은 섬유류 교역의 자유화를 위해 MFA 의 단계적 철폐와 관세인하에 합의하여야 하며 이두가지 과제는 상호 연계되어 있다고 함.

　또한 인도, 파키스탄, 터어키, 이집트등 주요 섬유 수출국들이 관세 양허안을 제출하지 않고 있음을 지적함(발언내용 별첨 송부)

　다. 일본은 섬유. 의류에 대해 매우낮은 양허세율안을 제출하였으며 일본이 세계에서 가장 개방된 시장으로서 수입이 급속히 증가하여 수입품의 시장점유물이 40 퍼센트에 달하고 있음. 최근 일본의 경기침체로 섬유. 의류산업이 어려움이 가중되고 있으므로 여타국이 일본에 상응한 시장개방 및 관세인하를 하지 않을경우에는 일본의 관세양허안을 철회하겠다고 함.

　라. 인도, 파키스탄, 태국, 이집트, 멕시코, 페루등은, 최종의정서(안)에 의하면 개도국은 형편에 맞게 관세협상에 기여하도록 되어 있으므로 분야별 협상참가는 개도국의 의무가 아니며, 이미 자국의 실정에 맞는 관세 양허안을 제출하였음에도 불구하고 미국이 아직 OFFER 가 없었다고 지적함에 대해 이의를 제기함. 또한 MFA 철폐는 관세인하 협상과 동시에 추진되어야 한다고 함.

　마. 카나다, 스위스는 섬유 의류분야가 자국 관심분야가 아니며 이미 관세양허안을 제출하였으나 여타국가와 관세양허의 부담을 같이 지고자 하며 추후 협상진전에 따라 다소의 신축성이 있을 것이라고 함.

　아. 아국은 금번 분야별 협의가 무세화 및 관세조화를 위한 것이므로 토의가 관세문제에 국한되어야 한다고 전제하고 다음과 같이 발언함.(발언 내용 별첨송부함)

　0 아국은 기제출한 C/S 상 이미 몬트리올 중간평가 목표인 평균 33 퍼센트 관세인하를 달성하였으나, UR 의 성공적 타결에 기여코자 ZERO FOR ZERO 내지 관세조화 협상에 참여하고 있으며, 협상 결과는 각국의 경제력과 산업발전 정도를 감안한 균형된 이익이 되어야 함.

　0 아국의 경우 섬의.의류를 포함한 공산품 중심 관세율이 C/S 상 13 퍼센트로 TARIFF PEAK 품목이 없는바, 선진국이 국내산업 보호를 이유로 고율의 관세를 유지한다는 것은 무역자유화 및 관세조화 정신에 맞지 않음.

PAGE 2

0101

O 금번 협상에서도 미국이 TARIFF PEAK 를 제거하기 위한 새로운 제안을 하지 않았으며 이와같은 상황에서는 아국이 무세화 및 관세조화에 참여하는 이유에 대해 대국민 설득이 어려움.

사. 스웨덴. 핀랜드. 노르웨이.뉴질랜드는 자국들이 개방된 시장을 유지하고 있으며 EC 의 관세 조화제안에 관심이 있다고 하며 현재 제출한 관세 양허안에 대해 협상여지가 있다고 함.

아. 호주는 일방적인 섬유시장개방 계획을 추진중이며 이미 대폭적인 관세양허안을 제출하였다고 함.

자. 이씨는 개도국 시장도 보다 개방되어야 한다는 점과 미국이 여타국에 대한 요구만 하고 미국이 어떻게 할것인가에 대해서는 언급하지 않은 사실을 지적함.

차. 의장은 금번 분야별 협의가 유익했다고 평가하고, 던켈 사무총장과 함께 본협의를 재검토하여 향후 일정을 추후 통보하겠다고 함.

첨부: 미측 발언요지 1 부

아측 발언요지 1 부(GVW(F)-0600)끝

(대사 박수길-국장)

예고:92.12.31. 까지

신

주 제 네 바 대 표 부

번호 : GVW(F) - *0600*   년월일 :*2/0/2*   시간 : *1030*

수신 : 장   관(총기, 경기원, 재무부, 농림수산부, 상공부)

발신 : 주제네바대사

제목 : 첨부

통 안 제	

총 *7* 매(표지즈함)

외신관 통 계	

600 ~ 7-1

0103

Republic of Korea
9 October 1992

Statement by the Ambassador KIM

1. My statement will be restricted to tariff issues, since
    this forum has been arranged to discuss tariff elimination
    or harmonization.

2. Korea has already submitted a comprehensive line-by-line
    country schedule on industrial items which meets the
    Montreal target of an average 33% duty reduction.
    Reflecting our continuing effort to contribute to the
    successful conclusion of the Uruguay Round, Korea is
    participating in these negotiations.

3. I would like to emphasize, once again, that the sectorial
    approach should continue to be pursued until the interests
    of each contracting party are balanced corresponding to the
    economy and the level of industrial development of each
    participating country.

4. Our tariff offers for industrial products are streamlined
    at the rate of 13%, textile and clothing items are no
    exception. This is a level which is quite low among
    developing countries. Our offer also has no tariff peaks,
    in contrast in the cases of certain developed countries
    which still contain tariff peaks. I believe that tariff
    peaks in developed countries, such as US and Japan,
    maintained for the purpose of protection of domestic
    industries, are not consistent with the principle of free
    trade, and are not at all consistent with the idea of
    tariff harmonization.

0104

600-7-2

5. I listened carefully to the US statement, but to my disappointment, I did not hear a constructive proposal on the harmonization of tariff peak items.

6. Frankly, it is very difficult to persuade Korea's industrial sector, and the Korean people, why our government should take part in tariff elimination or harmonization negotiations without any progress, in return, in the US position on tariff peaks for items such as textiles.

8. Therefore, I propose, in particular, that the United States substantially reduce its tariff peaks, and clarify its position on the harmonization of tariffs in textiles. I further propose that the US try to harmonize its high tariff peaks in footwear as well. Japan is also requested to harmonize its high peaks in articles of leather apparel and footwear.

600-7-3

October 9, 1992

U.S. Statement

Textile Tariff Plurilateral

We consider this to be a very important meeting. It
provides us an opportunityto give some forward momentum to this
critical sector of the Uruguay Round negotiations.

Our goal with respect to market access in textiles and
apparel, as stated throughout these negotiations, is to
substantially reduce barriers in all countries. Indeed,
satisfactory results in this portion of the market access
negotiations are imperative if we are to accept the Uruguay
Round package as a whole, and the textile agreement in
particular. We must remember that <u>negotiations to phase-out
the Multifiber Arrangement (MFA) and the tariff negotiations
both are part of the market access group.</u> These two elements
have been inextricably linked from the very beginning of the
Uruguay Round. Now, unfortunately, some seem to forget this
linkage.

As we have stated repeatedly in the course of the U.R.
negotiations, successful market access negotiations mean to us
that all countries, including the large textile exporting
countries -- those which have the most to gain from the
elimination of quotas under the MFA, and which use
exceptionally high tariffs to effectively ban imports -- must

0106

- 2 -

agree to substantially reduce and bind their tariffs. We are not asking countries to drop their tariffs to zero, but we are asking that they reduce tariffs to levels that permit trade to take place.

With respect to tariffs, we have, as you know Mr. Chairman, offered reductions on a wide range of textile products. In addition, we have submitted a proposal that all participants set and bind peak tariffs at reasonable levels for each of three broad sectors:

Sector		For LLDC's
Man-made fibers	7.5	12.5
Yarns	15.0	20.0
Apparel, Made-ups & Fabrics	32.0	35.0

We would like to reiterate that proposal today, and to reaffirm that our ability to accept the provisions of the Dunkel text concerning the phase-out of the MFA, and to reduce

0107

- 3 -

our textile and apparel tariffs as we have offered, remains
contingent upon the acceptance by all participants to reduction
and binding of their tariffs to levels no higher than those set
out in our harmonization proposal.

Mr. Chairman, for the process to be credible, the major
textile exporting countries must put forward meaningful
proposals to reduce their tariffs. Unfortunately, some
countries have yet to put forward any offers on the table.
Such important exporting countries as India, Pakistan, Turkey
and Egypt must begin to negotiate with us on market access if
progress is to be made.

We have been negotiating in good faith with our trading
partners the terms for dismantling MFA quotas. We expect our
trading partners to negotiate in good faith with us the terms
to lower and bind tariffs at reasonable levels. Indeed, we
were assured by you Mr. Chairman last December, and by those
countries that have been reluctant to put forward meaningful
tariff offers, that this would be the case when market access
negotiations were to resume at the beginning of this year. No
such negotiations have materialized.

Let me close this relatively short intervention (short at
least for me, Mr. Chairman) by reminding the delegations of of
a paragraph in Mr. Dunkel's cover note to the draft final act:

0108

600 - 1 - 6

- 4 -

--"Final agreement on the attached Draft Final Act will
depend on substantial and meaningful results for all parties
being achieved in the ongoing market access negotiations,
including those related to tariffs and non-tariff measures:
this applied to areas such as natural resource-based products,
tropical products, agriculture and textiles and clothing...".

Ambassador Yerxa reaffirmed the U.S. position, and the
importance we attach to the tariff negotiations, in his
statement to the January 13 meeting of the INC, by stating:

-- "More importantly, there is the question of the upcoming
market access negotiations on goods, especially our
zero-for-zero proposals and, as the chairman noted, improved
access for agriculture and textiles and clothing. Furthermore,
we must achieve a services agreement that secures substantial
liberalization and market access, particularly for financial
services. Without good results in these areas, the United
States will not find the overall package acceptable."

-- Our position remains the same, and our determination to
complete the Uruguay Round unwavering. I hope, with your
leadership Mr. Chairman, that these negotiations will begin in
earnest, and without further delay.

0109

600-7-7

외 무 부

원 본

종 별 :

번 호 : USW-5057

일 시 : 92 1013 1756

수 신 : 장 관(통기)

발 신 : 주 미대사

제 목 : 미관세법 개정안 의회 통과

1. 그간 무역확대법안 (THE TRADE EXPANSION ACT)속에 포함되어 추진되던 '미관세법 개정안 CUSTOMS MODERNIZATION ACT' 가 다시 동법안으로 부터분리되어 'TAX BILL' 로 불리는 'THE REVENUE ACT OF1992' 속에 포함되어 하원 및 상원을 각각 10.6,10.8 통과 하였음.

2. 그러나 동 'TAX BILL' 은 일종의 증세법안으로서 부시대통령이 비토(VETO) 할 것으로 관측되고 있어, 관세법 개정안은 시행되지 못할 것으로 보고 있음.

3. 한편 미관세청은 지난 2년간의 노력에도불구하고 동 법안이 대통령이 비토할것으로 예상되는 종전의 무역확대법안 (TRADE EXPANSIONACT) 에 포함되었다가 다시TAX BILL 에 포함되어의회를 통과함으로써 시행이 어렵게 되자 매우실망하고 있는 것으로 보임.

(대사 현홍주-국장)

첨부: USWF-653 (신문기사 1매)

통상국

PAGE 1

92.10.14   07:40 FX

외신 1과 통제관 ✓

0110

주 미 대 사 관

USW(F) : *6537*   년월일 : *92.10.13*   시간 :

수 신 : 장 관 (~~통~~사, ~~교~~ ~~상~~ 청)

보 안
통 제

발 신 : 주 미 대 사

제 목 : *미 관세법 개정안*   (출처 : *J.O.C.*)

(USW — 5057 첨부물)

92.10.13. Journal of commerce
1面 및 2面

Customs Bill's Failure Threatens Upgrade

Officials Fear Measure May Be Difficult to Revive

By TIM SHORROCK & JOHN MAGGS
Journal of Commerce Staff

WASHINGTON — Customs officials and brokers will face practical and political problems if a last-minute Senate failure to pass legislation delays a drive to modernize the U.S. Customs Service's operations.

Because of congressional Democratic wrangling over trade legislation, the Senate couldn't muster unanimous support before adjourning Thursday for a free-standing version of the customs bill, which had been passed unanimously by the House earlier in the week. The customs legislation was separately approved by the House and Senate in a broad tax bill, but President Bush had been expected to veto that bill and Congress can't override the veto.

The customs legislation is certain to be revived next congressional session but Assistant Customs Commissioner Sam Banks, who spearheaded months of work to craft it, still lamented its failure in the Senate last week. He explained that he feared that the delicate balance of interest in the bill might fall apart by next spring.

"I don't know what we'll do at this point," Mr. Banks said wearily. He said the most immediate problem is that customs brokers and forwarders already have begun using some of the electronic automation procedures called for in the bill, and the legal status of some of these transactions have been challenged by brokers.

"We'll have to talk to the legal people," Mr. Banks said.

Harold Brauner, president of National Customs Brokers and Forwarders Association, said he couldn't predict what the bill's failure meant for his industry. "What the future holds is anyone's guess," he said.

In remarks that indicated the president's opposition to the tax bill, U.S. Customs Commissioner Carol Hallett told a Western Cargo Conference meeting in Palm Springs, Calif. Friday that the problem faced by the customs legislation illustrates the need for presidential authority to veto portions of legislation.

"The presidents of the United States, not just George Bush, need a line-item veto so that they can take legislation like this tax bill and veto everything but the (customs) modification act," she said.

The modernization legislation is a key part of Customs' plan to create a fully automated and national entry system by 1997. It is considered essential if the United States hopes to keep up with technological changes in the world trading system.

The separate modernization bill was done in by a handful of senators

SEE CUSTOMS, PAGE 2A

Customs Bill's Failure Threatens Upgrade Plan

CONTINUED FROM PAGE 1A

that foreign governments are complying with trade agreements.

One of the bills, introduced by Sen. Carl Levin, D-Mich., sought to find a home for one or more of his bills requiring that the United States begin a formal trade complaint against Japan's barriers to auto and auto parts trade.

In other action before adjourning, the Senate approved a bill lifting a politically sensitive embargo on Mexican tuna imports, imposed to punish Mexico for allowing its fishing fleet to kill thousands of dolphins each year. President Bush was expected to sign that bill.

의신 1과
동 제

6537 — 1 — 1   End

원 본

관리 번호	92-138

외 무 부

종 별 :

번 호 : GVW-1990

일 시 : 92 1022 1500

수 신 : 장관(통기, 경기원, 재무부, 상공부)

발 신 : 주 제네바 대사

제 목 : UR/의약품 무세화 협의

1992.7.23. 대 대고문에
의거 일반문서로 재분류됨

대: WGV-1487

대: WGV-1496

1. 미국 시장접근 담당관은 11.5.6 양일간 의약품 무세화 제안에 대한 복수국가간 협의에 아국을 초청함. 대호 훈령에 따라 참여하지 않을 예정임.

2. 맥주 및 증류식 주류 무세화 제안에 대한 복수국가간 협의가 기합의대로 10.20 개최되었으나 대호 훈령에 따라 참여하지 않았음. 끝

(대사 박수길-국장)

예고: 92.12.31. 까지

통상국	차관	2차보	분석관	청와대	경기원	재무부	상공부

PAGE 1

92.10.23   00:48

외신 2과   통제관 FK

0112

관리
번호 92-8이

외 무 부

종 별 :

번 호 : JAW-5901

일 시 : 92 1105 1059

수 신 : 장관(통일,통기)

발 신 : 주 일 대사(일경)

제 목 : 일본의 관세 인하

19.. .에 예고문에
의거 일반문서로 재분류됨

대:WJA-4400

대호, 당관 심윤조 경제과장은 11.4(수) 주재국 외무성 "무또"북동아과장을 면담, 지난달 제네바 개최 UR/ 시장분야 양자 협상시 우리측의 16 개 관심품목관세 인하 요구에 대한 일측 반응에 대해 우리 정부의 실망과 우려의 뜻을 표시하고, 대호 설득논리를 문서(NON-PATER)로 전달하면서, 관세 인하에 대한 일측의 성실하고 조속한 조치를 촉구한바, 무또과장은 우리측 입장을 잘알고 있는바, 외무성으로서도 검토하고 이를 관계부처에도 적의 전달하겠다고함. 끝

(대사 오재희 -국장)

예고:92.12.31 까지

통상국   장관   차관   2차보   아주국   통상국   분석관   청와대   안기부

PAGE 1

92.11.05   11:54

* 원본수령부서 승인없이 복사 금지

외신 2과   통제관 BX

0113

외　무　부

종　별 :

번　호 : GVW-2099　　　　　　　　　　　일　시 : 92 1106 1700

수　신 : 장　관　(봉기, 경기원, 재무부, 농림수산부, 상공부)

발　신 : 주　제네바　대사대리

제　목 : UR/시장접근 칠레 REQUEST 품목 송부

　　11.5 칠레로 부터 접수한 REQUEST 품목을 별첨송부함.

　　첨부:GVW(F)-0669)끝

　　(차석대사 김삼훈-국장)

통상국　　경기원　　재무부　　농수부　　상공부

PAGE 1　　　　　　　　　　　　　　　　92.11.07　　06:01 DX

　　　　　　　　　　　　　　　　　　　외신 1과　통제관 ✓

　　　　　　　　　　　　　　　　　　　　　0114

주 제 네 바 대 표 부

번호 : GVW(F) - *066P*   년월일 : *2/06*   시간 : *1700*

수신 : 장   관(통기. 경제원 재무부. 보건수산부. 상공부)

발신 : 주제네바대사

제목 : *GUW-20PP 첨부*

총   *4*   매 (표지포함)

통 제	
회신 통 제	

66P-4-1

0115

MINISTERIO DE RELACIONES EXTERIORES
DELEGACION PERMANENTE DE CHILE
ANTE LAS ORGANIZACIONES INTERNACIONALES
GINEBRA

Geneva, october 29th, 1992

N° 49

Dear Ambassador,

      According with instructions of my Government, I have the pleasure to submit to your Government's consideration, the list of requests attached herewith, in the framework of the Market Access Negotiations of Uruguay Round.

      For all products included in the attached list, we request the elimination of all non tariff restrictions and a substantial reduction of tariffs.

      Our Mission is ready to celebrate consultations with representatives of your Government on the subject. We would appreciate if you can give us a reply to our request as soon as possible.

      I avail myself to renew the assurance of my highest consideration.

ERNESTO TIRONI
Ambassador of Chile
Permanent Representative

H.E. Mr. Soo Gil Park
Ambassador
Permanent Representative of Republic of Korea to Gatt
Route de Pré-Bois 20
1216 Cointrin

0116

MINISTERIO DE RELACIONES EXTERIORES
DELEGACION PERMANENTE DE CHILE
ANTE LAS ORGANIZACIONES INTERNACIONALES
GINEBRA

REQUEST FROM CHILE TO KOREA

03031000	FROZEN PACIFIC SALMON
03037800	FROZEN HAKE
03037990	FROZEN FISH, NES
03074900	CUTTLE FISH AND SQUID (EX LIVE)
08061000	FRESH GRAPES
08062000	DRIED GRAPES
08081000	FRESH APPLES
08082010	PEARS FRESH
08093000	PEACHES, INCLUDING NECTARINES
08094010	PLUMS AND SLOES FRESH
08109090	OTHER FRUITS, FRESH, NES
08112000	RASPBERRIES, BLACKBERRIES, ETC... FROZEN
08132000	DRIED PRUNES
08133000	DRIED APPLES
12122010	SEAWEEDS AND OTHER ALGAE
16051010	CRAB PREPARED OR PRESERVED (+ 90)
20029010	TOMATOES, PRESERVED OTHERWISE
22042110	WINE NOT SPARKLING, GRAPES MUST (+ 20,90)
23012010	FLOURS, MEALS AND PELLETS OF FISH
26011110	NON AGGLOMERATED IRON ORES AND CONC
26011210	AGLOMERATED IRON ORES AND CONCENT
26030000	COPPER ORES AND CONCENTRATES
26080000	ZINC ORES AND CONCENTRATES
28100010	BORIS ACIDS
28342100	NITRATES OF POTASSIUM
28369100	LITHIUM CARBONATES
44032020	UNTREATED CONIFER WOOD IN ROUGH.
44071090	CONIFEROUS WOOD SAWN OR CHIPPED
44091000	CONIFEROUS WOOD CONTINUOUSLY SHAPED
44092000	CONIFEROUS WOOD CONTINUOUSLY SHAPED
44101000	PARTICLE BOARD AND SIM BOARD OF WOOD

0117

MINISTERIO DE RELACIONES EXTERIORES
DELEGACION PERMANENTE DE CHILE
ANTE LAS ORGANIZACIONES INTERNACIONALES
GINEBRA

44112100	FIBREBOARD OF A DENSITY 0,5 gm/cm 3
47031100	UNBLEACHED CONIFER. CHEMIC WOOD PULP
48010000	NEWSPRINT IN ROLLS OR SHEETS (+ 411, 441)
72027000	FERROMOLYBDENUM
74019900	ARTICLES OF COOPER, NES
74020010	COOPER UNREFINED
74031100	COPPER CATHODES AND SECT OF CATH.UNW
74031200	WIRE BARS, COPPER UNWROUGHT
74031900	REFINED COPPER PROD, UNWROUGHT
87084000	TRANSMISSIONS FOR MOTOR VEHICLES
94034010	KITCHEN FURNITURE, WOODEN, NES (+ 90)
95033000	FURNITURE, WOODEN, NES
95034900	TOYS, NES REPRESENTING ANIMALS. ETC. (10,20).

0118

66f-4-4

관리 번호	P2-824

원 본

외 무 부

종 별 :

번 호 : JAW-6054

일 시 : 92 1111 1730

수 신 : 장관(봉일 상공부)

발 신 : 주 일 대사(상무)

제 목 : 일본의 관세인하

대:WJA-4400, GVW-1981

1. 당관 오영교 상무관은 11.10(화) 봉산성 이사야마 경제협력부장을 면담, 최근 UR/ 시장접근분야, 한일양자협의시 관세인하 문제에 대한 일본의 입장과관련, 다음과같은 요지로 우리측 입장을 전달하였음.

가. 대일 16 개 관심품목에 대한 일측의 OFFER 내용은 그 대상품목이 7 개에 불과하고 관세율 인하폭에 있어서도 당초 우리측 요청을 고려할때 매우 불만족 스러운 수준임.

나. 이는 일측이 UR 에서 우리측 관세인하 요청을 고려하기로 한 "한. 일 실천계획" 합의내용에도 반하는것으로서 향후 양자적 관점에서 16 개 관심품목에 대한 추가 관세 인하조치 (품목의 추가및 인하율의 확대)가 이루어 지기를 강력히 희망함.

2. 이에대해 이사야마 부장은 "한. 일 실천계획"의 성실한 이행및 양국간의 원만한 관계발전을 위해 동문제는 성의를 갖고 대응해 나갈것임을 밝히면서, 그러나 우리측이 요청한 16 개 품목은 영세민 종사업종등 일본 국내적으로 경제,사회, 정치적 문제가 포함된 민감한 품목들임을 설명하고 따라서 국내적으로 동 품목산업에 대한 지원책의 강구등 관세인하에 따른 보완대책의 사전강구라는 면을 함께 고려해야 하는 어려움이 있음을 설명함.

3. 아울러 동 면담에서는 UR, 미클린턴 정부의 발족등 최근의 국제정세와 관련된 봉산성의 입장및 대응등에 관해서도 다음과같은 내용의 논의가 있었음.

가. 최근 미.EC 간 농산물 마찰과 관련하여 봉산성으로서는 동문제가 소위 무역전쟁등 심각한 국면으로까지 발전할것으로는 보지 않으며, EC 측에서 적절한 대안을 제시, 원만히 해결될것으로 보고있으며 봉산성으로서도 그렇게 기대하고 있음.

나. 클린턴 행정부의 발족과 관련, 봉산성으로서는 미.일 양국간 관계가

봉상국	장관	차관	2차보	미주국	분석관	청와대	안기부	문공부

PAGE 1

* 원본수검부서 승인없이 복사 금지

92.11.11 18:09

최신 2과 통제관 FR

0119

(중기적)으로 볼때 크게 달라질것으로는 보지 않는다는 낙관적인 견해를 보이면서 다만, 수퍼 301 조의 부활, 재미 일본기업에 대한 과세강화 예상등으로, (단기적)으로는 미. 일 양국간 통상관계에 있어 경계가 필요하다는 인식이 있음을 설명하였으며, 이와같은 상황 인식하에서 볼때 미국의 NAFTA 결성및 이의 대상국가 확대 움직임과 관련하여 일본으로서는 아시아 관련국가의 지역주의 차원이 아닌 아시아 공동의 발전차원에서 ASEAN 을 포함한 제국가의 협력방안이 필요하다는 인식이 확대되어 가고있다고 설명함. 끝

　　　(공사 이재춘-국장)

　　　예고:92.12.31. 까지

0120

UR/시장접근분야 관세협상

('92.11.27. UR 대책실무위 보고자료)

1. 협상 진행상황

- 아국은 '92.3 UR 관세양허안을 GATT에 제출

```
┌─────────────────────────────────────┐
│      아국의 UR 관세양허안 내용         │
│                                       │
│  o 양허품목 : 총 9,044개 품목중        │
│              7,389개 품목 양허         │
│                                       │
│       · 품목수 기준 : 82%              │
│       · 수입액 기준 : 80%              │
│                                       │
│  o 인 하 율 : 32% (17.9% → 12.2%)     │
└─────────────────────────────────────┘
```

- 브랏셀 각료회의('90.12) 이후 분야별 무세화 및 관세조화협상 중심
  으로 협상을 진행하였으나 합의된 사항은 없슴.

- 상호 관심품목의 관세인하를 위한 양자협상도 현재까지는 의견타진
  수준에 머물러 있슴.
  o 미국·일본등과의 양자협상에서 아국은 의류, 신발등 수출관심품목
    의 관세인하 촉구중

0121

2. 향후 협상대책

가. 무세화 협상

- 대상분야(9개 분야)

전자, 건설장비, 의료기기, 철강, 의약품, 비철금속, 종이, 목재, 맥주등 주류

  o '91 수출액 : 18,047백만불(총수출의 약 25%)

  o '91 수입액 : 24,750백만불(총수입의 약 30%)

- 각국입장

  o E C : 일부분야 무세화에 참여 예상

  (참여예상 분야)

  철강, 건설장비, 의료기기, 비철금속, 의약품

  o 미국·일본등 선진국 : 무세화에 대체로 동조

  o 개도국 : 참여대상이 아니거나 부분적인 참여대상으로 큰 부담
  이 없슴.

- 아국입장

  o 기본입장

  참가국의 경제발전 수준, 관련산업의 경쟁력 정도를 고려해
  참여 범위에 신축성이 부여되어야 함.

0122

o 분야별 입장

> o 철   강 : 전면 참여가능
>
> o 전자·건설장비 : 부분적 참여
>
> o 여타분야 : 수입일방 분야로서 참여불가

- 향후 협상대책

  o 현재 무세화 참여 대상품목은 경쟁력이 있거나 수입이 불가피한 분야 및 품목에 한정하여 우리에게 유리한 방향으로 선정되어 있슴.

  o 따라서 추가 무세화를 요구할 가능성이 크고 이경우 관계부처 협의 및 UR 대책 실무위를 거쳐 참여 방안을 마련할 계획임.

나. 관세조화 협상

- 대상분야 : 화학제품, 섬유 및 의류, 수산물

- 각국입장

  o 화학제품 : 미·EC·일본·캐나다 등이 대체로 동조.

  o 섬유 및 의류 : EC는 적극적이나 미국·일본이 소극적임.

  o 수 산 물 : 일본과 EC가 소극적임.

0123

- 아국입장

o 기본입장

각국의 경제발전 수준 등을 감안 조화세율에 차등이
두어져야 함.

o 분야별 입장

1) 화학제품 : 부분참여

조화세율이 5.5~6.5%인 품목은 참여가능하나
협상전략상 일단 민감품목은 제외할 계획임.

2) 섬유 및 의류 : 적극참여

o EC가 제안하고 있는 섬유조화제안 적극지지

EC의 섬유류의 관세조화 제안('90.12)

(단위 : %)

	선 진 국	개 . 도 국
원 재 료	0	0~5
반 가 공 품 사	2	6~8
인 조 사	4~5	10~12.5
천 연 사	4~5	10~12.5
직 물	8	15~20
의 류	12	30~35

3) 수산물 : BOP 수입자유화와 동시에 관세인하는 어려움.

캐나다의 수산물 관세조화 제안('91.12)

구 분	조화세율(%)
활어상태	0
신선, 냉장, 냉동, 염장, 건조상태	5.0
훈제, 소금에 절인 상태	7.5
가공된 상태	10.0

0124

다. 양자협상

  (1) 미 국

    - 아국 수출관심품목인 섬유, 의류등 고관세 유지 분야의 관세

      인하 적극 노력

      o 아국은 '92.1 미국에 대해 섬유, 의류등 48개 우선관심품목
        (대미 총수출의 12.3%) 제시

  (2) 일 본

    - '92.1 한·일 정상회담에서 제시한 16개 아측 관심품목의 관세

      인하 적극 노력

      o 16개 품목 대일 수출액 : 약 10억불(대일 총수출의 약 8.2%)

0125

원 본

외 무 부

종   별 :

번   호 : GVW-2245   일   시 : 92 1130 1930

수   신 : 장관(통기,경기원,재무부,농수산부,상공부)

발   신 : 주 제네바 대사

제   목 : UR/시장접근 그룹 의장 비공식 협의

연: GVW-2229

1. 본직은 12.30(월) 시장접근 그룹의장 MR.DENIS 초청으로 비공식 협의를 가진바 DENIS 의장은 아래와 같이 향후 시장접근 협의일정을 밝힘

0 12.1(화) T1 비공식 협의(비교적 광범위한 규모의 국가 참가)

0 12.3(수) 혹은 12.4(금) 농산물 분야 비공식 협의(아국 포함 16 내지 18 개국 참가 예정이며, 참석대표의 지위는 농업분야 수석대표급 (CHIEF AGRICULTURAL NEGOTIATOR)으로 기대하고 있음)

0 금주말경 DENIS 의장은 DUNKEL 의장에게 상기 협의결과를 종합 다음과 같이 보고할 예정임

- 각국의 현재 가지고 있는 문제점과 연내 정치적 타결을 가능하게 하기위한 방안에 대한 각국의 구체적인 입장

- 연말까지 정치적 타결을 위하여 T1, T4 에서 구체적으로 무엇을 할 것인가에 관한 계획

0 내주에는 농산물, 공산품 공히 복수국가간 양자간 협의를 진행할 것임 (SECTORIAL APPROACH 포함)

2. 본직은 아래와 같이 시장접근 협상에 임하는 아국의입장을 설명함.

가. 12.1 T1 비공식 협의에서 미국, EC 가 농산물 관련 합의한 내용을 상세하게 밝혀야만 향후 의미있는 시장접근 협상이 가능할 것임.

나. 연말 이전에 정치적 타결을 성사시키기 위해서는 시장접근 분야에 대해 각국이 무엇을 얻고 무엇을 양허하는가에 대한 문제를 분명히 하는 것이 선결 문제이며, 농산물에 있어쉬 T4 를 가동 관세화의 예외를 인정해야 한다는 아국의 입장에는 변함이 없음.

롱상국	장관	차관	2차보	분석관	청와대	안기부	경기원	재무부
농수부	상공부							

* 원본수령부서 승인없이 복사 금지   외신 2과 통제관 FR

0126

다. 다음주부터 양자간 협상이 시작된다고 하나 미국, EC 등 주요교역 상대국이 LINE-BY-LINE C/S 를 제출하지 않은 상태에서 각국의 양허이익 균형을 이루기 위한 양자간 협상이 진행되기 어려울 것임.

라. 아국은 공산품의 경우 이미 COMPREHENSIVE C/S 를 제출 하였으나 UR 타결에 기여하기 위해 무세화 및 관세조화 제안에 아국 능력에 맞추어 부분적으로 참여하고 있음. 동 협상의 진전을 위해 EC 등 주요 선진국이 참여범위에 대한 구체적 LIST 를 조속 제출해야 함.

3. DENIS 의장의 답변 요지는 아래와 같음.

가. 미.EC 농산물 분야 합의에 관하여는 양자간 협의 내용은 비밀 사항이라는 원칙이 지켜지는 선에서 본인으로서도 상세한 내용이 밝혀지도록 최선을 다할 것이나

○ 12.1 T1 협의에서는 다소 일반적인 사항이 보고될 것이며

○ 12.3 혹은 4 개최 예정인 농산물 분야 비공식 협의에서 보다 상세한 내용이 보고될 것으로 추측됨

나. 정치적 타결문제에 관하여는, 각국이 협정문안 뿐만 아니라 시장접근, 서비스분야 양허협상에서도 실질적으로 중요한 사항 (SUBSTARTIVE ISSUES)는 연말이전에 대체적인 합의를 이루어야 한다는 WORKING ASSUMPTION 을 가지고 시장접근 분야에 대하여 원칙론이 아닌 구체적인 문제점에 대한 실질적인 협상을 해야할것이며, 정치적 타결이 어떠한 형태로 될것인가에 대한 PRE-JUDGEMENT 는 할수 없음.

○ 농산물 분야에서는 (1) TEXT 의 MODALITY 분야에서의 해석상의 차이 즉 최소시장 접근(MMA), 현행 시장접근(CMA)에서의 문제, (2) 관세화와 같은 보다 본질적 문제가 있다고 하고 자신은 원칙적인 것이 아닌 구체적인 주요문제를 주말까지 던켈 총장에게 제시할 것이며, 던켈 총장이 TNC 의장으로서 이문제를 T1 에서 다룰지 T4 를 통하여 할지를 결정할 것이라고 함.

다. 미국, EC 의 LINE-BY-LINE C/S 제출 문제에 대해 본인으로서도 노력하고 있지만 문제를 보다 REALISTIC 하게 평가해 볼때 LINE-BY-LINE C/S 는 농산물 문제와 무세화 및 관세조화 문제가 선결되어야 하며 미국, EC 의 LINE-BY-LINE C/S 가 제출되면 DEFINITIVE 한것으로 보아야 하고, 그이후로는 해당국가의 국내 사정상 수정하기 곤란할 것으로 생각함

- 모든 참가국이 LINE-BY-LINE C/S 를 제출한후 사무국이 개관적인 분석을 하고 그 결과를 배포할 예정임

PAGE 2

라. 분야별 협상에 대하여는 모든 국가가 UR 에 평등하게 참가하는 것이므로 북정국가가 보다 무거운 책임을 질수 없고 모든 참가국이 공동책임을 지고 참여대상 LIST 를 동시에 제출해야 할것임.끝

    (대사 박수길-국장)

    예고:92.12.31. 까지

원 본

시별은:국장 √

이 (신)

재무,상공,총부에 활용

관리 번호	92-904

외 무 부

종 별 :

번 호 : GVW-2250

일 시 : 92 1201 2200

수 신 : 장관(봉기, 경기원, 재무부, 농수산부, 상공부)

발 신 : 주 제네바 대사

제 목 : UR/시장접근 협상그룹 비공식 협의

1992.12.31.에 대고문에
의거 일반문서로 재분류됨

연: GVW-2245

1. 12.1(화) 표제 협의결과 토의 요지 아래 보고함.

0 의장은 개회와 더불어 아래와 같이 발언함.

- 오늘 협의는 시장접근 협상의 현상황을 점검하고, 향후 활동 계획을 세우기 위한 것이며, 최근 주요교역국간 농산물 분야 합의사항에 대한 발표가 있을 것임.

- 주말경 TNC 의장에게 시장접근 협상의 장애요소가 무엇인지를 보고할 예정임

- C/S 를 제출한 국가는 현재 43 개국이며, 33 개국이 COMPREHENSIVE C/S 를 제출하였고 10 개국은 불완전한 C/S 를 제출하였음.

0 미국은 EC 와 11.20 기 발표한 농산물 분야 공동 코퓨니케를 인용하면서 동 분야에서 합의가 있었다고 보고하고

- 공산품 분야에서는 LARGE PACKAGE 와 SMALL PACKAGE 가 있을수 있으나 미국은 SMALL PACKAGE 를 받아들일수는 없다고 발언하여 분야별 협상에 대해 미국의 관심이 높음을 암시함.

0 일본은 농산물 분야의 관세화등에 문제가 있다고 지적하고 FAIR AND VIABLE 한 결과 달성되어야 한다고 하며 공산품 분야에서 이미 LINE-BY-LINE C/S 를 제출하였다고 발언함.

0 EC 는 상기 농산물 분야에 대해 미국과 공동으로 한 설명은 단순히 INFORMATION 을 제공하기 위한 것이며, 많은 국가들로 부터 제기될 수 있는 질문에 상세하게 답변하기 위한 것은 아니라고 함.

- 공산품 분야에서는 보다 많은 시간이 필요하며 현재 주어진 시간계획을 맞추기 위해 본질적이고 광범위한 분야에 걸쳐 협상이 요구된다고 발언함.

0 본직은 아래와 같이 발언함

통상국 농수부	장관 상공부	차관	2차보	분석관	정와대	안기부	경기원	재무부

PAGE 1

* 원본수령부서 승인없이 복사 금지

92.12.02 08:56

외신 2과 통제관 BX

0129

1) 미.EC 간의 농산물 분야 타결을 환영하고 UR 의 성공을 위해 노력할 것을 촉구

2) 미.EC 간 타결 내용을 보다 상세하게 밝혀야 함.

3) 아직 C/S 를 제출하지 않은 국가, 특히 미국.EC 가 완벽한 C/S 를 조속히 제출해야 함

0 페루, 브라질, 카나다, 스위스, 뉴질랜드, 콜롬비아, 스웨덴, 홍콩, 아르헨틴, 말레이시아, 호주등은 상기 아국과 유사한 발언을 함.

0 인도는 미.EC 농산물 타결결과 DFA 의 수정이 필요하다고 지적하고, 자국은 섬유분야에 문제가 있다고 발언함.

0 미국은 금년중에 수정 C/S 를 제출할 수 있을 것이라고 언급하며, 향후 양자간 협의가 더욱 중요해질 것이라고 함.

- DFA 의 수정 문제에 대하여 수출보조와 국내보조와 관련 DFA 수정은 필요하지만, 시장접근과 관련 DFA 수정은 필요치 않다고 발언함.

0 EC 는 복수국가간 협의에 있어 EC 가 언제 새로운 제안을 할지는 모르겠다고 하고 각국이 성의를 가지고 협상 준비를 해야 할것이라고 하며, 양자협상시EC 의제안을 제시할것을 시사하는 발언을 함.

0 의장은 아래와 같이 협의결과를 요약 발언함.

1) TRANSPARENCY 증가를 위하여 미국, EC 가 보다 상세한 INFORMATION 을 제공해야 함

2) 모든 참여국들이 LINE-BY-LINE C/S 를 제출해야 함

3) 이미 제출된 C/S 도 보다 완전하게 하도록 해야 함.

0 의장은 아래 4 개 항의 향후 행동계획을 제안하며 각국의 적극적 참여와 FLEXIBILITY 를 요청함.

1) 3 주이내에 시장접근 협상결과의 대체적 형태, 내용등이 가시화되어야 하므로 12.13(월) 부터 양자간, 협의를 개시(각구의 협상대표 제네바 파견 요명)

2) 복수국가간 분야별 협의 개최

3) DFA 의 해석상 차이로 인해 발생하는 협상 장애요인에 대해 TNC 의장에게 FEEDBACK 를 하고, 장애요인의 성격 범위와 장애요인을 제거 하기 위한 가능한 조건들을 찾기 위해 문제가 있는 국가와 개별적인 협의개최 예정

4) 열대산품에 대한 협의 개최

2. 건의

0 12.7 이후 개최될 양자간 복수국가간 시장접근 협의에 참가할 각부처 정부대표 파견을 건의함. 끝

    (대사 박수길-국장)

    예고:92.12.31. 까지

외 무 부

14

110-760 서울 종로구 세종로 77번지   /   (02)720-2188   /   (02)720-2686 (FAX)

문서번호 통기 20644-

시행일자 1992.12. 8.(   )

수신   내부결재

참조

취급		장 관	
보존			
국장	전결	 *(서명)*	
심의관	대결		
과장	*(서명)*		
기안	신 부 남		협조

제목   UR/시장접근 분야 협상 정부대표 임명

───────────────────────────────────

92.12.10-18간 제네바에서 개최되는 UR/시장접근 분야 협상에 참가할 정부
대표를 "정부대표 및 특별사절의 임명에 관한 법률"에 의거 아래와 같이 임명코자
하니 재가하여 주시기 바랍니다.

- 아   래 -

1. 회 의 명 : UR/시장접근 관세, 비관세분야 협상

2. 기간 및 장소 : 92.12.10-18, 제네바

3. 정부대표

    o 강 정 영   재무부 국제관세과장

    o 신 현 두   경제기획원 통상조정2과 사무관

    o 박 재 식   재무부 국제관세과 사무관

    o 김 순 철   상공부 국제협력과 사무관

    o 황 규 연   상공부 산업정책과 사무관

    o 주 제네바 대표부 관계관

                                              / 계속...

0132

4. 소요예산 : 해당부처 소관예산

5. 출장기간 : 강정영 과 장 : 12.9-12.13.

            신현두 사무관 : 12.9-12.16.

            박재식 사무관 : 12.13-12.20.

            김순철 사무관 : 12.9-12.20.

            황규연 사무관 : 12.9-12.20.

6. 훈   령

가. 관세협상분야

    1) 무세화 협상

        ㅇ 참가국의 경제발전 수준, 관련 산업의 경쟁력 정도를 고려해 참여
            범위에 신축성이 부여되어야 한다는 기본입장에 입각 대처함.
            (추가 무세화 요구를 받을 경우 관계부처 협의 및 UR 대책 실무위를
            거쳐 참여 방안을 마련)

        ※ 분야별 입장

            - 철강 : 전면 참여 가능

            - 전자.건설장비 : 부분적 참여

            - 여타 분야 : 수입일방분야로서 참여불가

    2) 관세조화 협상

        ㅇ 각국의 경제발전 수준등을 감안 조화세율에 차등이 두어져야
            한다는 기본입장에 입각 대처함.

        ※ 분야별 입장

            - 화학제품 : 부분적 참여

            - 섬유 및 의류 : 적극 참여

            - 수 산 물 : 참여 곤란(BOP 수입자유화와 동시에 관세인하는
                            어려움)

                                        / 계속...

0133

3) 양자협상

　　○ 미　국

　　　- 섬유·의류등 고관세 유지 분야 48개 관심품목의 관세인하에 적극 노력함.

　　　　(대미 총 수출의 12.3%)

　　○ 일　본

　　　- 92.1. 한·일 정상회담에서 제시된 16개 아측 관심품목의 관세 인하에 적극 노력함.

　　　　(대일 총수출의 8.2%로 약 10억불 규모)

나. 비관세 협상분야

　○ 협상대상국의 요구사항에 대해서는 기본적으로 92.3. 제출한 비관세 양허계획서내에서 대응토록 하고 추가요구 및 수량제한 이외의 사항에 대해서는 관계부처의 의견을 수렴한 후 양허 여부를 결정토록 함.

　○ 비관세분야 offer 제출국에 대해서는 조속한 양허계획표 제출을 촉구하고 아국의 request에 대해 offer를 제출하지 아니한 국가에 대한 조속한 offer 제출을 요구함.　끝.

0134

상 공 부

우)427-760 경기도 과천시 중앙동 1번지 / 전화 (02)503 - 9446 /FAX : 503 - 9496, 3142

문서번호 국협 28143 -611

시행일자 1992. 12. 7 (   )

선결			지시	
접수	일자시간	· · :	결재·공람	
	번호			
처 리 과				
담 당 자				

수신 외무부장관

참조 통상기구과장

제목 UR 시장접근분야 회의참가

'92. 12. 10 (목) - 18 (금)간 스위스 제네바에서 개최되는 UR / 시장접근분야 협상에 참가하기 위하여 다음과   이 출장코자 하오니 정부대표임명등 필요한 조치를 하여 주시기 바랍니다.

= 다   음 =

1. 출장지 : 스위스 제네바

2. 출장개요

직 위	성 명	출 장 기 간	비 고
행정사무관	김 순 철	1992. 12. 9(수) - 20(일)	비관세분야협상참가
행정사무관	황 규 연	, ,	관세분야협상참가

3. 소요예산 : 상공부 예산. 끝.

상 공 부 장

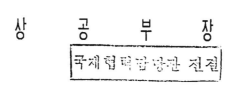

0135

경 제 기 획 원

우 427-760 / 경기도 과천시 중앙동1 정부제2청사 / 전화 503-9146 / 전송 503-9141

문서번호 통조이 10520- ///

시행일자 1992. 12. 7.

(경유)

수신   외무부장관

참조   통상국장

선결			지시		
접수	일자시간	：· ·	결재·공람		
	번호				
처리과					
담당자					

제목   UR관련 협상 참가

    스위스 제네바에서 개최되는 UR협상 관련 회의에 참가할 당원대표를 다음과 같이
통보하오니 적의 조치하여 주시기 바랍니다.

- 다   음 -

가. 출장자

소 속	직 급	성 명
대외경제조정실 통상조정2과 Int'l Policy Coordination Office	행정 사무관 Assistant Director	신 현 두 Shin, Hyun Doo

    나. 출장기간 : '92.12.9 ~ 16

    다. 출장목적 : UR/시장접근분야 협상

    라. 여행경비 : 당원 부담   끝.

경 제 기 획 원 장

0136

재   무   부

우 427-760 경기도 과천시 중앙동 1   / 전화 (02)503-9297   전송

문서번호 국관 22710-252

시행일자 1992. 12. 7.   (   )

수신 외무부장관

참조 통상국장

선결				지시	
접수	일자시간	92.12.7		지시결재공람	
	번호	964			
처리과					
담당자		신복남			

제목 UR 시장접근분야 관세협상 참가

        92.12.16부터 스위스 제네바에서 개최 예정인 UR 시장접근분야 관세협상
에 당부 남부덕외가 참석코자 하오니 필요한 조치를 취하여 주시기 바랍니다.

                    - 아   래 -

소 속	참 석 자	출장기간
재무부 관세국	국제관세과장 강정	'92.12. 8 ~ 12 '16 5일간
	행정사무관 박재	'92.12.16 ~ 12 '16 8일간

첨부 'UR 시장접근분야 관세협상 대책 1부. 끝.

              재   무   부   장

                    [관 세 국 장 전결]

0137

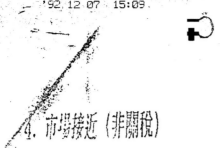

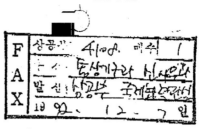

4. 市場接近 (非關稅)

가. 協商進展現況

o 我國은 EC.美國등 14개 國家로 부터 request를 받아 7개국에 offer 提出
(日本에 대해서는 offer가 불가능함을 通報, 오스트리아.칠레등 6개국에
대해서는 offer 여부를 檢討中)

o 我國은 EC.호주등 13個國家에 request 하여 3개국으로 부터 offer를 받음
(美國, 카나다는 offer가 불가능함을 通報해 왔고 태국등 8개국은 offer
여부에 관해 立場 表明없음)

o '92.3.5 我國은 각국이 要請한 품목중 數量規制가 해제된 品目
(전화기능 IIS 6단위 178개 품목)에 대한 讓許計劃書 提出
- 我國이 유일한 非關稅 讓許計劃書 提出國家

o 向後 各國 request 事項中 가격표시제 및 輸入許可制 廢止, 쵸코렛 섬여개선등
讓許되지 아니한 事項에 대한 讓許協商

나. 對應方案

o 各國의 非關稅 讓許內容 및 양자협상 과정에서의 요구정도를 勘案한 讓許
- 原則的으로 '92.3.5 기제출한 讓許計劃表內에서 對應
- 追加要求 및 수락제한 이의의 事項에 대해서는 關係部處의 意見을 收斂하여
양허여부 決定

o 기 제출한 讓許計劃表를 協商의 leverage로 적극 活用
- offer 提出國에 대한 조속한 讓許計劃表 提出 促求 및 我國의 request에
대해 offer를 提出하지 아니한 國家에 대한 조속한 offer 提出 要求
- 他國이 조속한 시안내에 滿足스런 offer 및 讓許計劃表를 提出하지 아니한
경우 기제출한 讓許計劃表의 撤回여부 檢討

11

0138

발 신 전 보

	분류번호	보존기간

번   호 : WGV-1927   921208 1901 FO   종별 :

수   신 : 주 제네바   대사. 총영사

발   신 : 장 관 (통 기)

제   목 : UR/시장접근 협상 정부대표 임명

　　　　대 : GVW-2250

　　　대호 92.12.10부터 귀지에서 개최되는 표제회의에 참석할 본부대표로
하기인이 임명되었으니 아래 훈령에 따라 회의참석 조치바람.(상세자료 본부대표
지참)

1. 본부대표

성 명		출장기간
강정영	재무부 국제관세과장	12.9-12.13.
박재식	재무부 국제관세과 사무관	12.13-12.20.
신현두	경기원 통상조정2과 사무관	12.9-12.16.
김순철	상공부 국제협력과 사무관	12.9-12.20.
황규연	상공부 산업정책과 사무관	12.9-12.20.

　　　　　　　　　　　　　　　　　　　　/ 계속...

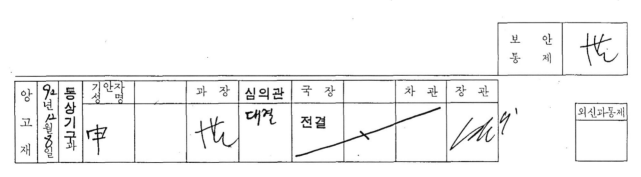

보안통제	世

앙고재	92년 12월 8일	통상기구과	기안자 성명 申		과장 世	심의관 대결	국장 전결		차관	장관 /	외신과통제

0139

2. 훈   령

가. 관세협상분야

1) 무세화 협상

ㅇ 참가국의 경제발전 수준, 관련 산업의 경쟁력 정도를 고려해 참여
범위에 신축성이 부여되어야 한다는 기본입장에 입각 대처함.
(추가 무세화 요구를 받을 경우 관계부처 협의 및 UR 대책 실무위를
거쳐 참여 방안을 마련)

※ 분야별 입장

- 철강 : 전면 참여 가능

- 전자.건설장비 : 부분적 참여

- 여타 분야 : 수입일방분야로서 참여불가

2) 관세조화 협상

ㅇ 각국의 경제발전 수준등을 감안 조화세율에 차등이 두어져야
한다는 기본입장에 입각 대처함.

※ 분야별 입장

- 화학제품 : 부분적 참여

- 섬유 및 의류 : 적극 참여

- 수 산 물 : 참여 곤란(BOP 수입자유화와 동시에 관세인하는
어려움)

3) 양자협상

ㅇ 미   국

- 섬유.의류등 고관세 유지 분야 48개 관심품목의 관세인하에
적극 노력함.
(대미 총 수출의 12.3%)

ㅇ 일   본

- 92.1. 한.일 정상회담에서 제시된 16개 아측 관심품목의 관세
인하에 적극 노력함.
(대일 총수출의 8.2%로 약 18억불 규모)   / 계속...

0140

나. 비관세 협상분야

ㅇ 협상대상국의 요구사항에 대해서는 기본적으로 92.3. 제출한 비관세
  양허계획서내에서 대응토록 하고 추가요구 및 수량제한 이외의 사항에
  대해서는 관계부처의 의견을 수렴한 후 양허 여부를 결정토록 함.

ㅇ 비관세분야 offer 제출국에 대해서는 조속한 양허계획표 제출을
  촉구하고 아국의 request에 대해 offer를 제출하지 아니한 국가에
  대한 조속한 offer 제출을 요구함.   끝.

                                    (통상국장 대리 오 행 겸)

0141

외   무   부

원   본

종   별 :

번   호 : GVW-2302   일   시 : 92 1208 1935

수   신 : 장관(통기)

발   신 : 주제네바대사

제   목 : UR/시장접근 협상 정부대표 임명

    연: GVW-2245

    대: WGV-1927

    12.8 현재 표제관련 협상에 관하여 갓트사무국이나 주요협상 대상국으로 부터 협의 요청이 없는 상태인바, 구체적인 협의일정이 정해질때까지 대표단 파견을 연기하고, 필요시 즉시 파견이 가능하도록 대비해 줄것을 건의함. 다만, 일본 및 미국과각각 12 월 10, 11일 비공식협의를 갖기로 예정되어 있는 재무부 국제관세과장의 파견은 예정대로 추진하여주기바람.끝(대사 박수길-국장)

통상국

PAGE 1   92.12.09   07:23 FY
                                                      외신 1과 통제관 ✓

                                                      0142

발 신 전 보

	분류번호	보존기간

번   호 : **WGV-1939**   921209 1836 EI   종별 : _____

수   신 : 주 제네바   대사. 총영사

발   신 : 장 관 (통 기)

제   목 :   UR   협상 본부 대표 파견

대 : GVW-2302

1, 대호 UR 시장접근 협상관련 본부대표단의 파견을 일단 연기하였으며 재무부

　　국제관세 과장은 예정으로 12.9 당지 출발하였는 바, 본부 대표단 파견 준비를

　　위해 시장접근 분야의 구체적인 협상일정(농산물 시장접근 분야 포함)이

　　정해지는 대로 보고바람.

2. UR 서비스 협상관련 본부대표단 파견시기 및 규모에 대한 ~~~~ 의견 보고바람. 끝.

　　　　　　　　　　　　　　　　(통상국장 대리 오 행 겸)

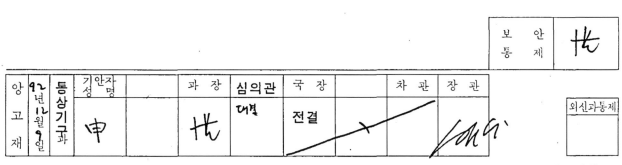

0143

외 무 부

110-760 서울 종로구 세종로 77번지   / (02)720-2188   / (02)720-2686 (FAX)

제네바 에서 거타에 대한 시행

문서번호 통기 20644-422

시행일자 1992.12. 9.(   )

수신 경제기획원장관, 재무부장관,
      상공부장관
참조

취급			장 관	
보존				
국 장	전 결		凡	
심의관				
과 장	대겸			
기안	신 부 남			협조

제목 UR/시장접근 분야 협상 정부대표 임명

_____

　　　　92.12.10-18간 제네바에서 개최되는 UR/시장접근 분야 협상에 참가할 정부
대표를 "정부대표 및 특별사절의 임명에 관한 법률"에 의거 아래와 같이 임명하였음을
통보합니다.

　　　　　　　　　　　　　-　아　　　래　-

1. 회 의 명 : UR/시장접근 관세, 비관세분야 협상

2. 기간 및 장소 : 92.12.10-18, 제네바

3. 정부대표

　　　ㅇ 강 정 영　　재무부 국제관세과장
　　　ㅇ 신 현 두　　경제기획원 통상조정2과 사무관
　　　ㅇ 박 재 식　　재무부 국제관세과 사무관
　　　ㅇ 김 순 철　　상공부 국제협력과 사무관
　　　ㅇ 황 규 연　　상공부 산업정책과 사무관
　　　ㅇ 주 제네바 대표부 관계관

　　　　　　　　　　　　　　　　　　　　/ 계속...

0144

4. 소요예산 : 해당부처 소관예산

5. 출장기간 : 강정영 과 장 : 12.9-12.13.

　　　　　　　신현두 사무관 : 12.9-12.16.

　　　　　　　박재식 사무관 : 12.13-12.20.

　　　　　　　김순철 사무관 : 12.9-12.20.

　　　　　　　황규연 사무관 : 12.9-12.20.

6. 훈 령

가. 관세협상분야

　　1) 무세화 협상

　　　ㅇ 참가국의 경제발전 수준, 관련 산업의 경쟁력 정도를 고려해 참여
　　　　범위에 신축성이 부여되어야 한다는 기본입장에 입각 대처함.
　　　　(추가 무세화 요구를 받을 경우 관계부처 협의 및 UR 대책 실무위를
　　　　거쳐 참여 방안을 마련)

　　　※ 분야별 입장

　　　　- 철강 : 전면 참여 가능

　　　　- 전자.건설장비 : 부분적 참여

　　　　- 여타 분야 : 수입일방분야로서 참여불가

　　2) 관세조화 협상

　　　ㅇ 각국의 경제발전 수준등을 감안 조화세율에 차등이 두어져야
　　　　한다는 기본입장에 입각 대처함.

　　　※ 분야별 입장

　　　　- 화학제품 : 부분적 참여

　　　　- 섬유 및 의류 : 적극 참여

　　　　- 수 산 물 : 참여 곤란(BOP 수입자유화와 동시에 관세인하는
　　　　　　　　　　　어려움)

　　　　　　　　　　　　　　　/ 계속...

0145

3) 양자협상

    ㅇ 미 국

      - 섬유·의류등 고관세 유지 분야 48개 관심품목의 관세인하에
        적극 노력함.

        (대미 총 수출의 12.3%)

    ㅇ 일 본

      - 92.1. 한·일 정상회담에서 제시된 16개 아측 관심품목의 관세
        인하에 적극 노력함.

        (대일 총수출의 8.2%로 약 10억불 규모)

나. 비관세 협상분야

  ㅇ 협상대상국의 요구사항에 대해서는 기본적으로 92.3. 제출한 비관세
    양허계획서내에서 대응토록 하고 추가요구 및 수량제한 이외의 사항에
    대해서는 관계부처의 의견을 수렴한 후 양허 여부를 결정토록 함.

  ㅇ 비관세분야 offer 제출국에 대해서는 조속한 양허계획표 제출을
    촉구하고 아국의 request에 대해 offer를 제출하지 아니한 국가에
    대한 조속한 offer 제출을 요구함. 끝.

외 무 부 장 관

416   우루과이라운드 시장 접근 분야 양허 협상

원 본

관리
번호 92-942

외 무 부

종 별 :

번 호 : GVW-2318

일 시 : 92 1209 2000

수 신 : 장관(통기,경기원,재무부,농수산부,상공부)

발 신 : 주 제네바 대사

제 목 : UR/시장접근 협상 비농산물 분야

1992.12.31. 예 대고문데
의거 일반문서로 재산분리됨

대: WGV-1939

연: GVW-2302

1. 표제협상 분야와 관련 당지에서 12.9(화) 미.EC 간 양자 협의가 개최되었으나 상호간 의견을 좁히지 못하였고 12.10(수) 현재 양자간 협의가 계속되고 있으나 금일 오후 현재 협상 전망이 불투명하며, 따라서 구체적인 향후 협상 일정이 아직 정해지지 못하고 있음.

2. EC 시장접근 협상 수석대표인 MR. ABBOT 에 의하면 특히 섬유분야에서 어려움이 있다고 하는바, 12.11(목) 동인과 채접촉 미.EC 협상에 관한 구체적인 내용을 자세히 파악하여 추후 보고하겠음.

3. 현재 확정된 아국의 협상일정은 다음과 같음.

0 12.11(목) 일본과 양자 협의 (아국요청: 년초 한일 정상회담 합의사항의 시행을 위한 16 개 품목 관세인하 및 9 개 품목 비관세 장벽 철폐 촉구)

0 12.12(금) 미국과 UR 협상 전망에 관한 의견 교환을 위한 오찬 회동

0 12.16(수) 칠레와 양자 협의 (칠레 요청: 칠레의 대아국 REQUEST 품목 (92.11.5)에 대한 협의)

4. 일본 시장접근 담당관 MR. AKITA 에의하면 일본은 자국의 요청에 의해 12.11 EC 12.12 미국과 협의할 예정이며, 자국 입장의 변화가 없기 때문에 협상 진전을 기대할수 없다고 함. 끝

(대사 박수길-국장)

예고 92.12.31. 까지

통상국 농수부	장관 상공부	차관	2차보	분석관	정와대	안기부	경기원	재무부

PAGE 1

92.12.10   06:06

외신 2과 통제관 FR

0147

원 본

외 무 부

종 별 :

번 호 : GVW-2337   일 시 : 92 1211 1030

수 신 : 장관(봉기, 경기원, 재무부, 농림수산부, 상공부)

발 신 : 주 제네바대사

제 목 : UR/시장접근 양자협의 (비농산물분야: 일본)

대: WGV-1927

표제관련 12.10(목) 15:00-16:30 협의가 있었기에 아래와 같이 보고함.

(서재무관, 강정영재무부 국제관세과장, 김재무관보, 강상무관보 참석)

1. UR 전망

O 일측은 12.8 부터 미.EC 양측이 무세화.관세조화 분야를 포함한 광범위한분야에 대해 협의를 하고 있으나 구체적인 합의내용을 예측하기는 어렵다고 하고 아래와 같이 발언함.

- EC 는 무세화 분야에서 의약품, 건설장비 철강에 참여할 의사가 있고, 주류의 경우에는 광범위한 국가의 참여와 비관세 장벽 제거를 조건으로 참여할 의사가 있는 것으로 알고 있음.

- 일측은 무세화 분야에서 목재 비철금속 주류에 때, 관세조화 분야에는 수산물에 참여하기 곤란함.

O 아측은 비농산물 분야의 협상타결에 시간이 걸릴것이라고 전망하고 아국은 이미 몬트리올 목표를 충족하고 있으므로 무세화.관세조화 분야에는 응능부담원칙에 따라 부분 참여할 것이라고 발언함.

2. 대일 16 개(관세) 및 9 개(비관세) 관심품목

O 대호 훈령에 따라 지난 1 월 회의시 아측이 제시한 16 개(관세) 및 9 개(비관세) 관심품목에 대한 일측의 검토결과에 대해 문의한바

O 일측은 16 개품목에 대해 아래와같이 답변함.

- UR 에서는 16 개품목 뿐 아니라 광범위한 품목을 협의대상으로 하고 있으며 UR 이후 일측의 관세율이 세계 최저가 될것이므로 아측이 많은 이익을 보게 될것임

- 고위급에서 UR 에서 관세인하 문제를 다루도록 합의했으나 UR 은 상호주의

통상국	장관	차관	2차보	구주국	분석관	청와대	안기부	경기원
재무부	농수부	상공부						

PAGE 1   92.12.11   21:01

외신 2과 통제관 DI

0148

원칙에 따라 협의하는 것임

- 16 개 품목은 가장 민감한 품목이므로 아측에서 일측의 대아국 REQUEST 품목을 받아들이고 아국의 수입선 다변화 정책을 변경하지 않는한 회의적인 조치를 하기 어려움

0 일측은 9 개(비관세) 품목에 관해서도 정치적으로 민감한 품목이므로 수용키 곤란함을 밝히고 동문제를 아국의 수입선 다변화 문제와 연계시킬 생각임을분명히 함.

0 이에 대해 아측은 아래와 같이 발언함.

- 일측이 선진국에도 불구하고 27 퍼센트에 이르는 고관세율을 유지하고 있음

- 아국은 만성적인 대일 무역수지 적자를 겪고 있으며 금년에도 10 월말 현재 66 억불의 적자를 겪고 있는바 일측이 먼저 긍정적인 반응을 보여야 할것임

3. 화학분야

0 일측은 아측이 화학산업에 부자를 촉진하여 현재 1 백억톤에서 90 년대 중반에는 3.25 백만톤까지 생산규모를 증가시킬 계획이며 OVERCAPACITY 문제때문에 중국, 동남아시아로 수출을 확대시킬 것이라고 전망하고

- 중국,아세안 국가들도 방대한 부자계획을 가지고 있어 화학분야의 OVER CAPACITY 문제를 해결하기 위해 아국을 포함한 관련국가들이 관세조화 제안에 참여해야 할 것이라고 발언함.

- 아측은 이분에서 많은 국가가 참여하는 것이 바람직하나 능력에 비례하여참여해야 한다고 주장하고, 아측이 참여범위에 대해서는 수출입 통계등 객관적인 자료에 따라 참여가능분야를 양측이 협의하자고 발언함. 끝

(대사 박수길-국장)

예고: 92.12.31. 까지

원 본

신,(이,이서)

외 무 부

```
┌──────┐
│ 관리 │
│ 번호 │ 92-148
└──────┘
```

종 별 :

번 호 : GVW-2329   [1993.6.30.에 대고문에 의거 일반문서로 재분류됨]   일 시 : 92 1210 1930

수 신 : 장관(통기,통이,통삼,경기원,재무부,농수산부,상공부,특허청)

발 신 : 주 제네바 대사   사본:주미,주 EC대사(중계요)

제 목 : EC 시장접근협상 수석대표 접촉(UR 동향 파악)

　　　김대사는 금 12.10 R.ABBOTT EC 시장접근 협상대표와 오찬을 갖고, 미.EC 간 MA 협상 진전상황 및 UR 협상 동향관련 전반에 관해 협의한바 동 결과 아래 보고함.(이성주 참사관 및 FRANS 담당관 동석)

　　1. 공산품 분야

　　O 미국과 EC 는 12.8-9 양일간 제네바에서 ABBOTT 대표(EC)와 NEWKRK(미국)대표간에 무세화 및 관세조화 분야 협상을 가졌으나 아무런 진전이 없었으며, 현재로서는 차기 회동일정도 확정된 것이 없다함(화학제품분야만 조만간 재협의 예정이라 함)

　　O 이에따라 공산품 분야의 양자. 복수국간 및 다자간 협상은 현재까지 아무런 일정도 확정된 것이 없으며 당분간 사실상 의미있는 협상의 전개나 진전을 기대할 수 없는 상황임.

　　O EC 는 미국이 고율관세를 유지하고 있는 섬유, 유리제품, 세라믹 제품 분야에 대한 무관세 내지 관세조화를 요청하였으나 유리제품(중요 경쟁 상대국인 멕시코에 대해서는 NAFTA 체결로 이미 무관세가 됨) 및 세라믹 분야는 EC 요구를 거부하였음, 섬유분야에서는 20% 이상 고율관세품목 일부에 대한 상당수준 관세인하(50% 수준인하 시사) 가능성을 사사하면서, EC 의 의료기기, 비철금속, 전자분야등에서의 무세화등을 조건부로 연결시키는 등 미국의 입장이 종래보다 오히려 후퇴한 듯한 인상마저 있다고 함.

　　O 지난 10 월 토론토 4 국회담, 11.20 미.EC 농산물분야 합의시 발표문 등에 무세화 내지 관세조화, 시장접근 분야에도 많은 진전이 있었다고 공식 발표된사실을 지적, 문의한바, 원론적인 협의가 있었을 뿐 깊이 있는 구체적인 협상이나 합의는 없었던 것이 사실이라고 말함.

통상국 안기부	장관 경기원	차관 재무부	2차보 농수부	구주국 상공부	통상국 특허청	통상국 중계	분석관	정와대

PAGE 1

2. 농산물 분야

0 미.EC 간에는 완전한 합의에 도달, TEXT 가 준비된 것으로 알며, 불란서등 일부 반대가 있는 것은 사실이나 집행위로서는 동 합의결과를 보고만 하고, UR 협상은 그대로 계속, 최종적인 PECKAGE 를 이사회에 보고, 승인 받으면 되는 것이라 함

0 미.EC 간 합의된 LEGAL TEXT 는 조기 공개하는 경우, UR 협상을 계속 추진함에 있어서 발생할지도 모르는 부작용을 고려, 공개를 꺼리는 측면이 있는 것은 사실이라는 반응임, EC 정상회담(12.11-12) 에서는 동 문제가 의제로 다루어 지지는 않을 것이며, 정상회담과 농업장관 회담에 동합의결과를 반드시 보고하는내부적 절차를 거쳐야 하는 것은 아니나 <u>내주말경 이후에 가서 LEGAL TEXT 를 제시할 가능성은 있는 것으로 전망함</u>

0 바나나 문제는 영국이 의장국의 입장에서 ·관세화 원칙에서 크게 벗어나지않는 안을 준비하고 있는 것은 사실이며, ~~의는 대주 개최될 농업이차화처 정적의제의 하나로 준비하고 있는 것이 자설하며~~, 이는 내주 개최될 농업이사회에서 정식 의제의 하나로 토의될 것이라 함. 바나나 문제에 대한 결론이 도출되면,<u>EC 로서는 농산물 분야에 대한 C/S 를 내주말경까지 제출할수 있을·것이라 함</u>. 끝. (대사 박수길-국장)

예고:93.6.30 까지

PAGE 2

0151

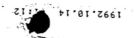

1992.10.14

수신 : 외무부 이찬범 사무관 (통상기구과)

報 道 資 料

그간 UR 관세협상 결과를 반영한 관세양허안을 GATT에 제출 협임.

○ 품목 : 농산물을 제외한 공산품·수산물 9,044
개중 7,389개 품목 (품목기준 82%, 수입액 기준 8%)

○ 관세인하율(평균) : ('86) → 12.2%('97)

· '90년 평균 관세율 보다 소 높은 수준

- 이번에 제출하는 우리나라 관세양허안은 최종안이라기
보다는 추후 UR 협상이 계속될 전망이어서 다소 수정될
가능성이 있음.

報道資料生産課 : 국제관세과   T E L : 503~9297

代辯人室

0152

RECEIVED FROM
1992.10.14
P.12

UR 관세양허안 제출

- 우리나라는 그간 UR 관세협상 결과를 집약한 관세양허안을 제출시한 인 3.1 GATT에 제출할 예정임.

- UR 관세양허안의 성격

  o 이번에 제출하는 우리나라를 비롯한 각국의 UR 관세양허안은 최종 안이라기 보다는 향후 협상진전에 따라서는 다소 수정할 여지가 있음.

  o 즉 3월중 주요 교역국간에 양자간·다자간 협상을 거쳐 상호 수출 관심 품목의 관세인하를 합의하는 경우 해당 품목의 관세인하가 각국의 관세양허안에 추가로 반영될 것임.

  ※ 관세양허의 의미

  관세양허란 협상을 통해 관세가 인하되면 인하된 세율 수준 이상 으로는 특별한 사유가 없는 한 관세인상을 할 수 없게 되는 일종 국제적인 협정의 일환

- 우리나라 관세양허(안) 내용

  o 관세양허 대상품목 : 공산품·수산물 총 9,044개 품목중 이번 관세 양허안에 포함되는 품목은 7,389개 품목임.

    · 양허범위 : 품목기준 82%, 수입액 기준 80%

0153

044 P02
'92 10 14 11:07

o 관세인하율 : 32% (17.9% → 12.2%)

· '90년 평균관세율 11.4% 보다 다소 높은 수준으로 양허

· 각국은 UR이 시작된 '86년 기준 관세율에서 관세를 인하하되 인하키로 된 세율은 '93부터 '97년까지 인하하면 됨.

- 주요국의 관세양허안 비교

	양 허 범 위*	인 하 율
미 국	100%	37% (5.4→3.4)
일 본	91%	56% (3.6→1.6)
E C	100%	30% (5.6→3.9)
한 국	80%	32% (17.9→12.2)

* 양허범위는 수입액 기준(다른 나라의 경우는 '90년도에 제출된 제1차 관세양허안을 기준으로 한 평가결과 임.)

- 연도별 관세율 추이

	'90/'91	'92	'93	'94	'95	'96	'97
양 허 세 율	-	17.9	16.8	15.6	14.5	13.3	12.2
기본 관세율	11.4	10.1	8.9	7.9	-	-	-

- UR 관세양허가 우리나라에 미치는 영향

o UR 관세협상에서 우리가 양허한 관세율 수준은 '90년 세율수준보다 다소 높은 수준으로서 우리에게 추가관세인하 부담 요인이 없는 상태에서 상대국의 관세인하가 되어 우리 수출에 도움이 될 것임.

o 다만, 향후 무세화 협상 등이 타결되는 경우 다른 국가와 함께 우리도 부분적으로 해당품목의 관세를 추가인하 해야할 가능성은 남아 있음.

0154

o 또한 첨단산업·유망산업·사치성 소비재·경쟁력이 미약한 품목은
  양허대상에서 제외하여 필요한 경우 관세를 통한 국내산업보호에
  문제가 없음.

- 향후 UR 관세협상 대책

o 이번의 관세양허안 제출을 계기로 향후 UR 협상이 재개되는 경우
  우리나라는 우리의 섬유·신발등 수출주종 상품 위주로 상대국의
  관세인하를 위해 적극 노력할 계획임.

o 우리 요청에 따라 상대국의 관세인하가 있는 경우 우리로서도
  상대국의 관세인하 요청을 적절히 고려해야 할 것임.

o 철강·전자등 무세화 협상이나 화학제품 관세조화 협상의 경우도
  우리가 경쟁력이 있는 품목위주로 부문적으로 참여할 계획임.

0155

원 본

외 무 부

종 별 :

번 호 : GVW-2358 　　　　　　　　　일 시 : 92 1214 1700

수 신 : 장관(봉기, 경기원, 재무부, 농수산부, 상공부)

발 신 : 주 제네바 대사

제 목 : UR/시장접근 양자 협의(비농산물 분야)

　　1. 스웨덴, 시장접근 협상 담당자는 12.17(목)당지에서 표제 협의를 가질것을 요청하여 왔음.

　　2. 칠레와 12.16 가질 예정이었던 양자 협의는 12.18 로 변경되었음.끝

　　(대사 박수길-국장)

롱상국　　경기원　　재무부　　농수부　　상공부

PAGE 1 　　　　　　　　　　　　　　　　92.12.15　　05:22 CJ

　　　　　　　　　　　　　　　　　　　외신 1과 롱제관 ✓

0156

관리	
번호	92-372

원 본

외 무 부

종 별 :

번 호 : GVW-2354 일 시 : 92 1214 1030

수 신 : 장관(봉기, 경기원, 재무부, 농림수산부, 상공부)

발 신 : 주 제네바대사

제 목 : UR/시장접근 양자협의(비농산분야 : 미국)

1993.7.기. 에 예고문에
의거 일반문서로 재분류됨

연: GVW-2337

표제 협의가 12.11(금) 11:00-15:00 당지에서 개최되었기에 아래와 같이 보고함.
(서재무관, 강정영재무부 국제관세과장, 김재무관보 참석)

1. 한. 미 상호관심 사항

0 미측이 6.18 별도 제안한 특정품목 상호 양허 제안과 7.13. 추가 REQEST LIST
에 대해 아국의 검토결과를 문의함

0 아측은 양국간 양허불균형 (아측이 더많이 양허)이 있으므로 미측의 추가적인
관심 품목에 대해 관세인하가 어렵다고 답변함.

2. 화학(관세조화)

0 미측은 화학산업에서 한국이 경쟁력을 갖추고 있으며, 94 년 실행세율이 10%
수준이 될것이므로 관세조화 세율을 수용하기에 어려움이 없을 것이라고 주장 하고,
미측의 관세인하 효과는 34% 수준이 될것이라 발언함.

0 아측은 선진국의 현행세율 수준이 이미 저세율이므로 미국, EC 가 제안한
조화세율 수준으로는 선진국의 기여 정도가 미미한 반면 미국을 포함한 개도국은
대폭적인 관세인하가 불가피하여 국내산업에 큰 영향을 끼치게 될 것임을 지적함.

3. 관세(관세조화)

0 아측은 미측의 섬유 관세조화 제안은 현행 미국관세율을 유지하고 있어 의미가
없는바, 미측이 EC 의 관세조화 제안을 받아들일 것을 촉구하고, 섬유는 아국의 주된
관심 품목임을 분명히 함.

0 미측은 국제무역체제의 발전을 위하여 MFA 의 철폐를 위해 노력하고 있음을 상기
시키고 수량제한 철폐와 동시에 대폭적인 관세인하를 수용하기 어렵다고 밝힘.

- 설사 관세율을 인하한다고 하더라도 아측보다 중국등 개도국이 보다 많은 이익을

통상국 농수부	장관 상공부	차관	2차보	분석관	정와대	안기부	경기원	재무부

PAGE 1

92.12.15 05:13

외신 2과 통제관 FR

0157

보게될 것이라고 발언함.

　4. 반도체와 반도체 장비

　0 미측은 반도체의 주요생산국은 한, 미, 일 삼국이므로 EC 의 참가여부와 관계없이 상기 삼국만 참가하더라도 반도체의 무세화를 달성하는 것이 중요관심사항이라고 발언함.

　5. U.R 전망

　0 12.11 현재 미.EC 양자협의가 진행중이며 미측은 93.1 월말까지 UR 협상을 종결할 방침이라고 종래의 발언을 되풀이함.

　0 또한 C/S 제출에 관해서는 미측이 C/S 를 제출하게 되면 더이상 아측의 관심품목에 대한 관세인하가 불가능하므로 C/S 제출이전에 섬유, 신발등이 아닌 다른분야에 아측의 관심품목 제시가 있어야 할것이라고 발언함. 끝

　(대사 박수길-국장)

　예고:93.1.31. 까지

PAGE 2

원 본

외 무 부

종 별 :

번 호 : GVW-2355

일 시 : 92 1214 1030

수 신 : 장관(봉기,경기원,재무부,농림수산부,상공부)

발 신 : 주제네바대사

제 목 : UR/시장접근 양자협의(비농산물분야)

연: GVW-2337

칠레,호주,노르웨이 시장접근 담당자는 12.11 아래와같이 당지에서 표제 협의를가질것을 요청하여 왔는바, 관련부처(재무부: 관세,상공부:비관세, 농림수산부: 기파견 대표 활용) 정부대표 파견을 건의함

0 12.16(16:00) 칠레(농산물 포함)

0 12.17(11:15) 호주

0 12.17(15:00) 노르웨이(수산물 포함).끝

(대사 박수길-국장)

통상국   경기원   재무부   농수부   상공부

PAGE 1

92.12.15   05:19 CJ

외신 1과 통제관

0159

관리	
번호	92-877

원 본

외 무 부

종 별 :

번 호 : GVW-2362

일 시 : 92 1215 1040

수 신 : 장관(통기,경기원,재무부,농수산부,상공부)

발 신 : 주 제네바 대사   사본: 주 미, EC 대사(본부중계필)

제 목 : 미국 시장접근협상 대표 접촉(UR 협상 전망)

　　　김대사는 12.14(월) 미국의 시장접근 협상 수석대표 DOUQ NEWKIRK 및 당지 USTR 부대표 ANDREW STOLER 공사와 오찬을 갖고, UR 협상 현황 및 전망에 대해 의견을 교환한바 아래 보고함.

　　　1. 요약

　　　- 미국측은 미-EC 간 농산물이 미측의 양보로 해결되었으나, EC 측이 여타 중요한 전분야에서 미국과 대립, 힘겨루기를 하는 상황에서 미국으로서는 얻은 것이 없고 미국의 입장을 지지하는 국가도 많지 않다는 인식을 가지고 있는 것으로 보였음.

　　　- 또한 EC 측의 UR 협상 태도로 보아서 단시일내에 획기적인 진전을 기대하기는 어렵다고 상기 양인들 차원에서는 판단하고 있는 것으로 보였음.

　　　2. 미.EC 간 시장접근 협상(비농산물)

　　　가. 미국과 EC 간에는 무세화 내지 관세조화를 논의하고 있는 품목에 대한 미, EC 간 품목별 교역 수치를 가지고 심각한 의견 대립을 보이고 있어 별다른 진전이 없다함. 무세화 내지 관세조화 문제를 해결해 나가기 위해서는 미.EC 간 상호 주요 공급국의 지위에 있는 품목에 대한 교역실적 수치에 대한 입장 조정이선행 되어야 하는데 EC 는 이문제를 심각하게 논의하는 것 조차 거부하고 있다함. (이부분은 EC 시장접근 협상 수석대표는 지난주 오찬시 전혀 언급이 없었음)

　　　나. 미국으로서는 EC 가 관심을 가지고 있는 섬유 TARIFF PEAKS 이슈에 대해 50 % 관세인하를 제의하였으나, EC 는 미국이 관심을 가지고 있는 품목중 목재 및 동 제품, 종이 그리고 비철금속류에 대한 무세화를 거부하고 있어 미.EC 간 진전이 없다고 함.(지난주 EC 대표는 미측 주장과는 반대로 미측이 섬유 고관세 문제를 여타 분야와 연계시키고 있으며, 관세 조화도 20 % 이상 고관세 품목에 한정하고 있고 유리 및 세라믹은 미측이 거부하고 있다고 언급한바 있음)

통상국	장관	차관	2차보	분석관	청와대	안기부	경기원	재무부
농수부	상공부	중계						

PAGE 1

92.12.15 19:44

* 원본수령부서 승인없이 복사 금지

외신 2과 통제관 BZ

0160

다. 결국 무세화 내지 관세조화 부분에서 미-EC 간 협상이 교착 상태이며, 미측으로서는 미국내 업계의 요구내지 불만등에 비추어 이분야에 대한 확실한 가시적인 진전내지 결과 도출이 UR 을 전체 PACKAGE 로 처리하는데 매우 중요한 요소라는 입장이었음.

3. MTO 문제

가. UR 결과의 이행을 위해서 MTO 라는 별도의 국제기구 창설은 불필요하다는 것이 미국의 기본입장이며, 푼타델 에스테 선언에도 MTO 라는 기구 설립은 전혀 언급이 없다는 점을 지적함.

나. UR 결과 이행을 위해 지난 금요일 미국이 언급한 각료회의 결정은 법적성격이나 형태면에서 현재까지 논의된 MTO 협정 협상 내용중 (1) 협정부적용 조항, (2) 웨이버 조항, (3) 표결조항은 UR 결과의 이행을 위한 협정(형식이 협정이 되든 각료회의 결정이되든) 과 전혀 관계가 없으므로 이를 포함시킬수 없으며, 다만 일방주의와 관련한 ENDAVOUR 조항은 수용할것이라고 하였음. (12.14 일저녁 던켈총장 주재로 주요국 수석대표 회의시 ENDAVOUR CLAUSE 를 포함한 제안 제시 시사)

다. 미국은 현재까지 논의된 MTO 협정은 처음부터 반대하였으며, 동 초안은EC 와 카나다가 작년 12 월 제의한 것으로 되어 있으나, 미측은 카나다의 기여는 극히 일부분이고, EC 가 거의 주도한 것이라고 말함.

라. 미측으로서는 현재 논의되어온 MTO 협정의 내용으로는 이를 수락하기 어려울 것이라는 입장을 분명히 하고 있었음. 미측의 MTO 협정 또는 각료회의 결정의 법적 성격이 다를 것이 없다는 입장에 대해서는 좀더 확실한 이유를 확인해볼 필요가 있다고 봄.

4. 미국은 MTO 문제, 공산품 시장접근 분야의 무세화 내지 관세조화 협상등중요한 분야에서 미.EC 간 합의의 선행이 UR 의 빠른 시일내 진전 및 타결을 위해서는 필요한 선결 조건이라는 생각을 가지고 있었으며, 미국은 중요분야에서 EC 와 대립하고 있는데 미국은 얻은 것이 없다는 인식이 강한 것으로 보였으며, 특히 문제점을 가지고 있는 국가들이 그들의 문제점을 해결하려는 노력을 함에 있어서 미국의 입장을 어느정도 이해하고 이를 지지할수 있을 것인지를 분명히 밝히고 있는 국가들이 없다고 하면서 UR 의 조기 종결 가능성을 부정적으로 보고 있었음.

5. 김대사는 미국이 조부조항을 통해 JONES ACT(미국 연안 운항 선박은 미국건조 선박만 사용)를 계속 원용, 동 분야에서 국경조치의 예외를 계속 유지하지 않을수

PAGE 2

없는 입장을 일응 이해한다고 전제한후 한국도 쌀의 수입을 금지하는 국내법이 있으며, 그동안 우리국회가 3 차에 걸쳐 만장일치로 쌀 수입 반대를 결의한바 있는 만큼 한국도 쌀 문제에 관한한 법적 어려움과 정치적 어려움을 동시에 가지고 있다는 점을 같은 차원에서 미국이 이해해 주어야 할 것임을 설명, 한.미 양국은 상호 결정적 어려움이 있는 분야에 대해 이해의 폭을 넓혀 예외가 필요한 분야는 예외를 인정해 주고 일부 DFA 수정이 필요한 부분은 이를 수정하는 방향으로 서로 도울수 있을 것이라는 견해를 피력하였음. 끝

　(대사 박수길-차관)

　예고 93.6.30. 까지

원 본

관리
번호 R-916

외 무 부

종 별 :

번 호 : GVW-2364

일 시 : 92 1215 1530

수 신 : 장관(봉기,경기원,재무부,농수산부,상공부)

발 신 : 주 제네바 대사   사본:주미,EC대사 - 본부중계필

제 목 : EC 시장접근 협상담당관 접촉(UR 동향 파악)

12.14(월) 미-EC 의 MA 협상 진전 상황 및 UR 협상 동향에 관하여 당지 EC 대표부 F.HUYSMANS 참사관과 협의결과를 아래 보고함. (김재무관보 참석)

1. 미.EC MA 협상

0 미국과 EC 는 12.11 당지에서 협상을 가졌으나 아무런 진전이 없었으며 EC 측으로서는 미측이 진정 협상의 의지를 가지고 있는지 의심스럽다고 함.

0 EC 는 제세율은 무역에 장애를 주지 않으므로 제세율품목을 무세화 하는데는 별로 관심이 없으며, 미국이 고관세율을 유지하고 있는 섬유, 유리제품, 세라믹제품에 대해 대폭적으로 관세인하를 하지 않는한 미.EC 사이에 이익의 균형이 성립하지 않게 되므로 의미있는 협상의 진전을 기대하기 어려울 것이라고 함.

0 현재로서는 무세화 분야에서 합의가 가능한 분야는 의약품 1 개이며, 철강은 MSA 합의 여부가 EC 의 무세화 참여의 전제조건이며 여타 품목에 대해서는 미국의 상기 3 개품목 관세인하와 한국을 비롯한 많은 나라의 참여가 전제 조건이라고 함.

0 미.EC 간 농산물 분야의 합의가 있지만 비농산물 분야에서 합의도 매우 중요하며 미국이 종래의 OR 방식을 포기하고 EC 가 주장한 것처럼 공식에 의한 일괄 관세인하를 할 경우 고관세율의 인하효과가 있으므로 EC 는 이를 수용할 것이라고 함.

2. 한.EC 양자협상 및 기타 UR 전망

0 EC 는 미.EC 합의 이후 아국과 양자협상을 가질 것을 희망함.

0 EC 는 방글라데시등 최빈국을 제외한 개도국이 더 많이 양허해야 한다는 견해를 갖고 있으며, 개도국들은 " 갓트체제내에 들어오든지, 나가든지 결정해야 할 것 " 이라고 함

0 EC 는 이미 세계최대의 수출입국일뿐 아니라 90 년대말 7 억 5 천만 인구를 가진 세계최대 시장이 될것이며 갓트 분담금도 가장 많이 내고 있으므로 EC 의 입장이 경시

통상국	장관	차관	2차보	구주국	분석관	청와대	안기부	경기원
재무부	농수부	상공부	중계					

PAGE 1

92.12.16   01:10

* 원본수령부서 승인없이 복사 금지

외신 2과 통제관 DI

0163

되어서는 안될것이라고 함. 끝

(대사 박수길-국장)

예고:93.6.30 까지

0164

발 신 전 보

	분류번호	보존기간

번   호 : **WGV-1979**   921215 1804 FT   종별 : _____

수   신 : 주 제네바   대사. 총영사

발   신 : 장 관 (통 기)

제   목 : UR/시장접근 양자협상

대 : GVW-2355, 2358

대호 12.17-18간 귀지에서 개최되는 표제 ~~회의에 참가할 본부대표로~~ (협상을 위해) 재무부
박재식 사무관과 상공부 김순철 사무관이 ~~임명되었으니~~ (귀지출장 예정이니), 귀관 관계관과 함께
아래 훈령에 따라 ~~회의~~참석 조치바람. (상세자료 ~~본부대표~~ (별도) 지참)

훈 령

1. 관세협상분야

    가. 호 주

        ㅇ 40% 이상의 고관세 유지 품목인 섬유, 신발, 가죽제품등 아국
           관심품목에 대한 관세 인하를 요청함.

        ㅇ 대호주 무역적자과 양국간의 양허 불균형을 고려 호주측 관심
           품목인 농산물, 광산물에 대한 추가적인 양허는 곤란함을 설명함.

    나. 스 웨 덴

        ㅇ 고관세 유지품목인 플라스틱, 섬유, 신발등 아국 관심품목에 대한
           관세인하를 요청함.   / 계속...

	보 안	
	통 제	

앙고재	92년 12월 15일	통상기구과	기안자 성명 申	과 장	심의관	국 장 전결		차 관	장 관		외신과통제

o 스웨덴측의 관심품목인 화학, 플라스틱, 기계전자등은 92.1.

양자협의시 평균 50% 인하하였음을 감안, 추가 관세인하의

WGV 어려움을 설명함. 921215 1804 FT

다. 노르웨이, 칠레

o 관세인하를 요청한 수산물은 97년까지 수입자유화 해야 하는

품목으로 추가 관세양허는 불가하며 공산품의 경우 이미 UR

관세 양허안에서 몬트리올 관세인하 목표를 초과 인하 하였음을

설명함.

2. 비관세 협상분야

o 협상대상국의 요구사항과 관련 기본적으로 92.3. 제출한 비관세 양허

계획서내에서 대응토록 하고 금번 협상에서 새로 요청하는 사항에

대해서는 요청 내용 파악에 주력하고 다음 협상시 아국 입장을

통보하도록 함.

o 새로 파악된 협상 상대국의 아국 수출에 대한 비관세 장벽의 조속한

철폐를 요청함. 끝.

(통상국장 홍 정 표)

0166

외   무   부

110-760 서울 종로구 세종로 77번지   /   (02)720-2188   /   (02)720-2686 (FAX)

문서번호 통기 20644-431

시행일자 1992.12. 16.(   )

취급		장 관
보존		
국 장	전 결	
심의관		
과 장		
기안	신 부 남	협조

수신   재무부장관, 상공부장관

참조

제목   UR/시장접근 분야 협상 정부대표 임명

───

　　　　92.12.17-18간 제네바에서 개최되는 UR/시장접근 분야 양자협의 참가할
정부대표를 "정부대표 및 특별사절의 임명과 권한에 관한 법률"에 의거, 아래와
같이 임명하였음을 통보합니다.

　　　　　　　　　　　　-　아　　　래　-

1. 회 의 명 : UR/시장접근 양자협의

2. 기간 및 장소 : 92.12.17-18, 제네바

　　　　　　　　　o 12.17 : 호주, 스웨덴, 노르웨이

　　　　　　　　　o 12.18 : 칠레

3. 정부대표

　　　　o 박 재 식 재무부 국제관세과 사무관

　　　　o 김 순 철 상공부 국제협력과 사무관

　　　　o 주 제네바 대표부 관계관

4. 소요예산 : 해당부처 소관예산　　　　　　　　 / 계속 ...

0167

5. 출장기간 : 92.12.16-20.

6. 훈 령

　가. 관세협상분야

　　1) 호 주

　　　ㅇ 40% 이상의 고관세 유지 품목인 섬유, 신발, 가죽제품등 아국
　　　　관심품목에 대한 관세 인하를 요청함.

　　　ㅇ 대호주 무역적자과 양국간의 양허 불균형을 고려 호주측 관심
　　　　품목인 농산물, 광산물에 대한 추가적인 양허는 곤란함을 설명함.

　　2) 스 웨 덴

　　　ㅇ 고관세 유지품목인 플라스틱, 섬유, 신발등 아국 관심품목에 대한
　　　　관세인하를 요청함.

　　　ㅇ 스웨덴측의 관심품목인 화학, 플라스틱, 기계전자등은 92.1.
　　　　양자협의시 평균 50% 인하하였음을 감안, 추가 관세인하의
　　　　어려움을 설명함.

　　3) 노르웨이, 칠레

　　　ㅇ 관세인하를 요청한 수산물은 97년까지 수입자유화 해야 하는
　　　　품목으로 추가 관세양허는 불가하며 공산품의 경우 이미 UR
　　　　관세 양허안에서 몬트리올 관세인하 목표를 초과 인하 하였음을
　　　　설명함.

　나. 비관세 협상분야

　　ㅇ 협상대상국의 요구사항과 관련 기본적으로 92.3. 제출한 비관세 양허
　　　계획서내에서 대응토록 하고 금번 협상에서 새로 요청하는 사항에
　　　대해서는 요청 내용　파악에 주력하고 다음 협상시 아국 입장을
　　　통보하도록 함.

　　ㅇ 새로 파악된 협상 상대국의 아국 수출에 대한 비관세 장벽의 조속한
　　　철폐를 요청함. 끝.

1992.12.16

외 무 부 장 관

0168

상 공 부

우)427-760　경기도 과천시 중앙동 1번지 / 전화(02)503 - 9446 /FAX : 503 - 9496, 3142

문서번호 국협 28143-646

시행일자 1992. 12. 15. (　　)

선결			지시		
접	일자 시간	92. 12. 16 ：	결재		
수	번호	42988	공람		
	처리과				
	담당자	서영선			

수신　외무부 장관

참조　통상기구과장

제목　UR 시장접근분야 회의 참가

　　　'92. 12. 17 (목) - 18 (금)간 스위스 제네바에서 개최되는 UR / 시장접근분야 협상에
참가하기 위하여 다음과 같이 출장코자 하오니 정부대표임명등 필요한 조치를 하여 주시기
바랍니다.

= 다　　　　음 =

1. 출장지 : 스위스 제네바

2. 출장개요

직 위	성 명	출 장 기 간	비 고
행정사무관	김 순 철	1992. 12. 16(수) - 20(일)	시장접근협상참가

3. 소요예산 : 상공부 예산. 끝.

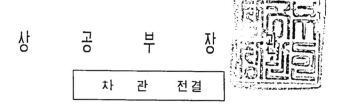

상 공 부 장

차 관 전 결

0169

< 비관세 분야 >

o 아국이 '92.3 양허계획서를 제출하기 이전에 요청해온 사항에 대해서는
  동 양허 계획서내에서 대응

  - 동 양허계획서에 포함되지 아니한 사항은 아국제도의 개요를 설명한 후
    추후 관계부처협의를 거쳐 양허여부를 다음협상시 통보하도록 함

o 금번 협상시 새로이 요청해온 사항에 대해서는 요청내용의 파악에 주력한 후
  본국에서의 검토를 거쳐 다음 협상이 아국입장을 통보하도록 함

o 새로이 파악된 협상상대국의 아국수출에 대한 비관세 장벽의 조속한 철폐를
  요청토록 함

0170

재   무   부

우 427-760 경기도 과천시 중앙동 1   / 전화 (02)503-9297   / 전송

문서번호 국관 22710-258

시행일자 1992. 12. 15.   (   )

수신 외무부장관

참조 통상국장

선 결			지 시	
접 수	일자 시간	92.12.15	결 재	
	번호	909	공 람	
처리과				
담당자				

제목 UR/시장접근분야 양자협의

　　　1. GVW-2355('92.12.14), GVW-2358('91.12.14) 관련입니다.

　　　2. 호주, 스웨덴, 노르웨이, 칠레와의 양자협상과 관련한 당부입장을 별첨과 같이 송무합니다.

　　　첨부 : UR/시장접근 양자협상 관련 자료 1부.   끝.

재   무   부   장

관 세 국 장 전결

0171

UR 시장접근 양자협상

1. 양자협상 개요

- 기간 및 장소 : '92.12.17(목) ~ 18(금), 스위스 제네바

  o 12. 17(목) : 호주, 스웨덴, 노르웨이

  o 12. 18(금) : 칠레

- 참석 예정자 : 제네바대표부는 재무부(관세담당), 상공부(비관세 담당) 각 1인 참석요망

2. 양자협상에 대한 아국입장

가. 호 주

- 한국과 호주의 공산품 양허안에는 양허불균형 존재

한·호주간 공산품 양허불균형 현황

(단위 : %)

	UR 전	UR 후	인하율
아국의 대호주 양허	9.3	3.6	61.6
호주의 대아국 양허	28.7	18.0	37.4

- 양국의 Request에 대한 반영 현황

  o 아국은 호주의 Request 품목중 공산품의 61%에 해당하는 품목을 양허하였으며 인하율은 28%에 이르고 있음.

  o 아국의 대호주 Request 품목에 대한 인하율은 20% 미만에 그치고 있으며 섬유, 신발등 42개 품목이 40% 이상의 고관세를 유지하고 있음.

0172

	요 청 사 항	반 영 사 항
호주의 대아국 Request	- 품 목 수 : 628개 　　　　　　(HS 10단위) - 요청세율 : 0~25%	- 양허범위(공산품) : 60.9% o 327개중 199개 양허 - 인하율(단순평균) 　: 28.1%(20.3→14.6)
아국의 대호주 Request	- 품 목 수 : 64개 　　　　　　(HS 6/8단위) - 요청세율 : 10~15%	- 양허범위 : 100% - 인하율(단순평균) 　: 19.6%(46.9→37.7) * 섬유·신발류 Tariff 　Peaks 상존 o 40% 이상 : 27개 o 50% 이상 : 15개

- 호주측 양허 관심품목

　o 농산물, 유연탄, 철광석, 우라늄정광등 광산물

```
┌─────────────────[ 아측입장 ]─────────────────┐
│                                              │
│  - 추가적인 양허불가                          │
│                                              │
│    o 현재 한·호간의 양허불균형                │
│    o 한국의 호주에 대한 무역적자 심화          │
│                                              │
└──────────────────────────────────────────────┘
```

- 한국측 양허 관심품목

　o 섬유, 신발등 가죽제품등 40% 이상의 고관세유지 품목

```
┌─────────────────[ 아측입장 ]─────────────────┐
│                                              │
│  - 호주의 아국 관심품목에 대한 관세인하 촉구   │
│                                              │
│    o 섬유, 신발 등은 40~55% 고관세 유지 품목이므로│
│      대폭적인 관세인하 필요                    │
│                                              │
│    o 한·호간 양허의 현격한 불균형 시정 필요    │
│                                              │
└──────────────────────────────────────────────┘
```

0173

나. 스웨덴

- 양국간에 균형이 달성되고 있음율 평가

  o 아국의 대스웨덴 양허인하율 : 32.3%

  o 스웨덴의 대아국 양허인하율 : 31.2% (공산품, 무역액 가중평균)

- 스웨덴의 수정 Request List에 대한 입장

  o '92.1 양자협의시 스웨덴측이 제시한 수정 R/L 품목중 73% 해당
  품목율 양허하였으며 인하율은 51%에 이르고 있음.

  o 스웨덴측이 동 품목들율 현행세율로 인하요청하였으나 상기와
  같은 기존 인하율율 고려할때 추가적인 관세인하는 곤란

  · 스웨덴의 주요 관심품목 : 화학, 플라스틱, 기계, 전자등

	요 청 사 항	반 영 사 항
스웨덴의 대아국 Request ※ 수정 R/L ('92.1)	- 품 목 수 : 67개 (HS 10단위) o 대 아국 총 수출액의 22% 상당 - 요청세율 : 무세 o 단, 구두로는 현행 세율로 요청	- 양허범위 : 73.1% o 67개 중 49개 - 인하율(공산품, 단순평균) : 50.8%(31.5→15.5)
아국의 대스웨덴 Request	- 품 목 수 : 36개 (HS 7단위) o 대 스웨덴 총 수출액 의 24% 상당 - 요청세율 : 기준세율의 2/3인하	- 양허범위 : 100% - 인하율(단순평균) : 34.0% (14.1→9.3)

0174

- 스웨덴의 대아국 Request 내역

(단순평균. %)

분 야	품 목 수 (HS 10단위)	Base Rate	Offered Rate	Request Rate
화학·플라스틱	17	22.6	17.9	10.6
종 이	13	23.1	13.0	11.0
철강·철강제품	13	17.7	13.7	8.8
기 계·전 자	16	24.7	16.4	11.2
기 타	8	24.5	16.5	9.2
	67	22.6	15.6	10.2

- 지난 '91.10 스웨덴측에 제시한 아국의 Reqeust List는 아국의
  주요 관심품목중 스웨덴이 비교적 고관세를 유지하는 품목인 바
  귀측의 성의있는 검토를 요망함.

- 아국의 대스웨덴 Request 내역

(단순평균, %)

분 야	품 목 수 (HS 7단위)	Base Rate	Offered Rate	Request Rate
플 라 스 틱	2	12.0	8.2	4.0
섬 유	27	14.0	9.2	4.7
신 발	7	15.8	10.1	5.3
계	36	14.1	9.3	4.7

다. 노르웨이

- 노르웨이가 관세인하를 요청한 수산물의 경우, '89. BOP 협의
  결과에 따라 '97년까지 수입자유화를 해야 하는 품목이므로 추가
  적인 관세양허는 불가하다는 입장 견지

  o 특히 노르웨이가 요청한 품목의 경우, 아국은 이미 UR 관세양허
    안에서 몬트리올 관세인하 목표(33% 인하)를 초과(49.3% 인하)
    하였음을 상기시킴.

0175

```
┌─────────────────────────────────────────┐
│         노르웨이의 대아국 Request List      │
└─────────────────────────────────────────┘
```

o 요청품목 : 수산물 36개 품목(HS 10단위)

· 수입액('90) : 3백만불(노르웨이로부터의 총 수입의 3.4%)

o 요청세율 : 0%

· 요청품목의 평균세율

기준세율	요청세율	I R P
36.1%	0%	18.3%

· 인하율 : 49.3% (36.1% → 18.3%)

라. 칠 레

- 아국은 이미 칠레가 요청한 56개 공산품 가운데 42개 품목(75%)
  을 평균 40.9% 인하하는 UR 양허안을 GATT에 제출하였음을 언급

  o 관세인하율 : 40.9% (20.5% → 12.1%)

- 특히, 칠레가 요청한 품목가운데 미양허 품목인 수산물의 경우는
  민감품목으로서 '89. BOP 협의 결과에 따라 수입자유화를 해야
  하는 품목이므로 추가 관세인하는 곤란

- 아국은 이미 몬트리올 관세인하 목표를 충족하는 UR 관세양허안
  을 GATT에 제출한 바 있음.

칠레의 대아국 Request 현황

(단위 : 개, 백만불)

구　　　　　분	품목수	양허품목	수　입　액	
			세　계	칠　레
수　산　물	21	12	143	8
공　산　품	35	30	2,441	309
광물성 연료	4	4	1,231	127
무기 화합물	4	3	5	1
목재, 펄프	8	4	560	23
철강, 제품류	8	8	489	158
기　　타	11	11	156	-
합　　　계	56	42	2,584	317

0176

원 본

외 무 부

종 별 :

번 호 : GVW-2393   일 시 : 92 1217 2030

수 신 : 장 관(봉기, 경기원, 재무부, 농수산부, 상공부)

발 신 : 주 제네바 대사

제 목 : UR/시장접근 : EC 의 비농산물 C/S 제출

   1. 12.17 EC 로 부터 비농산물에 대한 C/S 가 제출되었음. (본부대표단 지참)

   2. 본 C/S 는 1) 추후 협상을 통해 균형된 합의가 달성되고 2) 특정 분야에 있어서 복수 국가간 협의에 여타 국가가 EC 에 상응한 참여를 한다는 조건부로 제출된 것임을 참고바람. 끝

   (대사 박수길-국장)

통상국   경기원   재무부   농수부   상공부

원 본

외 무 부

관리
번호 92-984

종 별 :

번 호 : GVW-2394

일 시 : 92 1217 2030

수 신 : 장관(통기,경기원,재무부,농수산부,상공부)

발 신 : 주 제네바 대사

제 목 : UR/시장접근 양자협의 (비농산물: 호주, 노르웨이)

12.17(목) 표제협의가 당지에서 있었는바 아래와 같이 토의 요지 보고함.

(서재무관, 재무부 박재식사무관, 상공부 김윤철 사무관 참석)

1. 호주와 양자협의 (11:30-13:00)

가. UR 동향

- 호주측은 시장접근 분야에서 미.EC 간의 미합의로 협상이 진전되지 못하고 있으며 내년초 협상이 재개될 것을 기대한다고 함.

- 아측은 UR 의 성공적 타결을 위한 아국의 노력을 설명함

나. 분야별 협상

- 호주측은 미측과의 양자협의에서 미측이 종이, 목재, 비철금속 분야에서 호주측의 참여를 강력히 요청하였다고 전하면서 비철금속, 수산물 철강분야의 참여에 관심이 있으며 관심분야에 대한 만족스런 합의가 이루어진다면 여타 분야에도 참여할 것이나 참여 범위는 제한될수 있다고 함. 다만 호주측의 최대관심 분야인 비철금속에 대한 합의가 어려울 것 같다고 시사함.

- 아측은 분야별 협상에 대한 아국의 기존입장을 설명함.

다. 상호 관심사항

- 아측은 한. 호주간 양허 불균형(아측 61.6 퍼센트 인하, 호주측 39.4 퍼센트)과 아국의 호주에 대한 무역수지 적자를 지적하면서 아국 관심 품목인 섬유, 신발, 가죽제품등 40% 이상의 고관세를 유지하고 있는 품목에 대한 대폭적인 관세인하를 요청하면서 향후 호주측이 이에대한 긍정적 반응을 보이지 않을 경우아국의 호주에 대한 OFFER 를 철회할 수 있다고 발언함.

- 호주측은 UR 에서 평균 관세인하율이 몬트리올 목표를 상회하는 44% 이나아측에 대해서는 양허 불균형이 존재함을 인정하면서 호주측의 대아국 무역수지 흑자는

| 통상국 | 장관 | 차관 | 2차보 | 분석관 | 청와대 | 안기부 | 경기원 | 재무부 |
| 농수부 | 상공부 | | | | | | | |

PAGE 1

92.12.18 07:13

* 원본수령부서 승인없이 복사 금지

외신 2과 통제관 DI

0178

원재료 수출에 기인한다고 설명함. 다만, 아측의 입장을 TAKE NOTE 하고 본부에 전달하겠다고 함.

- 90 년 호주가 아국에게 제시한 비관세 OFFER 가 현재 유효한지 질의한데 대해, 호주측은 동 OFFER 는 유효하며, 추후 전체적인 양허 균형을 고려하여 비관세 SCHEDULE 을 금년 3 월 제출하였음을 상기시키고, 추후 타국과의 양허균형 여부를 검토한후, 기제출한 SCHEDULE 의 전부 혹은 일부분을 철회할 가능성을 배제하지 않는다고 언급함.

2. 노르웨이와 양자협의 (15:00-16:00)

- 노르웨이측은 분야별 협상에 있어서 의약품, 건설장비, 의료기기, 철강, 수산물에 참여할 용이가 있으나 종이와 비철금속에는 다소의 어려움이 있고, 전자와 목재에는 어려움이 있으나 FLEXIBILITY 도 있다고 발언함.

- 아측은 분야별 협상에 대한 아국의 기존입장과 노르웨이측의 대아국 REQUEST 품목에 대해 50% 정도의 관세인하를 할것임을 설명하고 아국의 대 노르웨이REQUEST LIST 를 곧 제출할 예정임을 밝힘.

- 노르웨이측은 아국에 대한 별첨의 추가 REQUEST LIST 를 제출함

- 노르웨이는 수산물에 대해 수량규제 조치가 존재하는지 질의한바, 아국은현재 수량규제 조치는 없으나, 일부품목의 수입시 관계기관으로부터 수입승인 또는 수입 추천이 필요한바, 동 조치는 97.7 까지 아국의 BOP 협의 결과에 따라 점진적으로 자유화할 계획이며, 93-94 년중 자유화 품목은 기예시한바 있음을 설명함.

- 한편 기철폐된 수량규제 (QUANTITATIVE RESTRICTION) 는 아국의 SCHEDULE에 반영되어 있는바, 동 SCHEDULE 은 추후 타국과의 양허 균형 여부를 고려하여조정될수 있음을 언급함.

첨부: 노르웨이의 대아국 추가 REQUEST LIST
(GVW(F)-0761). 끝
(대사 박수길-국장)
예고: 93.6.30 까지

PAGE 2

0179

주 제 네 바 대 표 부

번호 : GVW(F) - 0161   년월일 : 2/2/7   시간 : 2030
수신 : 장   관(통기, 경기원2 재무부, 농림수산부 상공부
발신 : 주제네바대사
제목 : 첨부

충   2   매(표지포함)

┌─────────┐
│ 보 안 │   │
│ 통 제 │   │
└─────────┘

┌─────────┐
│ 의신관 │   │
│ 통 제 │   │
└─────────┘

GENEVA 17.12.92

NORWEGIAN REQUESTS FROM THE REPUBLIC OF KOREA

Norway requests the Republic of Korea to offer bindig tariff
rates below current or offered tariff level.

TARIFF LINES	CURRENT TARIFF	OFFERED TARIFF
0303 220000	20%U	10%B
0303 500000	20%U	10%B
0303 7400		-
0303 792000	20%U	10%B
2620 300000	20%U	2%B
2901 290000	10%U	5%B
2941 909020	20%U	13%B
2941 909040	20%U	13%B
4301		-
7202 190000	15%U	10%B
7202 210000	20%B	10%B
7202 300000	15%U	10%B
7216 33		-
7502 101000	20%B	5%B
7502 109000	20%B	5%B
8301 409000	25%U	13%B
8413 70	20%B	13%B and 20%B
8419 500000	20%U	13%B
8421 391000	35%U	16%B
8421 392000	20%U	15%B
8421 999010	15%U	13%B
8421 999090	15%U	15%B
8424 903000	20%U	13%B
8425 390000	20%B	20%B
8426 300000	20%B/U	13%B
8426 991000	20%B/U	13%B
8426 999000	20%B/U	13%B
8427 201020	25%U	13%B
8430 491000	20%U	13%B
8430 499000	20%U	13%B
8431 100000	20%U	13%B
8471 91		-
8479 109000	20%U	13%B
8479 89	35%U,20%U,15%U	16%B,13%B
8901 10		-
9032 891000	20%U	13%B

961-2-2

0181

주 제 네 바 대 표 부

번 호 : GVW(F) - 0164   년월일 : 2/18   시간 : 18:00

수 신 : 장   관 (총기, 경가원, 재무부, 농림수산부, 상공부)

발 신 : 주 제네바대사

제 목 : 카나다측 관심품목 리포트

승 3 매 (트지트합)

보 안	
통 제	

의신과	
통 제	

76K - 3 - 1

0182

Requests for Improved Access for Canadian Exports

into Korea

0102.10	Breeding cattle
0201	Beef, fresh or chilled
0202	Beef, frozen
0203	Pork, fresh, chilled or frozen
0409	Honey
0511.10	Bovine semen
0713	Dried peas, beans, lentils
0808.10	Apples, fresh
1001	Wheat
1003.00.10	Malting barley
.19	Other barley
1107.10	Malt
1109.00	Wheat gluten
1204	Linseed (flaxseed)
1205	Canola seed (rapeseed)
1207.50	Mustard seed
1214.10	Lucerne (alfalfa) meal and pellets
1214.90	Hay etc. pelleted or not
1514.10	Canola oil, crude
.90	Canola oil, refined
1515.11	Linseed oil, crude
.19	Linseed oil, refined
1702.20	Maple syrup & maple sugar
1901.20	Mixes & doughs for bakery products
2004.10	Frozen potato products
2009.70	Apple juice

0183

164-3-2

2208.30.90	Canadian whiskey
2302.40	Cereal bran, sharps
2303.10	Gluten meal
2306.40	Canola oilcake and meal

0184

164-3-3

원 본

외 무 부

관리
번호 92-986

종 별 :

번 호 : GVW-2400   일 시 : 92 1218 1500

수 신 : 장관(봉기, 경기원, 재무부, 농수산부, 상공부)

발 신 : 주 제네바 대사   사본:주미, EC 대사(본부중계필)

제 목 : 시장접근 협상(T-1)의장 접촉 보고

    김대사는 12.17(목) UR 시장접근 그룹 협상(T1)의장인 GERNAIN DENIS (카나다 외교 통산성 차관보)와 오찬을 갖고 관세화문제,-UR 협상의 현상황 및 향후 타결 전망등에 관해 의견을 교환한바 동인 언급 사항 아래 보고함.

    1. 요약

    가. 농산물 관세화는 원칙의 문제로서 예외설정이 어려울 것이나, C/S 작성의 기초가 되는 협정문 PART B 의 내용은 협정문을 수정하기 보다는 양국간 또는 관계국간 합의를 시장접근 협상(T-1) 차원에서 C/S 에 반영하는 형식으로 처리 될것이며, (비록 PART B 의 내용과 C/S 상 반영된 합의 내용이 상이하더라도 PART B FDF PACKAGE 성립과 동시에 없어질 것이라는 점을 강조)

    나. UR 의 최종적인 타결은 미-EC 간 무세화 및 서비스 분야 협상등 미결 쟁점 분야에 대한 최종적인 합의와 이를 종결하려는 정치적 의지에 달라 있다고 보며, 그 시기는 미.EC 공히 LEADERSHIP 의 교체, 불란서 정치 일정등으로 보아 결국 미국의 FAST TRACK AUTHORITY 연장이 불가피한 상황이 될 가능성도 있으므로, 변수가 없는 것은 아니나, '93 2 월말경까지의 정치적 PACKAGE 타결, 늦어도 4 월말경까지의 최종 PACKAGE 완결로- 현 미국의 FAST TRACK AUTHORITY 기간내 타결 가능성을 기대하고 있었음.

    (FAST TRACK AUTHORITY 기간내 미행정부의 대의회 보고시한 문제는 가변성이 있을수 있는것으로 보았으며, 이러한 시나리오의 경우 불란서 정치일정 문제도 해결될수 있을 것이라는 시각)

    2. 관세화 문제와 농산물 협정안 수정문제

    가. 농산물 분야에서 문제를 갖고 있는 국가의 경우 양국간 또는 관계국간 합의가 이루어지는 경우 동 내용이 원칙의 문제를 다루는 PART A 와 관련이 있는 경우에는

통상국   장관   차관   2차보   분석관   청와대   안기부   경기원   재무부
농수부   상공부   중계

* 원본수령부서 승인없이 복사 금지
                                    외신 2과   통제관 FR

0185

협정문안을 수정하고 C/S 제출의 MODALITY 를 제공하는 PART B 와 관련된 사항일 경우에는 자신이 주재하고 있는 시장접근 협상(T1)에서 처리가 가능할 것임.

나. 상기 견해의 근거로서는 PART B 는 협상 PACKAGE 성립과 동시에 없어질 부분이므로 설사 양국간 합의와 PART B 의 내용이 상치되더라도 문제가 될것이 없으며, 진정으로 중요한 소요는 양국간 합의이며, 자신이 보기에는 MMA, TE 수준, 유예기간 설정등에 대하여는 융통성을 가질수 있다고 봄. (단, TARIFFICATION 및 MMA 원칙 자체를 거부하는 것은 어려울 것임)

다. 미국, EC 간 협의 내용중 국내 보조, PEASE CLAUSE 부분만 PART A 사항으로서 수정을 요하는 것으로 봄.

라. 카나다가 갖고 있는 문제점은 미국등과의 협의를 통해 TE 를 높게 설정하는 방법으로 해결될 가능성이 큰것으로 봄.

마. (동인의 언급 내용대로 각국의 문제가 처리되는 경우 문제가 있는 국가간에 합의된 처리 방식이 제 3 국에게 똑같이 적용되지 않을 가능성이 있고, 한편 으로는 PART B 가 무의미해지게 되어 사실상 R/O 방식으로 협상이 진행될 우려가 있는바, PART B 의 성경 및 장래에 대한 정확한 판단은 협상의 진행을 더 지켜봐야 가능할 것으로 사료됨.)

3. 협상 현황과 미.EC 관계

가. 11.26 이후 협상이 부진하여 연내 정치적 PACKAGE 합의를 이룰수 없었던 가장 큰 원인은 미.EC 가 농산물 이외의 주요 분야에서 아직도 현격한 입장 대립을 보이고 있고 특히 EC 가 불란서의 국내정치 일정을 감안, 지연시키고 있기 때문임.

나. 미국으로서는 EC 에 대해 농산물 분야에서 양보만 하고 얻은 것은 아무것도 없다고 인식하고 있으며, 자신도 동감임.

다. 이러한 상황에서 EC 는 미국이 역점을 두고 있는 무세화 문제를 부분적으로만 수용하고 여타 분야는 미국에게 특히 민감한 섬유분야 고관세 인하 요구와 연계되어 있어 해결이 쉽지 않은 상황인 것으로 보임.

- EC 가 무세화에 진전이 없는 상황에서 3 개 분야 무세화를 포함한 (미국이 강력히 주장하는 종이, 목제, 비철금속은 제외) 공산품 C/S 를 12.17 제출한것도 결국 미국을 곤경으로 몰아 넣는 홍보 전략적인 성격이 강하다고 봄.

라. 반면 EC 는 불란서가 내년 3 월 정치일정을 앞두고 조기 타결을 강력히 반대하고 있어 미국의 불만을 해소(대미양보) 할수 있는 사정이 아님.

PAGE 2

- EC 는 미국이 EC 에게 일임한 미.EC 농산물 합의 TEXT 제출을 계속 미루어오고 있는 것도 이러한 내부 사정에 기인함.

(EC 는 최근 미국에 대해 2 개의 MINOR POINTS 에 대한 수정을 요구하고 있으나 제출에 지장을 초래할 사항은 아니며 자신은 동 TEXT 가 금 12.17 중 제출되면 명 12.18 TNC 직전에라도 T1 비공식 협의를 개최할 계획이었음)

4. 향후 협상 전망 및 신속 승인 절차 연장 필요성 여부

가. DUNKEL 총장의 계획대로 1.4 부터 <u>시장접근 협상이 재개</u>되더라도 미.EC로 부터 확고한 정치적 SIGNAL 이 없는 한 최근 상황이 답습될 뿐 특별한 돌파구 마련은 기대키 어려울 것임.

나. 동 정치적 의지는 미.EC 양측의 LEADERSHIP 교체가 주요 변수가 될것임.

특히 미국. 신행정부 및 의회의 분명한 SIGNAL 이 있어야 할 것이며, EC 도 더이상의 지연 전술이 없어야만 의미있는 협상이 가능할 것으로 봄.

다. 미.EC 의 정치적 의지만 확고하면 시간적 요소는 절대적 요인으로 작용하지 않을 것이며 현 TRACK MANDATE 의 갱신없이도 UR 협상을 끝낼수도 있을 것임.

- 12 월말경까지 POLITICAL PACKAGE 가 이루어지거나 상당한 진전이 있는 경우 동 내용을 3.2 까지 미행정부가 의회에 통보하고, 이에 세부적 본격 협상을 계속, 4 월말경까지만 완전한 PACKAGE 가 나오면 현행 신속처리 절차 시한내 처리가 가능할 수 있을 것으로 봄.

- 상기 근거로 미.카 FTA 시 한장의 보고서만 1 차로 제출하였는바, UR 의 경우는 상당한 내용의 보고를 제출할 수 있을 것이며, 신정부 출범후 미 행정부와 의회간의 밀월 관계 유지전봉, 민주당의 의회 재배, CLINTON 대통령 당선자의 의회와의 좋은관계 유지 노력등으로 볼때 90 일 이전 PACKAGE 제출 문제는 융통성이 있을 수 있다고 봄.

- 그렇게 될 경우 불란서의 정치일정과 부합되는 잇점도 있음.

즉 불란서는 UR 에 대한 최종입장을 협상의 완전종결후 결정짓겠다고 공언하고 있으므로 POLITICAL PACKAGE 가 나온 시점에서는 가부간 결정을 하지 않아도 될것이므로 3 월말 정치일정전에 결정을 내려야 하는 부담이 없을 것임.

라. 기타 아래 주요 현안이 있으나 결국 조기 종결을 위한 정치적 의지의 문제이지 사안 자체는 해결이 가능하다고 봄.

1) CLINTON 행정부가 출범하면 환경문제 관련 대폭적 수정을 시도함으로써 협상을

PAGE 3

0187

장기 지연시킬 것이라는 일반적인 인식이 있으나 이문제는 현재의 MTO 관련 미국제안 수준(무역 환경위원회 설치)에서 문제가 종결될수 있을 것으로 예상함.

2) MTO 문제도 1) MTO 협정 골격 유지(단, 개정, 해석, WAIVER 조항등 직접관련이 없는 조항은 삭제) 2) MTO 설치 3) 국내법 처리문제는 각국에 일임 (미국은 EXECUTIVE AGREEMENT 로 처리)하는 선에서 큰문제없이 해결될 것으로 낙관함.

3) 반덤핑 협정, TRIPS 협정, 보조금 협정에 대한 수정안이 보다 어렵고 핵심적인 쟁점이 될 가능성이 큼. 끝

(대사 박수길-국장)

예고:93.6.30 까지

PAGE 4

0188

05 (신)

주 제 네 바 대 표 부

건 호 : GVW(F) - 0771   년월일 : 2/21   시간 : 1530

수 신 : 장   관(통기, 경기원, 재무부, 농림수산부, 상공부)

발 신 : 주 제네바대사

제 목 : 미측편성등록 List

브 안	
동 지	

총 6 매(표지포함)

외신주	
동 지	

0189

URUGUAY ROUND AGRICULTURE NEGOTIATIONS: UNITED STATES MARKET ACCESS REQUESTS FOR THE REPUBLIC OF KOREA

TARIFF LINE	PRODUCT
0102 10 1000	live bovine animals, pure–bred milk cows
0102 10 2000	live bovine animals, pure–bred beef cattle
0102 10 9000	live bovine animals, pure–bred, other
0103 10 0000	live swine, pure–bred breeding animals
0103 91 0000	live swine, other, under 50 kg
0103 92 0000	live swine, other, 50 kg or more
0105 11 1000	live chickens, under 185 grams
0105 91 1000	live chickens, over 185 grams
0206 21 0000	edible bovine offal, tongues
0206 22 0000	edible bovine offal, livers
0206 30 0000	pork offals, fresh or chilled
0206 41 0000	pork offals, frozen, livers
0206 49 0000	pork offals, frozen, other
0207 10 0000	chicken not cut in pieces, fresh or chilled
0207 39 2000	chicken livers, fresh or chilled
0207 39 9000	chicken offals, fresh or chilled
0407 00 1000	eggs, in–shell, fresh
0407 00 9000	eggs, in–shell, preserved or cooked
0408 11 0000	chicken egg yolks, dried
0408 19 0000	chicken egg yolks, other
0504 10 0000	guts
0504 20 0000	bladders
0504 30 0000	stomachs
0505 10 0000	feathers of a kind used for stuffing
0506 90 2000	bone meal
0511 10 0000	bovine semen
0511 99 2000	animal semen, not bovine
0511 99 3000	animal embryos
0706 10 1000	carrots, fresh or chilled
0713	pulses
0802 11 0000	almonds, in shell
0802 12 0000	almonds, shelled
0802 21 0000	hazelnuts, in shell
0802 22 0000	hazelnuts, shelled
0802 31 0000	walnuts, in–shell
0802 32 0000	walnuts, shelled
0802 50 0000	fresh pistachios
0802 90 9000	other nuts (pecans and macadamias)
0804 20 0000	figs
0804 40 0000	fresh avocados
0805 30 0000	fresh lemons and limes
0805 40 0000	fresh grapefruit
0806 20 0000	raisins
0809 20 0000	fresh cherries

0190

URUGUAY ROUND AGRICULTURE NEGOTIATIONS: UNITED STATES
MARKET ACCESS REQUESTS FOR THE REPUBLIC OF KOREA

TARIFF LINE	PRODUCT
0810 90 4000	fresh kiwifruit
0811 20 0000	frozen blueberries
0811 90 0000	frozen avocados
0811 90 0000	frozen peaches
0813 20 0000	prunes
1001 90 9000	wheat, other (not durum)
1003 00 1000	malting barley
1003 00 9010	barley, other, unhulled
1003 00 9020	barley, other, naked
1003 00 9090	barley, other
1005 10 0000	seed corn
1005 90 1000	feed corn
1005 90 2000	popcorn
1005 90 9000	other corn
1006 10 0000	rice in the husk (paddy or rough)
1006 20 1000	rice, husked, nonglutinous
1006 20 2000	rice, husked, glutinous
1006 30 1000	rice, semi-milled or wholly milled, nonglutinous
1006 30 2000	rice, semi-milled or wholly milled, glutinous
1006 40 0000	rice, broken
1007 00 0000	grain sorghum
1101 00 1000	wheat flour
1102 20 0000	corn flour
1103 13 0000	corn grits
1104 12 0000	rolled oats
1104 23 0000	corn hominy
1105 10 0000	potato flour and meal
1105 20 0000	potato flakes, pellets, etc.
1108 12 0000	corn starch
1201 00 0000	soybeans
1202 10 0000	peanuts, in-shell
1202 20 0000	peanuts, shelled
1206 00 0000	sunflowerseed
1207 20 0000	cottonseed
1208 10 0000	soybean flour/dry meal
1209 91 0000	vegetable seeds
1211 20	ginseng
1214 10 0000	alfalfa meal and pellets
1214 90 9000	hay (alfalfa bales/cubes)
1502 00 1010	beef tallow, acid value not exceeding 2
1502 00 1090	beef tallow, other
1507 10 0000	soybean oil, crude
1507 90 1000	soybean oil, refined
1508 10 0000	peanut oil, crude

0191

URUGUAY ROUND AGRICULTURE NEGOTIATIONS: UNITED STATES
MARKET ACCESS REQUESTS FOR THE REPUBLIC OF KOREA

TARIFF LINE	PRODUCT
1508 90 1000	peanut oil, refined
1512 11 1000	sunflowerseed oil, crude
1512 19 1010	sunflowerseed oil, refined
1512 21 0000	crude cottonseed oil
1512 29 1000	refined cottonseed oil
1515 21 0000	crude corn oil
1515 29 0000	other corn oil
1515 90 9090	avocado oil
1516 20 2040	hydrogenated cottonseed oil
1601 00 0000	pork sausage, including hot dogs
1602 31 1000	turkey, prepared or preserved
1602 41 1000	pork, prepared/preserved, hams
1602 42 1000	pork, prepared/preserved, shoulders
1602 49 1000	pork, prepared/preserved, other
1603 00 1000	meat extracts
1702 60 2000	high fructose corn syrup
1704 10 0000	chewing gum
1704 90 2010	candies, drops
1704 90 2020	candies, caramels
1704 90 2090	candies, other
1704 90 9000	other sugar confectionary
1806 20 1000	chocolate blocks
1806 20 9090	other chocolate preparations
1806 31 1000	filled chocolate blocks
1806 31 9000	other filled blocks/slabs/bars
1806 32 1000	not filled chocolate blocks
1806 32 9000	other unfilled block/slab/bar
2001 10 0000	cucumbers & gherkins in vinegar/acetic acid
2004 10 0000	frozen french fries
2005 10 0000	canned vegetables
2005 20 0000	potatoes, prepared/preserved, not frozen
2005 51 0000	beans, prepared or preserved (canned pork & beans)
2005 80 0000	sweet corn, not frozen
2005 90 9000	other vegetables & mixtures of vegetables
2007 99 1000	fruit jams, jellies, marmalades
2007 99 9000	fruit or nut purees and pastes
2008 11 1000	peanut butter
2008 19 9000	sunflowerseed confectionary
2008 40 0000	canned pears
2008 70 0000	canned peaches
2008 92 1000	canned fruit cocktail
2008 99 9000	prepared/preserved avocados
2009 20 0000	grapefruit juice
2009 30 1000	lemon juice

0192

URUGUAY ROUND AGRICULTURE NEGOTIATIONS: UNITED STATES
MARKET ACCESS REQUESTS FOR THE REPUBLIC OF KOREA

TARIFF LINE	PRODUCT
2009 30 2000	lime juice
2009 50 0000	tomato juice
2009 80 1010	peach juice
2009 80 1090	juice of other single fruit
2009 90 2000	juice of single vegetable
2009 90 1000	mixtures of fruit juices
2009 90 2000	mixtures of vegetable juices
2102 10 1000	brewery yeast
2102 10 4000	culture yeast
2102 10 9000	other active yeast
2102 20 1000	inactive yeasts
2103 90 9030	mixed seasonings
2103 90 9090	other mixed sauces & condiments
2104 10 1000	soup and broth, of meat
2104 20 0000	homogenized composite food preparations
2105 00 1000	ice cream
2106 10 9000	soy concentrate
2106 90 1010	cola base
2106 90 1020	beverage base
2106 90 30	ginseng products
2204 21 1000	red wine, container under 2 l
2204 21 2000	white wine, container under 2 l
2204 29 1000	red wine, other
2204 29 2000	white wine, other
2206 00 1090	other fermented fruit beverage
2301 10 0000	meat meal
2303 10 0000	corn gluten feed
2304 00 0000	soybean meal
2305 10 0000	cottonseed meal
2306 30 0000	sunflowerseed meal
2309 90 1010	mixed feeds, for pigs
2309 90 1020	mixed feeds, for fowls
2309 90 1030	mixed feeds, for fish
2309 90 1040	mixed feeds, for bovine animals
2309 90 1090	mixed feeds, other
2309 90 2010	supplementary feeds, chiefly of inorganic substances/
2309 90 2020	supplementary feeds, chiefly on the basis of flavorings
2309 90 2090	supplementary feeds, other
2401 10 1000	tobacco, not stemmed or stripped, flue-cured
2401 10 2000	tobacco, not stemmed or stripped, burley
2401 10 9000	tobacco, not stemmed or stripped, other
2401 20 1000	tobacco, stemmed or stripped, flue-cured
2401 20 2000	tobacco, stemmed or stripped, burley
2401 20 9000	tobacco, stemmed or stripped, other

0193

URUGUAY ROUND AGRICULTURE NEGOTIATIONS: UNITED STATES MARKET ACCESS REQUESTS FOR THE REPUBLIC OF KOREA

TARIFF LINE	PRODUCT
2402 10 1000	cigars
2402 10 2000	cheroots
2402 10 3000	cigarillos
2402 20 1000	cigarettes, filter-tip
2403 10 1000	pipe tobacco
2403 10 9000	other smoking tobacco
3301 24 0000	essential oils of peppermint
3504 00 2030	protein isolates

0194

원 본

관리 번호 92-887

외 무 부

종 별 :

번 호 : GVW-2414 　　　　　 일 시 : 92 1221 1500

수 신 : 장관(통기,경기원,재무부,농수산부,상공부,특허청)

발 신 : 주 제네바대사

제 목 : UR/시장접근 협의(칠레, 스웨덴)

대: WGV-1979

연: GVW-2394

12.18(금) 표제협의가 당지에서 있었는바 아래와 같이 요지 보고함.

(서재무관, 재무부 박재식사무관, 농림수산부 유병린사무관, 상공부 김순철사무관 참석)

1. 칠레와 양자협의(11:00-12:00)

가. 상호 우선 관심 품목

- 칠레측은 10 월 제출한 대아국 관심품목에 대해 호의적인 고려를 요청하고 구체적인 요청내용은 추후 제시하겠다고 함

- 아측은 상기 관심품목에 대해 검토중이며 아측의 대칠레 우선 품목을 곧 제출할 것이라고 발언함.

나. 분야별 협상

- 칠레측은 현재 35 % 일율단순 관세율을 25%(11 개 품목은 10% 적용)로 인하하는바, 분야별 협상에는 참여하지 않는다고 함.

다. 농산물

- 아측은 칠레의 C/S 에 국내보조 감축 계획이 없는데 이는 어떠한 보조도 없다는 것을 의미하느냐고 문의한바, 칠레측은 개도국 우대 조치로 인해 감축대상 보조가 없는 것이라고 답변함.

- 칠레측은 포도, 사과, 배등 칠레 관심품목에 대한 아국의 TE 가 높아 시장접근이 이루어지기 어려울 것이라고 언급하면서 아국의 TE, CMA, MMA 의 계산방법을 문의해 온바, 아측은 DFA 에 따라 작성되었다고 말하고, 국제가격이 없는 경우는 인접 국가의 수입가격을 EXTERNAL PRICE 로 사용했다고 답변하였음.

통상국 농수부	장관 상공부	차관 특허청	2차보	분석관	청와대	안기부	경기원	재무부

PAGE 1 　　　　　　　　　　　　　　　　　 92.12.22　03:31

* 원본수령부서 승인없이 복사 금지

외신 2과　통제관 FR

0195

- 칠레측은 자유화된 품목의 TE 계산 이유를 문의해 온 바 아측은 '87-92 자유화 품목중 일부는 TE 를 계산하여 CREDIT 로 반영한 것이라고 답변함.

- 칠레측은 MMA 가 없는 품목에 대하여 그 사유를 문의해 온바 쌀의 경우는 MMA 를 허용할수 없다는 것이 한국정부의 확고한 입장이며 기타품목은 국내 수요가 없어 MMA 산출이 불가한 품목이라고 설명함.

- 칠레측에서 칠레산 과일은 CLEAN (병해충이 없음) 하다고 언급하고 과실류의 검역제한 해제 문제를 제기해 온 바, 아측은 식물검역은 양국의 검역전문가간 논의를 통해 해결할 기술적 사항이며 지난 10 월에 개최된 한. 칠레 공동위의 합의에 따라 내년초 (EARLY PART OF NEXT YEAR) 한국검역관의 칠레 방문시 이에 대한 논의가 가능할 것으로 본다고 답변함.

라. 비관세

- 아측은 비상업용 차량 및 부직포 수입에 대한 ADDITIONAL TAX 50% 부과 문제를 질의한바, 비상업용 차량에 대한 과세는 소비세의 일종으로 내국제품에도 동일하게 적용됨을 설명하면서, 부직포에 대해서는 확인이 필요하다고 하고, 구체적인 질문은 서면으로 해달라고 요청함.

2. 스웨덴과 양자협의(12:00-13:30)

가. 분야별 협상

- 스웨덴은 화학, 의약품, 철강, 건설장비, 의료기기에 관심이 있으며, 동 관심품목에 대해 관련국가가 만족스러운 수준으로 참여한다면 여타 분야에도 참여할 용의가 있다고 함.

- 스웨덴측은 특히 철강 MSA 협상이 지연되고 있음을 지적하면서 MSA 협상과는 별도로 철강 관세율의 MINIMUM CUT 를 대안으로 제시할 용의가 있다고 함.

- 또한 스웨덴측은 12.17 화학분야 관련 OECD 국가간 협의가 있었고 이 협의에서 아국의 참여가 필수적이라는 견해가 많았다고 전함.

- 아측은 분야별 협상에 대한 아국의 기존입장을 설명함.

나. 상호 관심사항

- 양측은 상호 양허 수준이 비교적 균형을 이루고 있으며 분야별 협상이 타결된후 C/S 가 변경될 것임을 확인하고, 상호 관심품목에 대해 호의적인 고려를 할것을 요청함.

다. 비관세

PAGE 2

O 스웨덴측은 아국의 원산지제도에 관심을 표명하였는바, 아측은 동 제도에 관해서는 TBT 위원회 및 아국 TPRM 시 수차례 설명하였음을 상기시키면서 동 제도는 GATT 규정, KYOTO 협약등 국제적으로 인정된 규정에 일치함을 설명하고, 스웨덴측이 동 제도 관련 구체적 질문을 제시할 경우 이에 답변할 것임을 설명함.

O 또한 스웨덴측은 지적재산권 문제를 제기하였는바, 이에 대해 아측은 동 문제를 시장접근 양자협의시 거론 하는 것이 적합하지 않다고 답변함. 끝

(대박수길-국장)

예고:93.6.30 까지

PAGE 3

0197

외교문서 비밀해제: 우루과이라운드2 27
우루과이라운드 시장 접근 분야 양허 협상

초판인쇄 2024년 03월 15일
초판발행 2024년 03월 15일

지은이 한국학술정보(주)
펴낸이 채종준
펴낸곳 한국학술정보(주)
주 소 경기도 파주시 회동길 230(문발동)
전 화 031-908-3181(대표)
팩 스 031-908-3189
홈페이지 http://ebook.kstudy.com
E-mail 출판사업부 publish@kstudy.com
등 록 제일산-115호(2000. 6. 19)

ISBN   979-11-7217-129-2 94340
       979-11-7217-102-5 94340 (set)

이 책은 한국학술정보(주)와 저작자의 지적 재산으로서 무단 전재와 복제를 금합니다.
책에 대한 더 나은 생각, 끊임없는 고민, 독자를 생각하는 마음으로 보다 좋은 책을 만들어갑니다.